ロスジェネの逆襲

池井戸　潤

文藝春秋

目次

人物相関図

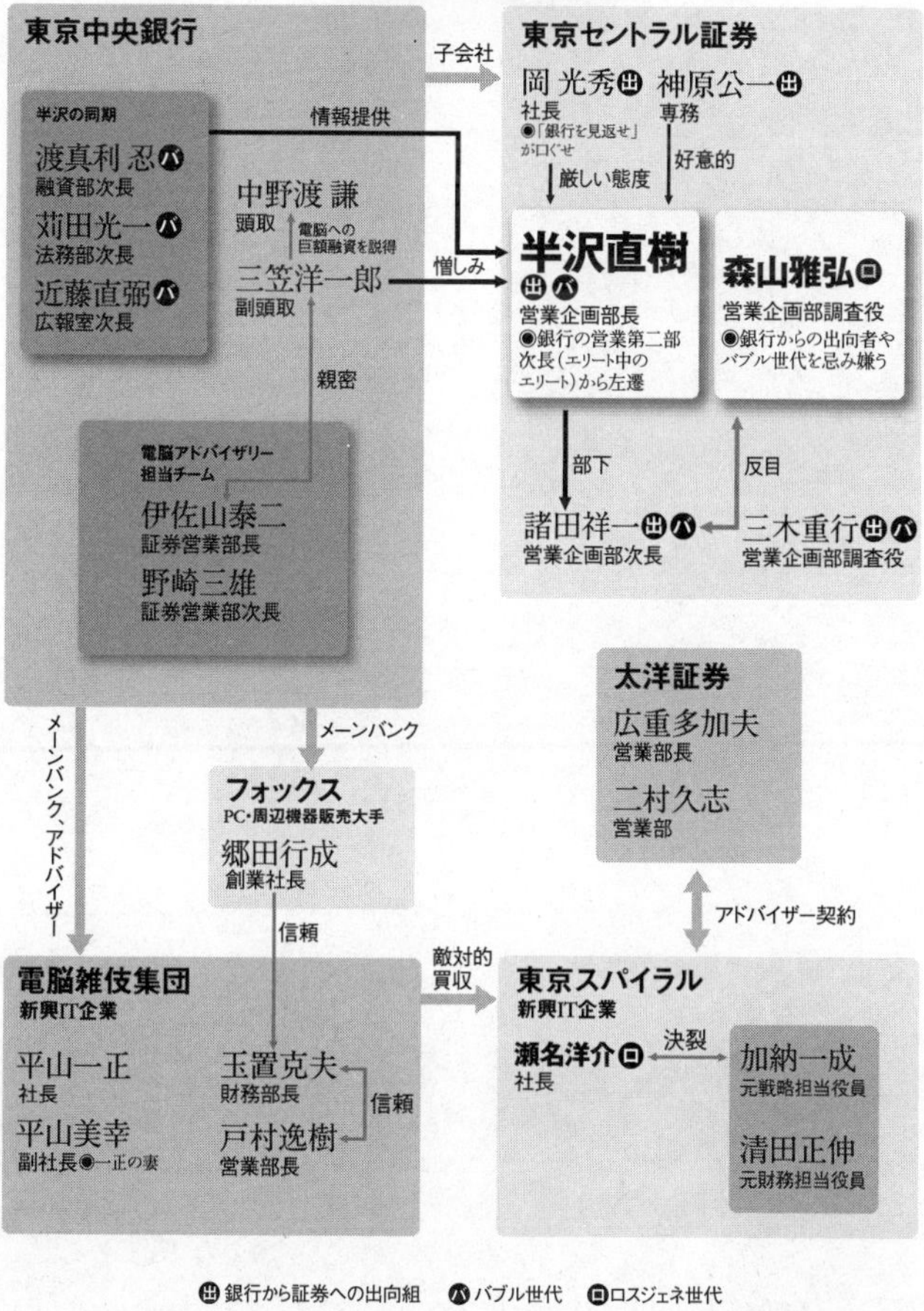
東京中央銀行
子会社
東京セントラル証券
岡 光秀 出
社長
●「銀行を見返せ」が口ぐせ
神原公一 出
専務
厳しい態度
好意的
半沢の同期
渡真利 忍 バ
融資部次長
苅田光一 バ
法務部次長
近藤直弼 バ
広報室次長
情報提供
中野渡 謙
頭取
電脳への巨額融資を説得
三笠洋一郎
副頭取
憎しみ
半沢直樹
出 バ
営業企画部長
●銀行の営業第二部次長（エリート中のエリート）から左遷
森山雅弘 ロ
営業企画部調査役
●銀行からの出向者やバブル世代を忌み嫌う
親密
電脳アドバイザリー担当チーム
伊佐山泰二
証券営業部長
野崎三雄
証券営業部次長
部下
反目
諸田祥一 出 バ
営業企画部次長
三木重行 出 バ
営業企画部調査役
太洋証券
広重多加夫
営業部長
二村久志
営業部
メーンバンク
メーンバンク、アドバイザー
フォックス
PC・周辺機器販売大手
郷田行成
創業社長
信頼
アドバイザー契約
敵対的買収
電脳雑伎集団
新興IT企業
平山一正
社長
平山美幸
副社長●一正の妻
玉置克夫
財務部長
戸村逸樹
営業部長
信頼
東京スパイラル
新興IT企業
瀬名洋介 ロ
社長
決裂
加納一成
元戦略担当役員
清田正伸
元財務担当役員
出 銀行から証券への出向組
バ バブル世代
ロ ロスジェネ世代

ロスジェネの逆襲

半沢直樹 3

第一章
椅子取りゲーム

1

電脳雑伎集団の平山《ひらやま》が夫婦で訪ねてきたのは、十月のとある月曜日のことであった。

二〇〇四年、米大リーグでジョージ・シスラーの持つ年間最多安打記録をイチローが破った翌週のことである。

半沢直樹《はんざわなおき》が、重要な顧客だけが通される第一応接室に出向いたとき、すでに次長の諸《もろ》田祥一《たしょういち》と森山雅弘《もりやままさひろ》のふたりがいて、IT企業の電脳雑伎集団を率いる平山一正《かずまさ》社長と、その妻で同社副社長の美幸《みゆき》夫人の相手をしていた。

電脳雑伎集団は、平山が三十五歳のとき、それまで勤務していた総合商社を辞して創業したベンチャー企業であった。中国企業を連想させる社名は、かつて中国雑伎団によるアクロバティックな演技を見て感動した平山が、IT分野でも同じ超絶技巧を駆使するプロ集団をイメージして命名したものだ。

株式を新興市場に上場したのが創業五年目。この時点で、平山は巨額の創業者利益を得て、日本の起業家のいわばスター的な存在にまでのし上がり、いまやその世界では知らぬ者のない有名人になっている。

今年五十歳になる平山はサラリーマン時代を彷彿《ほうふつ》とさせる地味なスーツ姿だが、一方の美幸は、ひと目でそれとわかる派手なブランド物の服に身を包んでいた。

半沢が来る前にいい話でもあったのか、いま諸田が期待に顔を輝かせ、肘掛け椅子を半沢に勧めた。その諸田の横では、森山が、いつもの仏頂面でノートを広げ、ボールペンを構えている。

「こちらからまたご挨拶にお伺いしようと思っていたところです。わざわざお越しいただきまして、ありがとうございます」

半沢は礼をいった。平山とは、それまで勤務していた東京中央銀行からこの東京セントラル証券へ出向を命じられた二カ月前に部長就任挨拶で初めて会社を訪ねたとき以来である。

重要な顧客という位置付けにはなっているものの、電脳雑伎集団との関係は鳴かず飛ばずで、上場時の主幹事を務めたのを最後にさしたる取引実績がない。担当の森山を通じて様々な商品を持ち込んでも、ことごとく門前払いを食らわされているといった状況であった。

「重要なお話なので、部長にもぜひ、同席していただきたいとのことです」

それが商談だと勝手に期待しているらしい諸田の言葉に、礼をいいながらベンチャー企業の創業者夫妻を見やった半沢は、ふと眉を上げた。

ふたりの表情にいつにない真剣なものが浮かんでいたからである。ただならぬ気配が漂い出ている。

「本日は、お時間をいただき申し訳ない」

平山社長は上体を傾けて切り出した。「我が電脳雑伎集団は来年創業十五周年を迎えます。この間、皆さんの厚いご支援をいただき、まずは順調に業績を伸ばして参りました。ところが、ここ数年、経営環境は厳しさを増してきまして、従来の経営では対応に限界があるのではないかという懸念が出てきました。この節目の年を前に、いま弊社に必要なのは、次の十年、二十年後の成長を支えるだけの、大胆で、新しい戦略ではないか。それを現実のものとするために御社にぜひご協力をお願いしたいと思いお時間を頂戴した次第です」

見かけは地味だが、常に積極経営を標榜《ひょうぼう》してきた平山らしい話であった。矢継《やつ》ぎ早《ばや》の戦略を成功させてきた電脳雑伎集団の売上は、ゆうに三千億円を超える規模になっている。

「いままでにない経営戦略ですか。それは素晴らしい。それは是非、私どもにもお手伝いさせていただきたいものです」

諸田が口を挟んだ。「それで、具体的にはどのような？」

「企業規模を拡大していくために、最善かつ最速の手段を選択することに決めました」

平山の言葉には、決意のようなものが浮かんでいる。

「最善かつ最速ですか。いい言葉ですな」

諸田が持ち上げる。「で、具体的なプランはありますか」

「それをご相談に上がった次第でして」

そう告げた平山は、ひと呼吸をおいて続けた。「――東京スパイラルを買収したい」

えっ、という驚きの声を残し、諸田が凍り付いた。森山がメモを取る手を止め、平山を凝視している。まぎれもない驚愕が顔面に貼り付いていた。

それもそのはず、東京スパイラルは、平山率いる電脳雑伎集団と並ぶ、ＩＴの雄だ。社長の瀬名《せな》洋介《ようすけ》は、まだ三十歳。仲間数人と起業したインターネット関連ソフトの販売業務から出発し、いま売上一千億円を超える企業規模にまで会社を成長させた手腕は高く評価されている。

「どうでしょうか、半沢部長」

平山の視線が半沢に振られた。

「随分と思い切った戦略ですね」

半沢は正直な感想を口にした。「しかし、東京スパイラルを買収して、どんなビジネスを考えていらっしゃいますか」

「同社が運営するインターネットの検索サイトが欲しい。それがあれば、パソコンなどハード寄りのウチの構造を転換し、さらにネット戦略の橋頭堡《きょうとうほ》を築くことができます」

平山は計画の一端を口にした。「東京スパイラルの事業内容については、私たちなりにリサーチは済ませました。この買収が実現すれば、弊社は一段と飛躍できるはずです。

ぜひ、御社にアドバイザーになっていただき、この買収戦略を成功させたい」

「いやあ、いいお話を頂戴し、感謝しますよ、社長」

半沢がなにかいう前に、諸田が浮かれた感想を挟んだ。「前向きに検討させていただきたいと存じます。御社だけではなく、弊社もこの買収案件で飛躍させてください。お互いにとって、素晴らしいディールになることは間違いありません。ぜひ、成功させましょう。詳細を詰めさせていただいた後、改めて、提案書をお持ち致しますので、よろしくお願いします」

そういって深々と諸田は頭を下げた。

「おもしろい話が転がり込んできましたね」

ふたりを乗せたエレベーターのドアが閉まり、階数を表示するランプが下りはじめるのを見届けた諸田は、興奮した口調でいった。「さすが平山社長、大胆不敵とでもいいますか」

「しかし、買収事案としてはかなり難しいだろう」

半沢は慎重にいった。東京セントラル証券は、東京中央銀行の証券子会社で資本のスジはいいが、いかんせん業歴は浅く企業買収の実績があまりない。大型案件ともなればなおさらで、アドバイザーとして高額の手数料を徴収できるほどのノウハウがあるかといえば、正直、心許《こころもと》なかった。

「これはやるべきですよ、部長」

諸田は力強くいった。「やらなきゃいけない。そう思います」

このアドバイザー業務が巨額の収益をもたらすからだ。ここのところ業績が低迷している会社にとっては、願ってもないビッグビジネスである。

「東京スパイラルがおいそれと買収に応じると思うか」

半沢はきいた。「おそらく、敵対的買収になるぞ。ノウハウはあるか」

「なんとかなりますよ、そんなものは」

諸田はいったが、その発言に根拠があるとは思えない。いままで扱ってきた大口の案件は全て親会社の銀行から回されたものばかりだ。恵まれているが故に市場の厳しさを知らない銀行の証券子会社にとって、敵対的買収のアドバイザー業務はいかにも荷が重いのではないか。諸田は楽観し過ぎている。

企業買収、M&Aといった言葉が徐々に浸透してきてはいるものの、まだ身近に感じるほどにはなっていない。そんな時代に、企業規模の違いこそあれ、ライバル企業を買収して傘下に収めようという平山の戦略は、まさに誰もがあっと驚く奇襲であるだけに、失敗する可能性も高い。

「そんなにうまくいきますかね」

森山が、疑問を口にした。「東京スパイラルの社員にしてみれば、いままでライバルだと思っていた相手に征服されるようなものだし。必死で抵抗してきますよ、彼ら」

「だからなんなんだ」

諸田はふいに不機嫌な目になって、森山を見た。「電脳はお前の担当だろう。収益を上げようと思わないのか。ぼうっとしてたって、食《く》い扶持《ぶち》を稼げるわけじゃないんだぞ。今月の目標、まったくいってないだろう」

森山は表情を消し、口を噤《つぐ》む。今年調査役に昇格したばかりの森山は、優秀ではあるが使いにくい部下だった。理屈っぽく、斜に構えたところがある。組織に媚《こ》びず、会議などで堂々と反対意見をいうから、煙たがる上司も少なくない。諸田もそんなひとりで、森山に対する当たりは普段から厳しい。

「できるだけ受ける方向で、至急、検討してくれ」

半沢は森山に命じた。「難しい案件だと思うが、いまのウチにはこういう経験も必要だと思う」

「わかりました」

小さな吐息とともに自席へと戻っていく森山の後ろ姿に、

「なにを考えてるんだ、あいつは」

そう諸田は吐き捨てた。「あんな態度がありますか」

同意を求めるように半沢を見る。諸田は同じバブル世代で、同じ銀行からの出向組。ポストは半沢のほうが上だが、入行年次では諸田がひとつ先輩になる。諸田はどちらかというと〝勢い〟で仕事をしてきた営業マンで、一方の森山はなにかと理屈が先に立つタイプ。ウマが合うわけはない。

「これで当期の業績もひと息つけますよ」

諸田の口調は、すでに契約にこぎ着けたかのような安堵《あんど》に満ちていた。

2

「東京スパイラルは創業社長の瀬名洋介が友人ふたりと起業し、上場を果たしました。前期の売上は千二百億円、経常利益三百億円、当期利益百二十億円――」

「株価は」

森山の発表を遮《さえぎ》って、諸田がきいた。翌日の午後六時から開かれた臨時ミーティングの席上である。

「二万四千円です」

「だから？」

諸田の声に苛立《いらだ》ちが混じった。「いくら必要なんだよ、買収にさ」

その苛ついた口調に、森山が表情を消した。諸田の語調はいつになく厳しい。

「仮に過半数を取得するとして、一千五百億円弱の資金が必要になります」

森山の口から金額が出た途端、小会議室は声にならない興奮に満たされた。これほどの大型買収は経験がなかったからだ。

「これをやれば、今期収益の強力な底上げになるな」

諸田の言葉は、全員に向かっての発言にも、自分自身への激励にもきこえた。興奮に打ち震える声には、降って湧いた収益機会に対する期待が滲み出ている。

「しかし、千五百億円もの資金は、いまの電脳雑伎集団にはありません」

森山がいうと、

「資金なんぞ、どうにでもなるじゃないか」

諸田は怒りとともに吐き捨てた。「社債だろうが直接の融資だろうが、支援の方法はいくらでもあるはずだ」

「同社が買収に回せる資金は、決して潤沢じゃありません」

森山はひどく冷静な口調でいった。「同額の有利子負債を抱えることになります。体力からすると過剰ではないでしょうか」

「問題なし」

諸田はぴしゃりと撥ね付けた。「東京スパイラルと合併すれば、収益力はアップするだろうし、資産も増える。なんの問題があるっていうんだ」

「リスクが高過ぎると思いますが」

森山は硬い口調で主張した。「今期の予想売上三千数百億円の会社が、その売上高の半分に近い一千五百億円もの借金をしてライバル企業を買収するんですか。東京スパイラルと電脳とでは社風が違い過ぎるし、お互いにライバル意識も強い。東京スパイラルが無抵抗で買収に応じるとは思えませんし、社員の反発も大きいはずです。この買収が成功する見込みは低いでしょう」

「君みたいなことをいっていたら、商売なんてできないんだよ」

諸田は、憎々しく言い放った。「私がききたいのは、ウチがアドバイザーに就く上で、なんらかの障害があるのかどうかだ。君の意見なんかきいていない」

諸田は、瞳の奥に怒りの炎を点して森山を見据えると、「で、どうなんだ。なにか障害になる事実はあったのか」、と問い詰める。

「特に、ありません」

「だったら最初からそういえ」

短気な諸田は言い放つと、隣にいた半沢に向き直った。「部長、おききの通りです。今回の件、平山社長には引き受ける方向で返答させていただきたいのですが、よろしいでしょうか」

森山の表情が動いて昏《くら》い眼差しが半沢に向けられた。なにかいいたげに見えるその目は、半沢とはっきり視線が合う前に背けられてしまったが、その態度には不満が見て取れる。

小さく嘆息した半沢は、森山から諸田へと視線を戻した。

「わかった、進めてくれ。至急、平山さんと条件面を詰めてほしい」

「かしこまりました」

うなずいた諸田は、「アドバイザーチームを新たに編成したいと思う」、そう全員に告げると、チームに入れるメンバーをその場で選んでいく。

全部で五人。微妙な空気が流れだしたのは、その中に、電脳雑伎集団の担当者である森山の名前がなかったからだ。

「このメンバーで進めてもらいたい」

そう告げた諸田に、

「ちょっといいですか」

森山が燃えるような目を向けた。「私もメンバーということでよろしいんですね。担当ですし」

「いや、これは通常業務とは別枠で考えてくれ」

森山の目から感情がすり抜けた。諸田は、その森山のことなど無視して、「三木《みき》さん」、と会議テーブルの片隅にいた男に声をかける。三木重行《しげゆき》だ。

「リーダーは君だ。頼んだぞ」

「はい、かしこまりました！」

背すじを伸ばした三木からえらく気合のこもった声が会議室に響き、半沢は思いがけない展開にひそかに眉を顰《ひそ》めた。

重要案件だけに、まだ若い森山を外して、腹心の三木を入れたのだろうが、果たしてそれでいいか。三木の肩書は森山と同じ調査役だが、歳は半沢のひとつ上だ。つまり、諸田と同期で、しかも同じ銀行からの出向組。シンパシーを感じるのはわかるが、選出の合理的な理由たり得るとは思えない。こうした人選にまで口出しするつもりはないが、釈然としない。

東京中央銀行の系列証券である東京セントラル証券には、二種類の社員がいる。

同社のプロパー社員、そして銀行からの出向組だ。社歴の浅いこともあってプロパーの役員は存在せず、主要ポストは、銀行からの出向者が占めているのが実態であった。出向組に対するプロパー社員の不公平感は社内に根強いものがある。いまも、銀行出向者を特別扱いするのか——そんな雰囲気が漂いはじめている。

「待ってください」

たまらず森山が制した。「なんで、私が担当を外されるのか、まったく理解できないんですが」

「経験が必要なんだよ」

棘《とげ》のある口調で、諸田は言い放った。「この案件は大切にいきたいんでな。君には荷が勝ち過ぎる」

「――ざけんなよ」

背けられた森山の横顔から吐き出された言葉は、小声ながら半沢の耳にもはっきりときこえた。その場の空気が凍り付き、諸田の顔つきが変わる。その目の中に、怒りの炎がちろちろと燃えはじめた。

「なんだ、森山。文句あるのか」

「別に」投げやりな言葉が吐き出される。

「別にとはなんだ」

諸田のこめかみあたりに浮かんだ青筋はぴしぴしと音を立てんばかりだ。

「別に、文句、ないです」

森山が浮かべているのは怒りではなく、諦めだった。こんな相手と言い争っても無駄だ。こんな組織に期待するものはなにもない――いかにもそういいたげな表情だった。

「文句がないなら黙ってろ」

諸田は怒気を含んだ眼差しを森山に置いたまま、低い声を出した。

なにか反論するかと思った森山から、もう返事はない。

諸田は視線を三木へと戻し、「期待してますよ、三木さん」、と森山に対する冷ややかな態度とは正反対のエールを送った。


会議の後、自席に戻った森山のところに三木がにやにやした笑いを浮かべながら、近づいてきた。

「森山。電脳のファイル、出してくれるか」

森山は、デスクの上に置いてある電脳雑伎集団と背表紙に書かれた分厚いファイルを顎で示した。

「どうぞ。勝手に持っていけばいいでしょう」

「なんだよ、根に持ってるのか」

三木はいい、仏頂面をしている森山の肩を気安くぽんぽん叩く。

「止めてもらえませんか」

その腕を振り払った森山は、苛立ちの眼差しを先輩社員に向けた。「根に持つとか、そんなつまらないことは考えてませんよ。そんなことより、三木さんにできるんですか、この案件」

「どういうことだよ」

三木はさきほど会議室で見せた誠実な印象を一変させ、目に底意地の悪い光を浮かべた。「お前ができないから、オレにお鉢が回ってきたんだろ」

「そうですかね」

森山は、短い笑いを洩らした。「次長が気に入らないからオレを外した。それ以外の何物でもないと思いますけどね」

「お前、こういう案件、いままでに関わったことないだろう」

「だったら三木さんは、どうなんです」

森山は反問する。「企業買収、手掛けたことあるんですか」

思わず返事に窮した三木を、森山は見据えた。「少なくともウチに来てからの三年は、ないですよね」

「オレは銀行の情報開発部にいたんだ」

三木は十歳も年下の同僚に向かってライバル心を剝《む》き出しにしていった。「企業の売買情報は常に扱ってきたし、成功させた実例もある」

「成功させた？」

森山はきいた。「銀行の情報開発部って、企業売買の実務までするんですか」

問うと、三木は少しばつの悪そうな顔をしたが、すぐにその感情を仮面の下に押し込んだ。

「実務は営業担当の仕事さ。だが、会社を売り買いすることが果たしてどんなものかはわかってる。お前以上にな」

「自信満々ですね。そんなふうに、うまく事が進めばいいですけど」

「なんだよ、その言い方は」

皮肉を込めた森山を、三木は睨み付けた。森山は机上の資料を手早くまとめて、三木の前にどんと置く。

「電脳雑伎集団の書類はこれで全部です。どうぞ」

憎々しげな顔で森山を見た三木は、

「なにかわからないことがあれば都度《つど》、きくから」

そう言い残すと、資料を抱えて背を向けた。

その後ろ姿に、森山は思わず舌打ちした。

「おい、あんまりカッカすんなよ」

やりとりの一部始終を後ろのデスクできいていた尾西克彦《おにしかつひこ》がいった。自席へと戻っていく三木の背中をずっと追っていた視線が動いて、森山に戻ってくる。尾西は、入社年次では森山のひとつ上。この東京セントラル証券には森山同様新卒で入社したプロパー社員である。

「まったく、やってらんねえな」

尾西は低い声でいった。「飯でも食ってかねえか。それとも、まだ仕事あるのか」

「もうやる気がしませんよ」

森山がデスクの上の書類を片付けはじめると尾西も同じように手早く書類をしまい、ふたりで席を立った。

「お先に失礼します」

次長席に向かっていうと、諸田が「おお」という低い返事とともに、午後七時前を指している壁時計をちらりと見た。

もう帰るのか、と不満げな表情だ。

知ったことか。

そんな思いとともに尾西と並んでフロアを出た森山が最後に一瞥《いちべつ》したのは、さっき渡したばかりの資料を早速広げ、一心不乱に読んでいる三木の姿だ。

三木は、諸田が退社する前に帰ることはあり得ない。上司に対してはひたすら米つきバッタよろしく愛想よくするくせに、目下の者には先輩風を吹かせて偉そうにする男だった。

ご苦労なこった。

冷ややかな思いを胸の内でつぶやいた森山は、尾西の後ろについてエレベーターホールに出ると一階まで降りた。向かったのは、丸の内オアゾの中に入っている行きつけの店だ。

森山も尾西も、酒好きというわけではなかった。居酒屋へ行っても飲むのはせいぜい生ビールを一、二杯。あとはもっぱら、食う。

ビールの最初の一杯は喉に沁《し》みた。

「それにしてもさ、あんな能力のない野郎が担当だなんてな。なに考えてんだ、諸田次長は」

「プロパー社員なんか信用してないんですよ」

森山はジョッキを睨み付け、それを持つ指に力を入れた。「大事な案件は、仲間内で動かそうってことでしょう」

仲間内、というのは、東京中央銀行の出身者ということだ。諸田には明らかに、生え抜き社員を軽視する傾向がある。重要な仕事、大切な顧客、肝心な計数のとりまとめを任せているのは銀行からの出向者ばかりで、証券のプロパー社員はまるでアシスタント扱いだ。

「エリート意識の塊だからな、あの人は」

「というか、既得権益の塊ですよ」

森山はいまいましげに決め付けた。「バブル時代に銀行に入行して、大した能力もないのに次長でしょ。器じゃないというか」

日頃、なにかと目《め》の敵《かたき》にされていることもあって、森山の諸田批判は容赦無い。だが、批判を口にすればするほど、内面に染み出してくるのは、苦みのある疎外感のようなものだ。上司に恵まれず、サラリーマンとして決してうまくいっていない。苦労して入社した会社だが、ここに自分の居場所があるとは思えない。

「そんなに銀行出身者は信用できるんですかね」

相手が気の置けない尾西ということもあって、森山の怒りは燃え上がった。

「三木さんなんて〝はいはい〟いってばっかりで、全然仕切れやしないぜ」と尾西。

「それどころか、事務能力すらない。三木さんの伝票、間違いだらけなんだって、戸川《とがわ》が嘆いてましたよ」

戸川は営業企画部で事務のオペレーターをしている同僚の女子社員だ。「間違ってるから訂正してくれっていうと、君が直しておいてよって」

「そんなことだから出向させられるし、あの歳で調査役のまんまなんだ」

尾西はきっぱりと決め付けた。「今度の案件も大丈夫なのかねえ。そもそも、三木さんに企業売買の専門知識なんてないだろ」

「情報開発部だったそうだから」

森山がいい、ふたりして笑った。

「だからなに？」

吹き出しながら、尾西もいう。「そんなにエライのかよ、情報開発部がさ」

「企業売買の情報は常に扱《あつか》ってきたし、実際に成功させた実例もあるそうで」

「どんな実例だよ。ウソ吐《つ》け」

笑い飛ばしながら、尾西も怒っていた。

「挙げ句、実務は営業の仕事らしい」

森山が付け加えると、尾西は笑いを通り越して、深く嘆息する。

「結局、なにもできないってことじゃねえか。あのチーム、三木さん以外のメンツは、まあまあだけどな」

五人のメンバーのうち、三木を除く四人はプロパーの社員たちで、証券の事務手続きに精通しているスペシャリストばかりであった。実際のところ、三木が〝からきし〟でも、このチームはある程度機能するに違いない。

「これで三木に花を持たせて、ひとつ上に引き上げてやろうとでも次長は思ってるんだろう。だけど、あんなのが昇格したら下の連中が苦労するぜ」

尾西のいう通りだと、森山は思った。

「だいたい、部長も部長だよな」

尾西の批判は、営業企画部長の半沢にも向けられた。「銀行では営業第二部の次長だったんだろ、あの人。銀行でなにをやらかしたか知らないけどさ、そんなエリート中のエリートがなんでウチになんか来るんだよ。明らかに左遷《させん》じゃないか。結局のところ、あの人も諸田と同じ既得権益にどっぷり浸かってる口なんだよ。他のバブル入社組と同じようにな」

尾西のコメントは、あくまで辛口だった。

バブル時代とは、果たしてなんだったのか。

当時、森山の父親は、千葉県のとある地方都市の市役所に勤務する公務員だった。市役所の職員は、景気がよくても悪くても、待遇という面であまり関係ない。だが、中学と高校を通じて森山の親友だったヨースケの家は違った。ヨースケの父親は不動産会社に勤めていて、毎年夏休みになると、一家でハワイ旅行に出掛けていた。バブル時代のピークには、一回のボーナスが五百万円で、それは森山の父親の年収の半分よりも多かった。ヨースケだけじゃない、私立の中高一貫校だったせいもあり、同じ学校の友達には、父親が株で大儲けしたとか、ボーナスでベンツを買ったとか、そんな話があふれていた。

父親に直接いったことはなかったが、当時の森山は、少しみじめな思いもしていた。世の中は好景気に沸いているというのに、森山の家は、森山の高い学費を払うために、切り詰めた生活をせざるを得なかった。父は、世渡りがうまいわけでも、特別に能力が高いわけでもない。ただ地道に、判で押したように毎日市役所に出掛けていき、期末の繁忙日を除いて、ほぼ決まった時間に帰ってくる。そんな父が、その平々凡々たる人生が、森山は嫌いだった。父のようにはなりたくない。そう心底、思っていた。

ところが、中学から高校に上がった一年生の秋、異変が起きた。

親友のヨースケが突然、学校を辞めると言い出したのだ。

「オヤジが株で損しちゃってさ」

衝撃だった。子供に学校を辞めさせるなんて、相当のことだ。それが株などというもののために起きてしまう。そんなことがあっていいのか。

それを父に話すと、「ああ、それは〝信用〟だろう」、といった。父は真面目一本槍で、自分では一切、株をやりはしなかったが、人並みの知識は持っていたと見え、簡単なレクチャーを授けてくれた。

信用取引で大損をしたヨースケの父親は、預金をはたいただけでは足りず、家まで売って、その損失の穴埋めをせざるを得なくなったのだ。それだけなら、ヨースケは学校を辞めなくてもよかったかも知れない。悪いことに、ヨースケの父親はその損失を取り戻そうとして、さらに損失を拡大させていった。

森山が一番親しくしていた友達は学校を去り、どこか知らない町へと引っ越していった。それ以来、ヨースケとの連絡はぷっつりと途絶えたまま、いまに至っている。

株価は、その前年、つまり平成元年十二月の大納会に日経平均約三万八千円の市場最高値を付けた後、下落に次ぐ下落を続けていた。ヨースケの事件をきっかけに新聞の株式欄を見るようになった森山が、生き物のように揺れ動くチャートにある種の畏怖《いふ》と魅力を感じたのもそのときであった。こうした経験が後々、大学を卒業するとき証券会社を目指すきっかけになったことは否定しない。

ヨースケだけでなく、高校二年に上がるまでに、何人ものクラスメートが親の都合で学校を去ったことは、忘れ得ぬ出来事として森山の心に刻み込まれた。生徒の間にあふれていた、ある種能天気で、景気のいい話はとんときかれなくなり、世の中全体が長《なが》患《わずら》いの家族でも抱えているかのように暗く、沈んでいく。

その一方で、森山自身、少なからぬ大人たちがそう思っていたように、この不況は一時的なものに過ぎず、すぐに元の好景気が再来するのではないかという期待を持たないではなかった。

しかし、それはまったく根拠のない希望的観測に過ぎなかった。どれだけ待っても、また期待しても、景気は一向に回復する気配を見せなかったのだ。株価も地価も下落を続け、不景気という名の怪獣の長い尻尾は、ついに森山が大学を卒業するときまで、いやそれ以降も、就職難という形で、立ちはだかったのである。

就職氷河期の真っ只中に就職活動をすることを強いられた森山は、数十社にもおよぶ面接を受けて、落ちた。

就職が厳しいことはわかっていたから、学生時代から自己啓発に努め、英会話だけではなく証券アナリスト試験などの資格を得るための勉強にも余念がなかったつもりだ。授業はほとんど皆勤。成績はほとんど「優」――それでも落とされる。

なんで落とされたのか、理由が判然としないことも多かった。

不可解というより、理不尽。

相次ぐ不採用の知らせに、森山の腹に渦巻いたのは、やり場のない怒りだった。

森山の中学から高校にかけての好景気がバブルと呼ばれ、その後の不景気がバブル崩壊と名付けられたのもこの頃であった。

「泡《バブル》」と形容されるほど、奇妙な時代を作り上げ、崩壊させたのは誰なのか？

その張本人は特定できないが、少なくとも森山たちの世代ではない。なのに、満足な就職もできずに、割を食っているのは自分たちなのだ。

就職の面接を受けるたび、プライドも自信もズタズタに引き裂かれながら、不平ひとつこぼす余裕もない。そのときの森山は、将来の不安と戦いながら、ただ打たれても這い上がるだけのつらい日々を耐えるしかなかった。

大手ではないが、最終的にこの東京セントラル証券への内定が出たとき、森山が抱いたのは深い安堵だった。もう、就職先が一流とか二流とか、そんなことはどうでもよくなっていた。どこか自分が身を置く場所さえ見つかればそれでいい。最後まで就職先が決まらず、留年して翌年の活動に備える友人もいる中での内定獲得でもあった。

森山が経験した氷河期と呼ばれる就職難は、その後も長く続き、この二〇〇四年も状況は変わっていない。

世の中全体が、バブル崩壊後の不景気という名のトンネルにすっぽりと入り込んでしまい、出口を見出そうともがき苦しんでいたこの十年間。一九九四年から二〇〇四年に亘《わた》る就職氷河期に世の中に出た若者たち。その彼らを、後に某全国紙の命名により、「ロスト・ジェネレーション」、略してロスジェネ世代と呼ぶようになる。

しかし――。

身を削るような就職活動をくぐり抜けて会社に入ってみると、そこには、大した能力もないくせに、ただ売り手市場だというだけで大量採用された危機感なき社員たちが、中間管理職となって幅をきかせていたのだ。

バブル入社組である。

森山にとって彼らは、ただ好景気だったというだけで大量に採用され、禄《ろく》は喰《は》むが能はないお荷物世代だ。

大量採用のおかげで頭数だけはいるバブル世代を食わすため、少数精鋭のロスジェネ世代が働かされ、虐《しいた》げられている。

世の中は、森山たちの世代に対して、なにもしてくれなかった。まして、会社が手を差しのべてくれるとも思えない。

バブル世代は、自分を守ってくれるのは会社だと思い込んでいるかも知れない。

しかし、森山らロスジェネ世代にとって、自分を守ってくれるのは自分でしかあり得ない。

「会社は会社、オレはオレですよ」

森山は薄暗い店内の壁の、なんでもない壁の一点を見据えていった。その言葉は尾西に、というより自分に言い聞かせ念じる呪文のようだ。

しばらくすると、

「オレもそう思う」

妙に納得顔でうなずいて、尾西がいった。「半沢部長にせよ、諸田次長にせよ、あのアホの三木にせよ、個別の能力ではオレたちよりも劣るのに、会社組織という仕組みがあるからこそ、上司面してオレたちに指図する立場にいる。それだけのことなんだよ。あの連中から会社の肩書を外したら、なんにも残らない。あの連中が会社から去らない限り、真の実力で勝負する会社組織は実現しないいんだ」

尾西は、まるで反政府革命を起こす闘士のような口調でいった。「それまでは、能力のない連中を食わせるために、見合わない人件費を払い続けて競合他社と渡り合わなきゃいけない。もっとも、その事情はどの会社だって同じかも知れないけどな。バブル世代は、会社という枠組みを超え、いまや世の中の穀《ごく》潰《つぶ》し世代なのさ。まさに社会問題そのものだ」

結局、どこまでいっても割を食うのはオレたちロスジェネ世代だ——そう森山は確信した。

3

「概算で千五百億円の買収金額となると、収益は相当なものが見込めるんだよな」

電脳雑伎集団とのアドバイザー契約を締結した日、東京セントラル証券社長の岡光秀《おかみつひで》の機嫌は上々であった。調印のために社長室を訪れたときのことである。

東京中央銀行の専務取締役だった岡が、頭取の椅子を巡る出世競争に敗れて現職に就いたのは、一年前のことであった。

上昇志向の塊で負けず嫌い。感情を剝き出しにするタイプで、口癖は、〝銀行に負けるな〟、だ。

「成功報酬で受注しましたから」

半沢は、こたえた。

成功報酬にしようというのは、諸田の提案であった。手数料が高くなる代わり、失敗したら一円にもならないという契約だ。難航必至のこの案件では、あまりにリスクが高い。難色を示した半沢に、「それでいけ」、と命じたのは他ならぬ岡だった。

理由はひとつ。企業売買の分野で高収益を上げ、親会社の鼻を明かしたいからだ。

「絶対に成功させろ。厳命だ、営業企画部長」

粘着質そのものの岡の視線が半沢に向けられる。正直なところ、確実に成功するという自信はなかったが、反論する場面でもない。「全力で臨みます」、というひと言を残し、半沢は社長室を辞去した。

「社長はなんとおっしゃってましたか」

自席に戻ると、期待の笑みを浮かべた諸田が半沢のところへやってきた。岡の褒め言葉をききたかったに違いないが、「期待大だが、失敗は許されない」、といった半沢を前に、表情を引き締めた。

「いまプロジェクトチームでスキームを練っていますので、まもなくご報告できるかと」

「いいスキームはできそうか」そうきいた半沢に、

「気合で作りますよ」

諸田は精神論を口にし、不安にさせる。

こういう言い方は銀行時代によくきいた。そしてそのたびに、うんざりさせられたものだ。気合で乗り切れるほど、簡単な話か。物事には、成功させようとしたってできないことはいくらでもある。

営業企画部次長という要職にある者に、半沢が期待するのは事態を見極める冷静な判断力だが、諸田にはそれが有るか。

「〝鋭意努力しましたが、ダメでした〟では済まないからな。ウチの今期業績を左右する事案になる」

「承知しております。この買収案件を成功させられないようでは、証券会社としての将来はありませんから」

諸田はさらに根拠のないスジ論を口にして、半沢をうんざりさせた。

「今後のこともあるからいっておくが、そういう精神論とかはともかく、客観的な検討をしてくれないか」

諸田の表情が微妙に歪む。自分の仕事ぶりを半沢が認めていないことが不満なのだ。

「部長、本件は私が責任をもってやり遂げますので、全面的に任せていただけませんか」

少し苛ついた口調で、諸田はいった。銀行時代は証券部門で、畑違いの半沢よりも詳しいという自負もあるだろう。「プロジェクトチームは当社の選りすぐりばかりです。客観的に分析したところで所詮、予測に過ぎません。結果が全てなんじゃないでしょうか」

もともとプライドの高い男である。話しているうち内面の怒りを抑えられなくなった諸田は、みるみる顔を真っ赤にしていった。

「じゃあ、結果を出してくれ」

半沢はいった。「成功報酬という選択をした以上、君が出すべき結果は、ひとつしかない。買収を成功させることだ」

「もちろん。期待していただいて結構です」

諸田は、挑むような眼差しを半沢に向けると、一礼して部屋を出て行く。その背を見送った半沢は、ひとり深いため息を洩らした。

4

だが、諸田の鼻息とは裏腹に、三木をリーダーとしたプロジェクトチームは、それから一週間ほど経っても具体的なスキームを出せないでいた。半沢がその迷走ぶりを知ったのは、その日、顔を出した同チームの打ち合わせの席でだ。

「東京スパイラル側に対して、こちらの買収意図を伝えるところからはじめるべきだと思います。相手の態度が確定しないと、こちらのスキームも決められません」

発言したのは、営業本部の金谷《かねたに》という男だった。長く営業の第一線で働いてきた泥臭い男だが証券の実務には精通している。

「まあ、それはそうだよな」

打ち合わせの進行役をしているリーダーの三木が、ノートに書き付けながらうなずいた。

「平山社長から、内々に打診していただくよう話してみるか」

三木の発言を肯定する場の雰囲気に、半沢は慌てた。

「ちょっと待て。君たちは、買収路線を既定方針として考え過ぎてないか。東京スパイラルのことをどれだけ調べた？　徹底的に調べて、まず、平山社長が考えている同社買収が戦略として正しいかどうかを見極めるのが先決だろう。場合によっては、東京スパイラルを買収しないという選択肢だってあるはずだ」

全員が押し黙った。

「成功報酬なんですよ、部長」

そのとき、三木が反論してきた。「まず買収ありきで進むべきだと考えますが。それに、やるかやらないかは、契約前に事前リサーチして検討してますし」

「事前のリサーチは買収可能性がゼロじゃないということをいったに過ぎないだろ。君たちは、それを鵜呑《うの》みにするのか」

「もう契約した後ですし……」

三木の反論に思わず天井を仰《あお》いだ半沢は、再び視線を戻すと、「なんのためのチームなんだ」、と語気を荒らげた。

「君ら専門家が集まっているのは、緻密なリサーチと評価、提案をするためだろう。成功報酬のことは一旦忘れて、まずこの買収案件の是非について掘り下げるところからはじめてほしい。それに――」

半沢は、会議室に詰めた五人を睨み付けた。「その後のスキームを検討もしないで、まず東京スパイラルに買収の打診をしてくれなんて平山社長にいってみろ、ウチへの信用はガタ落ちだ」

反論はない。

三木のチームが、提案らしきものをまとめたのは、それからさらに一週間ほどしてからであった。

その日、室内にはピリピリしたムードが立ちこめていた。

電脳雑伎集団の会議室だ。中央の席に半沢、その横に次長の諸田がかけ、続いて三木を筆頭とするプロジェクトチームの五人が緊張した面持《おもも》ちで平山社長の入室を待っている。

午前十時ぴったりにドアがノックされ、社長の平山が姿を現した。

「副社長は別件がありまして、今日は失礼します」

開口一番、妻の不在を詫びた平山は、さて、とずらりと並んだ東京セントラル証券のメンバーを眺めた。

「今日はどのような」

少々意外なひと言が飛び出し、半沢は目を見開いた。買収事案に関わることなのはいうまでもないのに、どのような、はない。

「ご相談いただいている件です」

半沢はこたえた。「早速、叩き台となる買収案をお持ちしましたので、その内容について説明させていただこうと思いまして」

「ああ、そのことですか」

平山の唇に困ったような笑いが挟まるのを見た瞬間、半沢は奇妙な違和感にとらわれた。

このミーティングは、東京スパイラル買収を目標として掲げる平山にしてみれば、待ちかねたもののはずだ。それなのに、いま目の前にいる平山からは、期待も熱意も感じられない。

半沢が敏感に異変を感じ取ったのと、「その件は、もう結構です」、というまさに驚きの言葉が平山から発せられたのは、ほぼ同時だった。

「どういうことでしょうか」

慌てて半沢がきくと、平山の視線がすっと壁に逸れていく。それが戻ってきたとき、その目に浮かんでいたのは、怒りだ。

「私がお願いしたのは、もう二週間以上も前なんですよ、半沢さん」

静かな口調に、平山の感情が滲み出ている。「ところがその間、御社からはなんの連絡もなかった。ウチが上場したときにお世話になった縁でお願いしましたが、こういう対応では信頼してお世話になるというわけにはいきません」

なんの連絡もない、というくだりで、半沢は思わず三木を一瞥した。頰のあたりを引きつらせた三木は愕然とし、顎が落ちそうだ。

「それは申し訳ありません」

半沢は詫びた。「ですが、ウチのチームで本件について鋭意検討しておりまして――」

「遅いですよ」

平山は厳しい表情で撥ね付けた。「私どもIT業界はスピードが命です。生き馬の目を抜く業界ですからね。こんなスピードでは、とてもじゃないがパートナーとして、信頼できません。そんなわけですので、半沢さん――」

平山は、半沢を見据えた。「先日のアドバイザー契約、なかったことにさせてください。では」

そういうと、席を立ってさっさと歩きだす。

「社長、お待ちください」

慌てた半沢が声をかけたが、頑《かたく》なな横顔を見せたまま平山は振り返ることなくドアを開け、部屋の外へと消えた。

取り付く島もない。

隣で諸田が頭を抱え、それから、同じように唖然としたまま声もない三木らチームの面々に向かって怒鳴った。

「なんで、連絡しなかったんだ。ボツ交渉だったのか」

埴輪《はにわ》のような顔で椅子にかけているメンバーから返事はない。やがて、「すみませんでした」、と三木が詫びた。

「なに考えてるんだ、まったく」

諸田は悔しそうに表情を歪める。「契約破棄についての条項はどうなってる。中途解約についての規定は」

カバンから契約書を出した三木が、すばやく条文を確認した。

「罰則規定は特にありません」

その返答に、諸田は天井を仰ぎ、「なんでこんなことになるんだよ」、と悲痛な声を出す。

「すみません」

蒼ざめた顔で三木はまた詫びた。「先週は作業に集中していたものですから」

意味のない言い訳だった。平山が厳しい男だということはわかっていながら、対応に甘さが出た。半沢は目を閉じ、それからゆっくりと立ち上がると、

「引き揚げるぞ」

そういって真っ先に部屋を出た。


「よお、半沢君じゃないか」

声をかけられたのは、ビルのエントランスを出ようとしたときだった。

「伊佐山《いさやま》さん」

東京中央銀行の証券営業部長、伊佐山泰二《たいじ》が、そこに立っていた。濃紺のスーツに身を包んだ伊佐山は、百九十センチの巨体から、見下ろすように半沢に視線を向けている。一度見たら忘れられない馬面《うまづら》にニヤついた笑いが浮かんでいた。

「久しぶりじゃないか。どうだ、セントラルの飯は」

「まあまあですよ」

半沢はこたえながら、伊佐山の背後に控えた男たちの中に、野崎三雄《のざきみつお》の姿を見つけて、おや、と思った。野崎は東京中央銀行の証券営業部次長。国内外の企業買収でチーフを任されている男だ。

なんで野崎がここに？　浮かんだ疑問の答えを見出す前に、「それはよかった。で、今日は電脳さんに営業か」、と伊佐山は機嫌よく続ける。

馴れ馴れしく話しかけてはくるが、伊佐山とは、銀行の企画部時代に激しくやり合っ

た間柄だ。合併銀行である東京中央銀行では、お互いに旧T、旧Sと呼ぶ旧東京第一銀行人脈と旧産業中央銀行人脈が複雑に入り組んでいた。半沢は旧S出身。一方の伊佐山は将来経営の中枢入りは確実といわれている旧Tの若手リーダーだ。

伊佐山が半沢のことをこころよく思っていないことはわかっている。勝ち誇った表情を浮かべているのは、証券子会社へ出向を命じられた半沢に対する優越感からだろうか。

「まあ、そんなところです。そちらは？」

野崎を一瞥して、半沢はきいた。

「まあ似たようなもんだ」

答えをぼかした伊佐山の背後から、野崎が鋭い眼差しを向けてきている。伊佐山の右腕と呼ばれている男だ。さしずめ、伊佐山の敵は自分の敵だとでも思っているに違いない。

話はそれだけだった。

じゃあ、と伊佐山が右手を挙げ、行員たちの先頭に立って受付に向かって歩いて行く。半沢も伊佐山の訪問を詮索するほどの余裕はなかった。伊佐山たちの後ろ姿を見送った半沢は、視線を剥がすと足早にビルを後にした。

「どういうことなんだ！」

岡の叱責は鋭かった。怒りの凄まじさに、壁際に置かれた花瓶の花まで震えそうだ。

「申し訳ありません」

込み上げる怒りをこらえ、半沢は詫びた。電脳から戻って、半沢が真っ先にしたのは事の次第を岡に知らせることである。

「なんで先方とコンタクトを取らなかった。そうすればこんなことにはならなかっただろうが」

「こちらのスキームがまだ固まっていませんでした」

「そんなはずはない」

岡は意外なことをいった。「プロジェクトチームで素案ができていたのに、君の指示でやり直しをさせていたそうじゃないか」

岡の曲解に、半沢は驚いた。

「それは、最初の方向性では、とても平山社長は納得されないと思ったので」

「遅いよりマシだ」

岡は半沢の反論をぴしゃりと撥ね付けた。

いいたいことはある。

しかし、それをいえば三木に責任をなすり付けることになりかねない。出来は悪くても三木は半沢の部下であり、平山との連絡を三木に任せきりにしていた責任もある。

「至りませんでした」

詫びた半沢に、「よからぬことばかりだな、半沢」、と岡は容赦無く続けた。

「君、銀行でも問題を起こしてばかりだったそうじゃないか。君のせいで、当社は巨額の収益機会を失ったんだぞ。どう責任を取るつもりなんだ」

「申し訳ありません」

「まったく、とんだ疫病神だ。いつまでも銀行にいた頃のような殿様商売が通用すると思っているからこんなことになるんだ」

見当違いな批判を口にした岡は、憎々しげな眼差しを半沢に向け、

「この責任は取ってもらうからな」

そう言い放つと、そっぽを向いてしまった。

一礼して社長室を後にする半沢に、苦々しい敗北感が込み上げてきた。

全てがちぐはぐのまま、形になる前に一方的に退場を命じられた――そんな感じだ。

いまさらいっても仕方がないが、成功報酬型の契約であったことも平山に契約破棄を容易にさせる要因になっていたはずだ。定額報酬を事前に支払う契約なら、途中解約を防げたかも知れない。

部屋に戻ってしばらくすると、遠慮がちなノックとともに諸田が顔を出した。

「申し訳ありませんでした、部長」

そういって頭を下げる。

――素案ができていたのに、君の指示でやり直しをさせていたそうじゃないか。

岡のひと言が脳裏をよぎり、そんなことを上申したのは君かと問いたい気持ちになる。

――期待していただいて結構です。

半沢に向かって見得を切った向こう気の強さは跡形なく消え失せ、諸田はいまや保身に汲々としていた。

「もういい」

それ以上なにもいわず、半沢は立ち上がって諸田に背を向けた。窓から見える晩秋の日射しを受けた大手町界隈に目を細めたとき、ドアの閉まる音とともに諸田が静かに辞去する気配がした。


半沢の友人で東京中央銀行融資部の渡真利忍《とまりしのぶ》から電話があったのは、その日の午後のことである。

「ちょいと俄《にわか》には信じられないことをきいたんでな、それでお前に確かめようと思って」

いつも大げさな渡真利のことだ、つまらぬ人事の噂でも聞き付けたんだろうとタカをくくっていた半沢だったが、続いて出た話に耳を疑った。

「この話、オレが情報源だってことは絶対に洩らすな」

前置きした渡真利は、「証券営業部が、企業買収のアドバイザー契約を結んだらしい。電脳雑伎集団だ。なんでも、お前んところの案件を横取りしたとか。本当か」

「銀行が？」

半沢はきいた。「どういうことだ」

「企業買収の情報を察知した証券営業部がメーンバンクの立場を利用して、電脳の社長にアドバイザーをウチに乗り換えるよう説得したって話だ」

伊佐山のニヤけた顔が思い浮かんだ。そういうことか。半沢は、息を呑み、しばし言葉を失った。

平山は東京セントラル証券の対応の遅さを口にした。が、それは単なる口実に過ぎなかったのかも知れない。

「そっちの黒幕は伊佐山さんか」

そう尋ねた半沢だが、ふと首を傾《かし》げた。「しかし、なんで、電脳の買収案件のことを知った？」

平山が、同じ話を銀行に持ち込んで天秤にかけたとは思えない。どこかで、情報が洩れたのではないか。

「さあ、わからんね」

渡真利はこたえる。「それとなく、調べてやろうか」

「もし、できるのなら頼む」

礼をいって渡真利との電話を終えた半沢は、すぐに電脳雑伎集団の平山に電話をかけた。出たのは秘書だ。

「お時間をいただきたいのですが」

申し入れた半沢に、秘書は、多忙を理由にその場で断ってきた。そうしろといわれているのだろう。

「大事な件なんです」

半沢はいった。「面談する時間がないのであれば、せめて電話でお話をさせていただけませんか。お手間は取らせません」

少々お待ちください、という返事とともに、保留メロディの「カノン」が二回りするほど待たされた半沢の耳に、「電話、代わりました」、とせっかちな早口で平山が出る。

「今朝方は失礼しました」

半沢は詫び、用件を切り出した。「ところで社長、アドバイザー契約の件なんですが、東京中央銀行と締結されるそうですね」

「よくご存知で」

ひと呼吸おいて、平山はいった。「それがどうかしましたか」

「なんで銀行が、御社の買収事案を知ったのかと思いまして。社長がお話しされたんですか」

「ウチがどこと契約しようと、そんなこと関係ないじゃないですか」平山ははぐらかした。

「銀行から圧力がかかったということはありませんか」

返事があるまで、しばしの間が挟まる。

「誰がそんなことをいっているんです」

「小耳に挟みました。どうなんです」

半沢がきくと、「どっちでもいいじゃないですか」、と突慳貪《つっけんどん》な返事があった。

「それはたしかに、銀行さんから声がかかりましたよ。でもね、お宅の対応が遅かったのは事実でしょう」

「対応の遅れで契約を破棄されるのと、銀行からの横槍でそうされるのとでは、意味がまるで違います」

半沢はいった。「本当のところを教えていただけませんか、社長」

「いまさらきいてどうするんです」

平山は苛立ちの混じった口調でいった。「お宅との契約はもう破棄したんだ。理由がどうあれ、私どものアドバイザーとして御社は失格ですよ。それだけのことだ。忙しいのでこれで失礼する」

電話は一方的に切れた。

5

「チームの連中を、集めてくれ。いまいる連中だけでいい」

平山との電話を終えた半沢は、自室から出ると自席にいた三木にいった。それから、ちょうど外出先から戻ったばかりの森山にも声をかける。「――君もきいてくれ」

会議室に集まったのは、アドバイザーチームの四人と森山、そして諸田の六人だ。

「いま、あるスジから情報提供があった。我々が逃したアドバイザー契約、〝銀行〟が取ったぞ」

銀行とは、東京中央銀行のことである。息を呑む気配とともに、その意味を慮《おもんぱか》るような沈黙が落ちた。全員の視線が糸で結び付けられたかのように半沢の顔に向けられている。

「電脳が銀行に申し入れたということですか」

森山の質問に、半沢は首を横に振った。

「買収情報を察知した銀行がアドバイザーを変更するよう、平山社長を説得したらしい。電脳は昨年の中国進出に伴い東京中央銀行から数百億円の支援を受けている。ゴリ押しされたら断れない」

「それじゃあ、結局、ウチがどんな提案を持っていったところで最初からこうなる運命だったってことですか」

森山は皮肉に表情を歪めていった。

「おそらく」半沢は渋い顔になる。

「どうも釈然としないんですが」

チームのひとりが発言した。「すると電脳は、買収案件のことを銀行に報告していたということなんでしょうか」

「いや、違うと思う。もし、銀行に報告していたら、ウチにアドバイザーを依頼したりはしなかったはずだ。東京中央銀行は、どこかから買収情報を得た可能性が高い。その情報をもとに、電脳にアドバイザーの交替を申し入れたんだろう。問題は情報の出所だ」

半沢は、チームの面々を見回した。「ウチからじゃないかと思う。心当たりのある者はいないか」

返事はなかった。戸惑いの広がる室内に、

「ひでえな」

森山の投げやりなひと言が洩れきこえた。「もし、ウチで情報をリークするとしたら、東京中央銀行と結び付きのある人間としか考えられないじゃないですか」

東京セントラル証券には銀行から出向者が大勢いたが、電脳雑伎集団の買収案件について知っている者は営業企画部の部員に限られる。つまり、関係者の誰かだ。

「横取りするほうもするほうですよ。いったい銀行は、ウチのことどう思ってるんですか」

森山は暗澹とした瞳を半沢に向けてきた。「子会社でしょう、ウチは。その子会社がせっかく摑んだ契約を、親会社がそんな強引なやり方でかっさらうなんて、おかしいじゃないですか。しかも、なんの仁義も切ってない」

アドバイザーチームの何人かが、同意して大きくうなずいている。リーダーの三木だけが飛び抜けて年長だが、あとは森山と年次の近い若手たちだ。森山の発言は、彼らの気持ちを代弁していた。

「お前のいいたいことはわかる」

半沢はいった。

「本当に、部長にわかるんですか」

森山は泣き笑いの表情を浮かべた。「銀行にいいようにやられて、文句のひとつもいえない。このままじゃオレたちバカみたいじゃないですか」

「いや、この借りは必ず返す」

半沢はいった。「――やられたら、倍返しだ」

第二章

奇襲攻撃

1

「半沢、ちょっと来てくれるか」

内線をかけてきたのは人事部の横山《よこやま》だった。半沢よりも三歳年上の横山もまた、ご多分に洩れず銀行からの出向組である。

「銀行からいくつか打診がきているんだが、君の意見をきかせてもらえないかと思ってな。君自身のことも含まれているし」

人事部にある小さな会議室に入ると、横山が用件を切り出した。

「私自身のこと？　まだ異動してきたばかりじゃないですか」

眉を上げた半沢に、「いろいろやってくれたからなあ」、と横山はぼかす。

「社長の要望ですか。外れろと」

図星だったのか、横山が視線を逸らした。

「そういうことはいえないことになってるんでな」

素っ気ない口調でいった横山は「君、銀行の人事部付になるかも知れないから」、と続ける。

それがなにを意味するかは、改めて問うまでもない。

新たな出向だ。

もしそうなら、今度は紐付きではなく、片道キップの出向になるだろう。銀行員人生の終点である。

「信賞必罰《しんしょうひつばつ》。失敗すれば誰かが責任を取るべきだという岡さんのイズムもある。今回のことは、君の管理不手際だ」

なにがイズムだという反論を呑み込んで、半沢は相手を睨み付けた。岡には、イズムと呼べる信念などない。あるのはただ、自分を子会社に追いやった銀行を見返してやりたいという卑屈な意地だけだ。

「それで？」

半沢はきいた。

「銀行の人事部付になるかも知れないということについて、君の意見もきいておこうと思ってな」

「私の意見など関係ないでしょう」

半沢は鼻で笑った。「人事部付などお断りするといったところで、そうするくせに」

「その通りだ」

アホか、こいつは。だが、半沢はその感想を呑み込む。

「あえていわせてもらいますけどね」半沢はいった。「着任して一カ月の人間に、管理の不手際があるから人事部付だなんていう組織はどうかしてますよ。そういうのを人事権の濫用というんじゃないんですか」

横山の頰に朱がさすのがわかったが、構わず半沢は続けた。「トップの言いなりになってほいほい辞令を乱発する、そんな人事部にどんな意味があるっていうんです。それが正しい人事の姿か、頭を冷やして考えてみたらどうです？」

「まったくお前という奴は」横山は不機嫌にいった。「いつまでもそんなふうに突っ張っていられるといいがな。銀行にだって、堪忍袋ってものがあるんだぞ」

「そんなものとっくに切れてますよ。だからここにいる」半沢はいい、話の先を促した。「それで、他の人事というのは？」

「そのことなんだが」舌打ちした横山は、それ以上の小言を呑み込んで話を続けた。「三木の異動について打診がきている」

「それもまた早過ぎませんか」

三木もまだ証券に出向して一年半ほどしか経っていないはずだ。尋ねた半沢に、横山は顔を斜めに傾け、釈然としない表情になった。

「だが、今回は本人のためにもなると思うんで受けてやりたい。銀行の証券営業部から欲しいといってきてる」

「証券営業部から？」

腑《ふ》に落ちない。半沢はきいた。「なんでまた三木を」

「わからないが、ご指名だ。誰か、三木のことを知ってる奴がいて引っ張ってるかも知れない」

「わざわざ引っ張るほどの実力とも思えませんが」

思わず本音を口にした半沢に、「そんなことは知ったこっちゃない」、と横山は突っぱねた。

「受けるのか断るのか、どっちなんだ」

「辞令はいつなんです」半沢はきいた。

「急で申し訳ないが、受けるのなら来週早々には出る」

「わかりました、いいでしょう。で、後任の着任はいつ？」

「そのことなんだが」

横山はいいにくそうに身じろぎし、渋面を作ってみせた。「ウチとしても人件費削減が急務だ。申し訳ないが、後任はない。残った人員で、うまくやりくりしてもらいたい」

半沢は憂鬱《ゆううつ》な表情でため息を吐《つ》くしかなかった。

「おい、転勤だぜ」

三木が人事部に呼ばれたときいて、後ろの席にいた尾西が森山にだけきこえるような低い声でいった。

頬を紅潮させた三木が戻ってきたのは、それから間もなくのことだ。

「よかったな、三木さん」

諸田に祝福されたところを見ると、どうやらそれなりの人事らしい。

「どこだ？」

背後で尾西がつぶやいたとき、三木になにか話していた諸田から「証券営業部」という言葉が洩れ、森山は思わず振り返って尾西と顔を見合わせる。

「まさか」

尾西の目がまん丸に見開かれていた。

だが、それから五分もしないうちに、その「まさか」が本当であることがわかった。三木に、銀行本体の証券営業部調査役としての栄転が発令されたのだ。

「いったい、どうなってんだ」

尾西が再び目を丸くしてみせたのは、昼飯の後、ふたりで食堂のコーヒーをすっているときであった。

「銀行っていうのは、そんなに人材がいないのかね。あんなのをわざわざ呼び寄せないとやっていけないくらいにさ」

東京セントラル証券のプロパー社員である尾西も森山も、この会社が骨を埋める場所であり銀行へ〝戻る〟という発想はない。むしろ、三木のような使えない同僚が職場からいなくなればせいせいするくらいである。とはいえ、この人事は不可解だ。

「三木さんの得意満面の顔、見たか。吐き気がするぜ」

尾西は容赦無い。「自分の実力だと思ってるんだぜ、あのオッサン」

カプチーノをひと口飲んだ森山はふと考え込み、ひとり言のようにつぶやいた。「三木さんの栄転、実力じゃなければなんなのかな」

「どういうこった？」

尾西が低い声を出した。

「ヘンじゃないですか。三木さんがどう自己分析しているかは知りませんけど、誰がどう見たって、三木さんの実力は大したことはないですよ。あの歳で銀行の証券本部に戻れるような実績もないし、スキルもないわけで。あのひとなにかあるんですかね」

「なにかとは？」尾西はきいた。

「コネとか、そういうのですよ」

「あるもんか」

尾西は顔の前で手をひらひらさせた。「そんなもんがあるんなら、最初からウチになんか出向してくるかよ。今回は、諸田次長あたりが銀行に働きかけたんじゃねえの？　あんまり遅らせておくと周回遅れになっちまうぞってさ」

遅れている、とは三木の出世だ。悪意のこもった尾西の冗談に、森山は付き合い程度の笑いを浮かべたが納得したわけではない。

そんなはずはない、と森山は思っていた。

諸田はそんな甘い男ではない。

三木の人事は、どう考えても森山には腑に落ちなかった。

2

足早に入室してきた平山は、ソファから立ち上がった伊佐山と野崎のふたりに、「どうぞ」、と再び勧め、自分は反対側の肘掛け椅子におさまった。少し遅れて妻の美幸も続いてきて平山の隣にかける。

「お忙しいところ、お呼び立てして申し訳ない。十月下旬の金曜日であった。お願いしている件で、経過報告をいただけないかと思いましてね」

せっかちな口調で平山はいった。

「こちらからご提案に上がろうと考えていたところです」

どっかりと構えた伊佐山は、「よろしいですか」、とひと言断って、胸ポケットから取り出したタバコに火を付けた。

平山はタバコを吸わない。重要な来客専用の、その豪華な応接室には灰皿がなかった。

そそくさと立ち上がった美幸が、インターホンを取り上げ、

「灰皿、持ってきて」

硬い声で命じると、すぐに秘書が灰皿を持って飛んできた。

「すみませんな、副社長」

置かれたばかりの灰皿に、伊佐山は悠然と灰を落とす。その様はまるで、東京中央銀行と平山率いる電脳雑伎集団との力関係を再確認する儀式のようであった。

昨年、東京中央銀行は、電脳雑伎集団が中国に進出するための運転資金を支援していた。

国内でのユーザー獲得競争の行方に早々と限界を感じた平山が、ターゲットとなる市場をアジア全域と定め、その第一弾として中国国内でインターネット通販の会社を設立しようとしたときである。

上海に本社を置き、広州など中国国内に三つの流通拠点を作って、立ち上げたのが数千人体制の販売会社だ。

ドッグイヤーで進歩するネット関連で勝ち残るため、電脳雑伎集団が標榜《ひょうぼう》したのは超攻撃的と称される経営戦略だった。矢継《やつ》ぎ早《ばや》の積極策にはそれなりの資金が必要になる。上場時にかき集めた資金を別の投資に回していた平山は、その中国進出費用を取引銀行である東京中央銀行の支援に頼らざるを得なかった。

ライバル企業との競争を勝ち抜くために必須の資金だ。

仮に一時的な立て替えに過ぎないとしても、タイミングとスピードがものをいう業界で、この巨額支援が電脳雑伎集団の業界内地位を一段引き上げたことはいうまでもない。

「例の件、ウチで揉んできましたが、相手が東京スパイラルともなると、ただ買収資金を用意すれば解決するという問題ではない。愚直に買収を申し入れたところで東京スパイラル側は拒絶するだろうし、それを見越した作戦が必要になる。今日はそれをお持ちしました」

伊佐山の話に、神経質そうに眉間《みけん》に皺《しわ》を寄せていた平山の表情が緩んだ。

「速いな。さすがですね」

賛辞を当然のごとく受け止め、「野崎君」、と伊佐山は隣席の部下を促す。

野崎は、膝の上に置いた茶封筒から取り出した提案書を平山と美幸に一部ずつ手渡した。

「これからご説明するのは、東京スパイラル買収スキームの第一段階です。概要を申し上げます。電脳雑伎集団は、まず総資金七百億円をかけ、東京スパイラル発行株式の約三十パーセント弱を取得します」

野崎は続ける。「――この三十パーセント弱の株式取得は、東京スパイラルに知られることのない、いわば水面下での買収になります。彼等が気付いたとき、御社は東京スパイラルの大株主に躍り出ていることでしょう」

提案書を眺めていた平山の顔が上がり、まじまじと野崎を見つめた。浮かんでいるのは、紛《まぎ》れもない驚愕だ。

「こんなことが可能なんですか」

問うた平山にこたえる代わりに、野崎は説明を続ける。

「次のページをご覧ください。詳しくご説明申し上げます」

慌ててページを繰った平山は、そこに描かれたスキーム図を見て、低く唸《うな》った。

「まさに、奇襲作戦だな」

感嘆を聞き流した野崎は、それから小一時間もかけて提案の内容を説明し、平山と妻による、時にシロウト丸出しの質問にも辛抱強くこたえた。

「素晴らしいですね」

やがて美幸がいった。頰は興奮で紅潮し、魅了されたように提案書を何度も読み返している。

「いかがですか、社長」

それまで黙ってきいていた伊佐山が口を挟んだ。「満足していただけましたか」

「もちろんです」

平山はこたえた。「失礼ながら、まさか、ここまでの提案をしていただけるとは思ってもみませんでしたよ。御行に契約を切り替えて正解でした」

「子会社の〝証券〟と比較されるとは、心外ですなあ」

伊佐山は声を立てて笑い、してやったりと野崎と視線を交換する。東京中央銀行では、子会社の東京セントラル証券のことを、〝証券〟と簡略的に呼ぶ。

「申し訳ない。これほどの力の差があるとは知らず、つい上場時の主幹事をお願いした縁で東京セントラル証券さんに話を持ち込んでしまいました」

「わかっていただければ結構」

伊佐山は鷹揚《おうよう》に構え、「所詮、規模もノウハウもない彼等では、この難しい案件をクリアすることはできなかった」、と断じた。

「まさしく、おっしゃる通りよね」

美幸が納得した顔でいい、平山を振り返った。「あの後も、ウチに文句、いってきたんですよ、東京セントラル証券は」

「そうだったんですか」

伊佐山は興味を引かれたようだった。「どんな文句ですか」

「お宅から圧力がかかったんじゃないかと、そういうことをきいてきましてね」

平山がこたえた。

「人聞きの悪い」

伊佐山は大げさに呆れてみせたが、目は笑っていなかった。中国進出資金の支援実績、それに加え、今後の運転資金支援をちらつかせて証券との契約解除を迫ったのは他ならぬ伊佐山だったからである。それは、圧力以外の何物でもない。しかし、その事がすでに東京セントラル証券に知られているのは意外であった。

「誰ですか、そんなことをいっているのは」

伊佐山が尋ねた。

「ご存知か知りませんが、営業企画部の半沢さんという方ですよ」

平山がこたえると、

「はいはい。あの男のことなら、よく知ってますよ」

伊佐山は皮肉混じりにこたえた。「なにかと厄介なことをする男でしてねえ。一度は、営業第二部の次長職をやらせてみたんですが、結局、銀行では使えなくて証券に出向し

「そうだったんですか」

平山は妻と顔を見合わせた。「いままでの印象では、そんなふうには思えませんでしたけどね」

「実際、レスポンスが遅いとおっしゃっていたじゃないですか」と野崎。

「たしかに」

平山はふと、何事か考え込んだ。「ただ、気になることもいってましたよ。どうして、銀行がウチの買収案件を知ったのかと。私が御行に話したのかときいてきました」

野崎が身じろぎし、伊佐山をそっと窺《うかが》う。

「それで、なんとおこたえになったんです、社長」伊佐山は尋ねた。

「私が話したわけじゃないと否定しておきました」

平山は続けた。「しかし、東京セントラル証券も耳が早い」

「油断のならない連中です。まあ、それはいいとして――」

伊佐山はさっさと話題を戻した。「それで社長、今回のスキーム、いつご決裁いただけますか」

「いまこの場で決裁させていただきます」

ワンマン社長らしいひと言だが、「取締役会の決議を経なくても大丈夫ですか」、と野崎は慎重なところを見せた。

「取締役会？」

平山は鼻で笑った。「あんなものは形式に過ぎませんから。文句はいわせない」

3

「きいたか、三木さんのこと。総務グループに配属になったらしいぜ」

週末、仕事の後仲間内で繰り出した飲み会の席上、尾西は声を潜《ひそ》めた。

「誰にきいたんですか」

乾杯した後の生ビールの泡を拭いながら、森山は目を見開いた。

「銀行の知り合い」

尾西は、ひひ、という意地の悪い笑いを洩らした。「ざまあみろ」

「意味、わかんないなあ」

首を傾《かし》げた森山に、全員の視線が集まった。「だって、証券営業部から請われて本部に戻ったわけでしょ。それがなんで総務グループなんですか。そんな仕事をさせるために、わざわざ証券子会社から引き抜かなくても、代役ならいくらでもいるでしょうに」

「たしかにそうだな」

尾西は考え込んだ。「もしかして、総務の実力はスゴイとか」

そう茶化す。「伝票一枚、書けないのに?」、と笑わせたのは同じ職場の後輩だ。

森山は笑えなかった。

「そう難しい顔するな、森山。これで少しは気が済んだだろ。誰も奴の実力を認めてたわけじゃないんだ。よかったじゃねえか」

「そういう問題じゃなくて……」

森山は腑に落ちない顔になる。「考えてみれば不可解な話ばっかりなんですよね。そもそも電脳雑伎集団のオファー自体が不自然だし、三木さんの人事も、その銀行での処遇も。みんなちぐはぐじゃないですか」

「三木さんの人事はともかく、電脳のオファーが不自然だとはどういう意味よ？」尾西は人さし指で鼻の頭をかきながら、きいた。

「こんなこと、オレがいうのはおかしいかも知れませんけど、なんで電脳雑伎集団がウチにアドバイザーを依頼したのかなと思って」

森山はこたえた。「ウチは企業買収の経験が乏しいし、しかも相手が東京スパイラルともなればスキームだって作れるかどうかはわからない。悔しいけど、提案能力でいえば、銀行の証券部門のほうが上だと思うんです。それだけじゃなく、大手証券会社や外資系投資銀行等々、この手の話に飛び付きそうな会社はいくらでもある。なんでそういう会社に話を持っていかなかったんでしょう」

「平山さんだからだろ」

尾西はいった。「なんせ真面目な人じゃないか。主幹事の恩義を感じてくれてたんだって、本人もいってる通りじゃないの」

「口ではそういっても、あの人は恩義で動くひとじゃないですよ」

意外な平山評を、森山は口にした。「強烈にビジネスライクなひとです。もっといえば、行動基準は損か得かしかない。オレ、いままで電脳雑伎集団にいろんな提案をしてきたけど、あの会社が耳を傾けてくれたのは、一回もなかったんじゃないかな。平山さんと言葉を交わしたのは新任挨拶のときだけで、普段窓口になってる財務部なんか、ウチのことなんて洟《はな》も引っ掛けないんですから。なのに、こんな大事な案件を依頼するなんて、正直、合点がいかなかったというか」

「大手証券にコネはないし、外資では食い物にされる。だからじゃねえか」

尾西は推測を口にした。「あのひとは人一倍、警戒心が強いから、信頼に足る相手を選んだ可能性はある」

だったら最初から銀行に話を持っていくはずだ。

平山にはもっと別の合理的な理由があったのではないか。直接、損得に絡むような。

しかし、それがなんなのか、森山にはわからなかった。

「それにしても、いくら東京中央銀行でも、今回の買収を成功させるのは難しいと思うな。お前、なにかスキーム、思い付くか」

尾西に問われ、森山は言葉に詰まった。

アドバイザー契約を失ってしまったのは痛い。しかし、だからといってこれという有効なアドバイスがあったかといわれれば、たしかに難しい。

「銀行がどんなスキームでやってくるのか見物じゃねえか」

そういって尾西は、皮肉な笑いを唇の端にためた。

「三木さん、これコピーお願いします」

書類の束を抱えてきたのは、入行五年目の男だった。

「なんだそれ」

横柄な態度できいた三木は、声に仕込んだ棘《とげ》を察知して相手が身構えるのを感じた。

「あの——毛塚《けづか》次長が、三木さんにコピーしてもらえって」

三木は、フロアの真ん中あたりにある毛塚のデスクを一瞥《いちべつ》した。いつもながら眉間に皺を寄せた神経質そうな男の横顔が見える。証券営業部に五人いる次長のひとりである毛塚は、三木よりも三つ年下の上司だった。

「コピーなら自分で取れ」

相手の目に戸惑いが浮かんだが、三木はそっぽを向くと、デスクの上に広げた引き継ぎ資料に視線を落とした。

若手は反論を呑み込んで三木の元を去っていく。

腹の虫はおさまらなかった。オレのことをなんだと思ってるんだ。

一旦プライドに火が付くと、急速な勢いで怒りが湧いてくる。

「おい、三木」

顔を上げると、向こうのシマから毛塚が手招きしているのが見えた。三木にコピーを頼んできた若手がバツの悪そうな顔をしてその前に立っている。

「コピーは自分で取れってどういうことだよ」

毛塚は苛《いら》立ち、三木に怒りの目を向けた。「そんなの総務でやってくれよ。量、あるんだからさ」

毛塚の言葉には、有無をいわさぬ傲慢さが滲んでいる。

「総務グループはコピー係じゃないんですよ」

三木は反論した。「勘違いしないでもらえませんか。我々にだって仕事があるんですから」

毛塚の表情が険しくなり、手にしていたボールペンが音を立てて書類の上に置かれた。

「大量コピーがある場合、事務効率化のために総務でやることになってるだろう」

三木は返答に窮《きゅう》した。そんな話はきいていない。

「なんで知らないんだよ」

毛塚は鋭く言い放ち、三木に怒りの眼差しを向けた。

着任して日が浅いだけに三木が知らないのも無理はなかったが、毛塚にそんな言い訳は通用しない。

「じゃあ、誰かにやらせますんで。急ぎですか」

「当たり前だろ」

日々極度のストレスにさらされているせいか、毛塚はケンカ腰だ。「誰かにやらせるんじゃなくて、お前がやれよ」

「私が？」

聞き返した三木に、毛塚は見下した口調になる。

「他の人間は忙しいんだ。ちょうどいいじゃないか。お前、仕事まだないだろ」

　毛塚の表情に滲んでいるのは、明らかな敵意、ないしは悪意だ。

「おい、仲下《なかした》、渡しておけ」

　成り行きを見守っていた若手に命じると、こんなことに構って時間を損したとばかり、毛塚は再びデスクの書類に取りかかる。

「じゃあこれ、お願いします」

　分厚い書類の束を突き付けられ、三木はすごすごと自席に引き返すしかなかった。

「滝沢《たきざわ》さん。これ、急ぎでコピー頼む」

　忙しく立ち働いているベテランの女子行員に声をかけ、抱えてきた書類を渡すと、一瞬だけ嫌そうな顔をしたように見えたが、滝沢は黙ってそれを受け取った。

「あのさ、できるだけ、そういうの断ってくれないかな」

　直属の上司である次長の川北《かわきた》が迷惑そうに注意してきたのは、そのときだ。

「しかし、大量コピーは総務でやることになっていると毛塚次長からきいたものですから」

　思わず反論した三木だったが、

「それが大量のコピーかよ」

　そう指摘され、言葉を失った。「せいぜい、二、三百枚だろ。そんなのまで総務でやってたら、こっちは人手がいくらあっても足りやしない。そのくらい、自分で判断してくれないと困るよ」

　川北は、やれやれという顔で三木を見た。川北の入行年次は三木のひとつ上だが、次長になったのはもう二年も前。出世では、いまだ調査役止まりの三木の遥か先を行っている。

書類を持ったままの滝沢に、川北は「それ、いいから」、といって三木に指示を出した。

「それは三木君がコピーしてくれ。彼女いま、手一杯だから」

滝沢は黙って三木のデスクに書類を置いて、さっさと自席に戻っていく。冷ややかな態度だ。

仕方なく、書類を持ってコピー機の前に立った三木の胸は、屈辱で一杯になった。前職でも、こんな下働きをさせられたことはない。

仕方なく一番上の書類をトレイに載せ、コピーのボタンを押した。三枚ほど取ったところで、「なに、ちまちま一枚ずつ取ってんだよ」、という川北の叱責が飛んできた。

「連続コピーで取りゃいいじゃないか。何年前のコピー機だと思ってるんだ」

誰かが笑った。慌ててコピー機の操作パネルを見たが、やり方がわからない。

「おい、滝沢君、悪いが教えてやってくれ」

迷惑そうな顔でやって来た滝沢は、無言のまま三木の書類を受け取るとトレイ上部にあるスロットに入れ、開始ボタンを押して戻っていった。コピーもろくに取れないのか。その横顔には、三木に対する軽蔑が透けている。

こんなはずじゃなかった。

この理不尽な成り行きに為《な》す術《すべ》もなく立ち尽くしながら、三木は思った。

くそっ、舐めやがって。いまに見てろよ――。

部長室から出てきた伊佐山がゆっくりとした足取りでフロアを出ていくのを見かけたのはそのときである。

その後を追うと、うまい具合に、エレベーターホールにいるのは伊佐山ひとりだった。

「お疲れ様です」

声をかけた三木に、伊佐山は「ああ、お疲れ」、と気のない返事を寄越す。新しい職場に来たばかりの三木を気遣う言葉のひとつもない。

三木は思いきって切り出した。

「部長、総務グループではなく、ラインをやらせてもらえませんか」

ライン、つまり営業の前線に行きたいという意味だ。伊佐山は自分の靴の先を見下ろし、それからエレベーターの階数表示を見上げる。

「君じゃ無理だろ」

やがて、出てきたのは、にべもない返事であった。

「でも約束と違いますし――」

「とりあえず、銀行に戻してやったじゃないか。約束通り証券営業部だ」

伊佐山にとって煩《わずら》わしいだけの話なのだろう、ぞんざいな態度だった。

「しかし、総務では希望と違います。営業部隊に入れていただけませんか」

「君、自分にそれだけのスキルがあると思ってるのか」

ぐさりとくる評価が、ためらいもなく出てきた。「一応、打診してみたが、君の引き取り手がなくてな。要するにそういうことだから」

納得できなかった。

エレベーターが到着すると、伊佐山はさっさと乗り込んでいく。

ひとり取り残されたエレベーターホールに、落胆と失望が渦巻いた。

4

「電脳に対する支援、承認されたらしい。千五百億だ」

その電話は十一月最初の月曜日、渡真利からかかってきた。

「すんなり決まったのか」

ふと気になって半沢はきいた。

「いや、案の定、揉めたらしい。中野渡《なかのわたり》頭取が渋ったという話はきいた」

「スジ論にうるさいからな、中野渡さんは」

なぜ、支援することになったのか、なぜ支援する必要があるのか、なぜウチでなければならないのか——。与信リスクを背負う以前に、中野渡謙《けん》が気にするのはいつも足元を見据えた議論であった。それだけでなく、百戦錬磨の中野渡には独特の嗅覚がある。

「とはいえ、いまさら話を白紙に戻せともいえないか」

半沢はいった。アドバイザー契約はすでに締結済みで、その時点で、巨額融資を半ば容認したようなものだ。そのとき、

「中野渡さんは、スキームにも難色を示したそうだ」

意外なことを、渡真利はいった。「それでいいのかと」

「で、そのスキームは結局、承認されたのか」

「内容は厳秘扱いでわからないが、副頭取と証券営業部に一任されたらしい。そのスキーム通りやるかどうかは連中の判断だ」

渡真利はこたえた。

「要するに、それが世の中に出るまで、誰にもわからないわけか」

「明日、動きがあるぞ」

ふいに渡真利はいった。「広報室が記者会見を準備している」

「近藤《こんどう》からの情報か」

近藤直弼《なおすけ》は、半沢と渡真利の同期で、いま広報室次長職にある。

「ご明察」

渡真利はいった。「なんでも、当行内で記者会見をするよう、証券営業部からの申し入れがあったらしい。野崎の野郎がどんな手を打ってくるか、お手並み拝見といこうじゃないか」

「東京スパイラルの株価をモニタリングして、動きがあったら報告してくれないか。かなり動くと思う」

翌日の午前九時前、渡真利からの情報を伝え、森山に命じた半沢は、自らもパソコンを操作して電脳雑伎集団と東京スパイラルという二大IT企業の株価をモニタに呼び出した。

電脳が東京スパイラル株を買いに向かえば、市場での価格はたちまちストップ高にまで跳ね上がるはずだ。

同時に、東京スパイラルもまた、どこかの企業がなんらかの目的を持って自社株を買っているのを知ることになるだろう。その買い手が電脳雑伎集団だと判明するのは時間の問題である。

だが——。

ちょうど九時を回った時点での株価ボードは、小動きを示すばかりで、大量の買いが入っている様子はまるでなかった。

とっくに動きが出ていてもおかしくないのに、気配がない。

そのまま、前場が引けた。

いったい、どうなってる。半沢が小首を傾《かし》げたとき、部長室のドアがノックされた。森山だ。「ずっとモニタリングしましたが、特に変化はありませんでした。本当に今日、動くんですか、部長」

そうききたくなるのも無理はない。

「どういうケースが考えられる?」

半沢がきくと、森山は考え込んだ。

「電脳雑伎集団は、できるだけ早く東京スパイラルの株式を入手したいと思っているはずですが、いまの売り物だけでは買える株数は限られています。相対取引でやるにしても、三分の一以上の株式を買い取る場合は公開買い付けが必要になります。それでいくと、融資は千五百億円でも一度に全額使うのではなく、まず三分の一以下の買い付けが行なわれると考えたほうがいいんじゃないですか」

「それでも株価は相当動くはずだ」

半沢の指摘に、森山もうなずいた。

「つまり、まだ融資を受けた資金で、株を買いにいってはいないということです」

森山はそう結論付けた。

「ということだろうな」

半沢もうなずいた。「とりあえず、後場も引き続きモニタリングしてくれ」

森山はトレードマークの仏頂面でうなずくと半沢の部屋を出ていく。だが、その後場もなんら動きのないまま、引けた。

「いったい、なんだったんだ……」

午後三時を過ぎ、自室のモニタで取引の終了画面を眺めていた半沢は、ひとりごちる。あるいは、これから開かれる会見で公開買い付けを発表し、全てはそこからはじめるということか。そんなことを考えていると、ケータイが鳴った。

渡真利だ。

「今日はなにもなかったな」

半沢はいった。「どういうことなんだ」

「動きはあったさ」

半沢は、一瞬我が耳を疑った。「なに？」

「動きはあったんだよ」

もう一度、渡真利は繰り返した。「いま会見で発表があった。電脳雑伎集団が東京スパイラル株の三割弱を買い占めたらしい」

「どうやって？」

動きを止めた画面を見たまま、半沢は息を呑んだ。

「時間外取引だ」

まったく予想外のこたえだった。

「時間外取引？　三割近い株を買い取ったというのか」

「まだ詳しいことはわからない」

渡真利はいった。「だが、はっきりしたこともある。今後、東京スパイラルを傘下におさめるために、過半数の株式を得るための公開買い付けを実施するってよ。おい、きいてるか、半沢」

第三章
ホワイトナイト

1

「さっきテレビのニュースでパールハーバーっていってたよ。うまいことというじゃないか」

記者会見の内容を詳しくきくため、渡真利と会ったのは、その日の夜のことであった。月初ということもあって忙しく、新橋で待ち合わせたのは遅めの午後九時半だ。駅に近いヤキトリ屋に入り、店の片隅の席を確保したふたりは、いつものようにビールを注文して、声を潜《ひそ》めた。

夕方の記者会見から五時間以上が経過し、電脳雑伎集団の買収手口はすでに明らかになっていた。

時間外取引という、まさに奇襲作戦に対しては、すでに賛否両論が巻き起こっている。同時に発表された株式公開買い付けの期間は、翌十一月三日から年末までの五十八日間。

この日の時間外取引ですでに三割弱の株式を取得したため、買い付け期間内に残る二割強の株式を取得して東京スパイラルを傘下に収める目論見である。

「やり方についてはともかく、ウチの銀行にしてみればメリットは大きい」

渡真利はいった。「モラルだなんだといったところで、目的を達成してなんぼだ。今後難しい企業買収を検討する企業家たちにしてみれば、ウチに相談すればなにかおもしろいアドバイスをしてくれるという宣伝にはなっただろう。そのためにわざわざ記者会見会場を電脳本社じゃなくてウチで開いたのも、よかった。これは伊佐山さんの発案らしいが」

「伊佐山さんにしても野崎にしても、株を上げたな」

半沢がいうと、「その通り」、という返事があった。

「株を下げまくってるのはお前だ、半沢」

渡真利は、すかさず指摘してみせた。

「ところで、電脳に株を売った大株主って誰だ」半沢はきいた。

「それは、個人情報に関することだというんで記者会見でも明らかにされなかった」

「人数もか」

「複数、という言い方をしてたな、平山さんは。詳しいことはわからない。問題は東京スパイラルの出方だな」

ニュースによると、東京スパイラルの瀬名社長が午後七時過ぎに記者会見を開き、買収には断固として対抗措置を取るという強い調子でのコメントを発表したという。

「いよいよ全面戦争突入だ」

渡真利が興奮気味にいった。「電脳が過半数のスパイラル株を買い占めることができるか、本当の勝負はこれからだ」


記者会見を終え、社長室に戻った瀬名洋介は、疲れ切って応接セットの肘掛け椅子に体を沈めた。

「社長、大丈夫ですか」

広報担当が心配して声をかける。

「大丈夫だ」

渋谷の桜丘町のビルに入居している東京スパイラルの社長室だった。

電脳雑伎集団が一方的に発表した買収会見を受け、急遽《きゅうきょ》記者会見を開いたのは午後七時過ぎ。その席に、瀬名はたったひとりで出た。

本来であれば、同席するはずの財務担当役員も戦略担当役員もいない。

いま瀬名を深く疲労させているのは、時間外取引という非常手段で三割近い株を買い占められたことに対する理不尽さというより、むしろ、この事態に孤軍奮闘せざるを得ない状況だった。

「くそったれ」

ズボンのポケットからケータイを取り出し、清田《きよた》正伸《まさのぶ》の番号を呼び出した瀬名は、通話ボタンを押して待った。

コールが始まり、やがて留守電に切り替わったところで切る。

「ちきしょう」

電脳の会見から、財務担当役員だった清田に電話をしたのは、これで何度目だろうか。

三分の一弱にも上る大量株を売るとしたら、清田と、そしてもうひとり、戦略担当役員の加納《かのうかずなり》一成のふたりしか考えられない。

極端な拡大路線を主張した清田と加納とは経営方針を巡って激しく対立し、先月袂《たもと》を分かったばかりであった。

加納に電話をかけ、やはり留守電に替わったところで、瀬名はケータイをテーブルに放り投げた。

「くそっ、平山の野郎」

瀬名が毒づいたとき、ドアがノックされて不安そうな顔が入ってきた。

新任の財務担当役員の望月《もちづき》だ。

役員といってもまだ二十代と若く、経験もない。いままで財務のほとんどは清田が取り仕切っており、その下にいた望月は単なる事務方に過ぎなかった。

案の定、入室してきた望月は、「お疲れ様でした」といったきり、瀬名の指示を待って押し黙っている。清田であれば、瀬名がなにかいう前に、自分の意見をきっちりと主張しただろうに、見劣りがする。

清田も加納も、瀬名と一緒に東京スパイラルを立ち上げた創業メンバーだ。瀬名に対しても遠慮がなかった。

「あいつら、株を売ったカネで新会社でも設立するつもりか」

瀬名が吐き捨てると、「その件なんですが」、と望月が遠慮がちに声を出した。

「社員何人かに一緒にやらないかと声をかけているそうです」

「なんだと」

瀬名が怒りの口調でいうと、望月は青ざめた。「なんで、そういうことをすぐにオレに報告しないんだ」

「申し訳ありません」

萎縮した新財務担当役員は、怯《おび》えた目を瀬名に向けた。

そんな目で見るんじゃねえよ。

苛立《いらだ》ち、天井を仰《あお》いだ。なにが嫌いかといって、手ごたえのない相手ほど嫌いなものはない。

もっと骨のある奴はいないのか。

秘書が顔を出し、太洋証券の担当者の来訪を告げたのはそのときだ。

「どうもどうも」といつものごとく調子よく現れた二村久志《にむらひさし》は、「大変でしたねえ、社長」、というと勧めもしないのに向かいの椅子にかけた。

太洋証券との付き合いは、一年ほど前に遡《さかのぼ》る。上場時に主幹事だったさくら証券と資本戦略で揉めているタイミングで、当時財務担当役員だった清田が連れてきたのがこの二村だった。

「まったく、寝耳に水の話でさ。平山の野郎、首絞めてやろうか」

瀬名らしい過激な発言に、「それじゃあ犯罪になりますから、もう少し合法的にいきましょう」、と二村は合わせるのがうまい。

「それで社長、この買収に対する対抗策はどうされるおつもりです」

「さっき宣戦布告されたばっかじゃん。そんなもんねえよ」

瀬名はいった。

「だったらどうでしょう。ウチをアドバイザーにしていただけませんか」

二村は上目遣いになった。

「それは提案次第だな。公開買い付けの対抗策として、どんなものが講じられるのか、提案してくれ」

「ありがとうございます」

二村は深々と頭を下げた。「すぐにウチのものに提案書を書かせますので」

「じゃあ、明日までに持ってきてくれ」

「明日まで、ですか」

二村は驚いて目をパチクリさせた。

「なにか問題ある？」

不機嫌にいうと、二村はたちまち恐縮し、「かしこまりました。ではさっそく社に戻って検討いたしますので」、と早々に席を立っていく。

「軽い奴」

嘆息した瀬名は、「なにか買収対抗策はあるか」、と望月にきいたが、返ってきたのは当惑の表情だけだ。

「お前さあ、電脳がウチを買収しようとしてるって、知ってるよな。それ、どう思うよ。オレが買収されるのに賛成だとでも思ってるのか」

「いえ、そういうわけでは」

「だったら、財務担当役員としてやらなきゃいけないことはなんだよ！」

瀬名は声を荒らげ、目の前で震え上がっている望月を睨み付けた。

「どうすれば電脳の買収策に対抗できるのか、なにはさておきそれを考えるのがお前の仕事だろうが。この何時間か、お前なにやってたんだ」

「申し訳ありません」

反論の代わりに詫びた望月の顔面は蒼白だ。

くだらねえ奴。

瀬名は苛立ち、舌を鳴らした。


瀬名が東京スパイラルを設立したのは五年前、二十五歳のときである。

その七年前、高校を卒業したものの、家庭の事情から大学進学を諦めた瀬名が入社したのは、都内にある小さなソフト開発会社であった。

もともとパソコンが好きで、趣味はプログラミング。凝るととことんやらないとすまない気性だ。持ち前の明るさと頭のよさから、営業見習いとして入社したその会社で、瀬名は、たちまち先輩社員をしのぐ成績を上げてトップ営業マンとなった。

その後営業を兼務するシステムエンジニアになってプログラミングの腕に磨きをかけながら、三年間ほど馬車馬《ばしやうま》のように働いたが、会社は倒産。失業の憂き目に遭う。再就職しようにも、バブル崩壊後の経済は冷え切っており、大卒でも就職がままならない就職氷河期が到来していた。

会社も、世の中も、頼りにならない。

それを痛感した瀬名が起こした行動は、同僚だったふたりと組んで、自分たちの会社を立ち上げることであった。

インターネット隆盛の時代、ウェブ関連の最先端スキルを強みに、瀬名が設立したのはソフトのネット販売会社であった。そしてすぐ、その後東京スパイラル飛躍の原動力となるポータルサイトを開設する。

資本金はたった百万円。

会社勤めで貯めたなけなしのカネを出し合っての起業だ。瀬名が社長を務めたのは、単に発起人というだけでなく、新会社の強みであるポータルサイトのプログラムスキルを持っていたからだ。経理係だった清田が財務部長になり、営業で瀬名の先輩だった加納が営業部長になって、当時世田谷にあった瀬名のアパートを本社としてスタートしたのである。

アメリカ生まれの検索サイトの日本版が幅を利かせる中、当初、瀬名たちの冒険に対する見方は否定的なものばかりであった。

「そんなものが受け入れられるはずはない。すぐに潰《つぶ》れる」

起業した本人たちをのぞけば誰もがそう思っていただろうし、実際、瀬名に向かってそう忠告した者も少なくなかった。

だが、そういう忠告の一切をはね除けて瀬名が立ち上げた検索エンジン「スパイラル」は、その利便性から瞬く間にユーザーを増やしていったのであった。

当初及び腰だったクライアントたちが次第に注目しはじめ、検索エンジンの利用率でトップに躍り出た起業二年後には、大手の一部上場企業を何社もクライアントに抱える有望株に成長していた。

さらに晴れて上場を果たしてからは、止まるところを知らぬ快進撃で、瀬名はＩＴ企業家としての評価を確たるものにしたのである。

実際、右肩上がりの急成長が続いた。東京スパイラルの株価もうなぎ登り、百億円近い創業者利益を得た瀬名の将来は洋々たるものに思えた。

ところが昨年、右肩上がりの成長にはじめて鈍化の兆《きざ》しが現れ、それまで一枚岩でタッグを組んできた清田らとの関係に微妙な影響が出てきた。

投資や金融といった新分野へ事業展開すべきだというふたりの主張に、ポータルサイトへの技術関連投資とサービスの拡充といった従来路線を堅持すべきだという瀬名の主張が真っ向からぶつかり、事あるごとに激しく対立するようになったのだ。

焦りもあった。右肩上がりの急成長が鈍化した途端、株主が騒ぎ出し、マスコミが好き勝手なことをいいはじめる。

〝経営に手詰まり感〟〝神話崩壊〟――そんな新聞や雑誌の見出しが並ぶ。

常勝に慣れた観客たちは、常に勝利を求めるものだ。

清田も加納も、そうした周囲の騒音をシャットアウトすることができなかった。動揺し、浮き足立ち、新たな商売を求めて、さほど知りもしなければ、興味もない分野にまで進出を検討しはじめたのである。

役員会で怒鳴り合いになったことは、一度や二度ではない。

中でも、決定的な決裂の要因となったのは、清田が提案したベンチャー投資事業だ。将来有望なベンチャー企業に投資を行ない、株式公開時のキャピタルゲインで回収するビジネスモデルである。

その事業計画を、瀬名はその場で一蹴した。そのとき――。

「こんなもん、ダメだ」

決め付けた瀬名に、「理由もいわないでダメだとはなんだ」、と清田はいつになく激昂《げきこう》した。

取締役会の席上である。

出席していたのは、全社の部長以上、二十人。事の成り行きに全員が息を呑む中、瀬名は説明をはじめた。

「ウチには、投資ノウハウも、事業会社を育てるノウハウもないからだよ。決まってるじゃないか」

「ノウハウはある」

清田はいった。「ウチはガレージ企業から、ここまで成長してきたんだぜ。これがノウハウでなくてなんなんだよ」

「お前、なにか勘違いしてないか」

瀬名は冷笑を浮かべた。「ウチがここまで成長できたのは、最先端のウェブ技術があったからだ。成長のノウハウ？　笑わせるな。そんなもん、あるとすればひとつしかない。他社にない技術と競争力だ。だいたい、相手の技術力を見極める目がない奴に、投資なんかできやしないんだよ。お前、技術のことわかんないだろ」

「別にオレ自身が見極めるといってるわけじゃない。評価は第三者にさせる。競争力があってもカネがない――そんな会社にカネを出すところに意義があるんじゃないか。当たれば大儲けできる」

清田は主張した。「オレたちが起業した頃のことを思い出してみろ。あのときのオレたちにもし、一千万円でも資本金を出してくれる会社があれば、あんな苦労はしなかっただろう」

「どこの馬の骨とも知れない、技術がものになるかどうかわからないような会社に、カネ突っ込んでどうする」

瀬名は首を横に振った。「そんな簡単なもんじゃないことぐらい、お前だってわかるだろ。そもそもお前、経理屋のくせになに大風呂敷広げてるんだよ。こんな危ない話はないだろ」

経理屋と呼ばれた瞬間、清田の顔が真っ赤になった。

清田はそう呼ばれるのがなにより嫌いだったからだ。背景には、瀬名への対抗意識もある。上場までこぎつけたのは、もっぱら瀬名の才覚によるものだというのが世の中の評価になっていた。財務担当という地味な役割の清田は、いつも日の当たるところにいた瀬名の陰で、会社の屋台骨を支え続けてきたという自負がある。

役回りは地味でも、清田の性格はきつい。オレがいなければ、東京スパイラルはここまで成功しなかった、というのが酒を飲んで部下を引き連れて歩くときの口癖になっているぐらいだ。

「いいか、清田。加納も、他の連中もだ。お前ら、オレたちの競争力ってなんだと思ってるんだよ」

そのとき瀬名は会議テーブルを囲んでいる面々に真正面から問うた。「カネがあることか。上場していることか。それとも大口の顧客を抱えていることか。たしかに、いまとなってはそういうことも強みで、競争力といえるかも知れない。だが、競争力の源泉というべきものは、それじゃない。ウェブの最新技術だ。この技術があるからこそ、スパイラルは、他社検索サイトを上回る利用率を維持できた。つまり、このウェブ技術に匹敵する競争力がなければ、他業態を模索したところでカネばかり出ていく。得意でもなく、鼻が利くわけでもない、そんな業界に進出して成功するほど世の中は甘くないんだ。業容を拡大し、さらに売上を増やすためにオレたちがすべきことは、不案内な業界を漁《あさ》ることじゃない。本業に特化することだ。それ以外に勝ち残る道はない」

「それで株主を納得させられるのか」

すかさず反論を口にしたのは戦略担当の加納であった。「その得意分野で成長が鈍ってきているんだぞ。いまならまだ間に合う。〝保険〟をかけるべきだ。事業を多角化し、将来の成長分野を模索するのに、この投資事業は最高の受け皿になる。有望な会社であれば、ウチが買収すればいい」

「お前、そんなこと真面目にいってるのか」

瀬名は俄《にわか》に怒りを感じ、加納を睨み付けた。

かつて、東京スパイラルが成長の兆しを見せていたとき、とあるＩＴ企業が近寄ってきたことがあった。

カネのない頃である。

耳に心地よい言葉を並べて三人に取り入り、数千万円の出資をしようと申し出たその会社の意図は、将来有望な東京スパイラルを傘下におさめることであった。

出資後、瀬名らに代わる代表者が選ばれる計画が進んでいるときいたのは、その会社と近しい別の経営者からだ。つまりは体《てい》のいい乗っ取りである。

そのとき抱いた激しい怒りを、瀬名はまだ忘れられないでいた。

同じ怒りを清田も加納も抱いたはずなのに、いまその会社と同じことをしようといっている。

断じて容認できる話ではない。

「真面目にいってるのかって？」

加納は吐き捨てるようにいった。「当たり前じゃないか。清田にせよ、オレにせよ、いまの状況のままではマズイと思ってるんだ。なにもしなかったら、この危機を乗り越えることはできない。そのために、オレたちにできることはないかと知恵を絞ってきたんじゃないか。それを、言下に否定する社長は、代案があるのか」

「代案だって？　お前、なにきいてんだよ」

瀬名は、冷ややかにいった。「オレの主張は首尾一貫している。専門知識のないところにはカネを突っ込まない。本業のウェブの拡充を目指す。それだけだ」

「じゃあ、どんな拡充をするつもりなんだ」

そのとき加納は迫った。「そこが問題だと思うんだ。社長がそこをきちんと示してくれたら、オレたちはついていくよ。どうなんだ」

「ポータルサイトの機能をさらに充実させて、検索機能とスピードをいまより――」

「それでユーザーが増えるのか」

瀬名の発言を、加納は遮《さえぎ》った。「戦略担当としていわせてもらうが、仕様変更には多大な開発費がかかる。それでいて、投資効果は薄い。売上を嵩上《かさあ》げする方法論としては、間違ってるんじゃないか」

かつては瀬名の先輩営業マンだったこともあって、加納もまた発言には遠慮がない。

「サイトの整備と拡充は、絶対不可欠なルーティンだろ。それをサボったら、あっという間にユーザーは離れていくって」

瀬名は力説した。「たしかに、当初の効果は薄いかも知れない。だけど、その分野でオレたちには嗅覚がある。そういうところから、次の展開につながるヒントが見つかるんじゃないか。成長率が鈍化したからといって、狼狽《ろうばい》して不慣れな新事業にカネを突っ込んでどうする。もっと冷静に対応してくれないか」

「社長は危機感がないのか」

加納は唾を飛ばして、突っかかってきた。「IT業界はドッグイヤーで進歩してるんだ。今後どうするか、施策が必要なのはいまなんだ、いまなにかやらないと、株主だって納得しない」

「ビビって新事業に手を出した挙げ句、失敗するほうが株主は納得しないだろ」

冷ややかに、瀬名は言い放った。「ちょっと会社がでかくなったからといって、お大《だい》尽《じん》気取りで投資事業かよ。そんなのはな、上場したもののカネの遣い途がない会社の道楽なんだよ。周りを見てみろ、投資事業できちんとした業績を上げている会社がどこにある？　図体がでかくなってカネがあると、ノウハウまであるんじゃないかと勘違いする。そんな奴はバカだ」

「発言を撤回しろ、社長」

清田が低い声でいった。「バカとはなんだ。それが、上場企業の取締役会で使う言葉か」

「バカはバカだ」

まさに、売り言葉に買い言葉である。「上場企業だと？　ちょっとでかくなったぐらいで、なに気取ったこといってんだよ。こんなとんちんかんな事業計画しか作れない奴が、勘違いしたこといってんじゃねえよ」

創業時代から、清田と加納のふたりと議論することはしょっちゅうだった。取っ組み合いのケンカ寸前までいったこともある。

だが、言い返してくると思った清田は、このときすっと黙り込んだ。

拍子抜けというか、不思議なこともあるもんだ、とそのときの瀬名は、そう少々皮肉っぽく考えた程度だ。

清田と加納のふたりが、役員を退きたいと申し出てきたのは、その翌日のことであった。

瀬名が一蹴した投資事業の計画が、清田と加納を中心に何度も打ち合わせを繰り返し、入念に準備されたものだったと知ったのは後のことである。

このふたりが、いつの間にか瀬名に対する不満を募らせていたことも、同時に知った。

「あの事業計画が蹴られたら、そのときは辞表を提出するつもりだったんだ」

辞めるといいに来た、清田の言葉はいまも瀬名の胸に残っている。清田はこうもいった。

「お前は結局、自分のことしか信用しない男なんだよ。自分だけが正しいと思い込んでる。お前は、裸の王様だ」

2

青山にある自宅のマンションに戻ると、母がひとり心配そうな顔で居間のソファにかけていた。

「ニュースで見たんだけど、大丈夫なの」

「大丈夫さ」

瀬名はいい、ジャケットをソファに投げると、疲れ切った体を椅子に埋めた。

内面の苛立ちを瀬名はこらえ、瞑目する。都心の一等地にあるマンションだが、大通りからは奥まっていて、部屋は静かだった。

瀬名は、そのマンションに母とふたりで暮らしていた。

父は、瀬名が高校二年生のときに死んだ。株投資で失敗し、巨額の借金を抱えた挙げ句の自殺だった。

家も預金も、財産と呼べるものはすべて借金返済のために失った末のアパート生活。さらに給料までも一部を差し押さえられ、まさに赤貧の中での死だった。親族だけの簡単な葬儀を執り行ない、それが終わると、残された母と息子ふたりだけの質素な生活がはじまった。

父が株で失敗するまで専業主婦だった母は、昼間スーパーで働き、夜は近くの飲食店で深夜まで働いて生活を支えてくれた。そんな母を少しでも楽にしてやろうと、瀬名も学校が終わると近くのコンビニで働き、土日のほとんどもバイトで埋めた。バイト代は一銭も遣わず母に渡し、家賃と食費、最低限の光熱費、それと瀬名の学費をなんとか捻出する。唯一の贅沢は、たまに母と近くのラーメン屋で食事をすることぐらいだった。

父が死んでひとつだけよかったのは、それまで引きも切らずにあった債権者の督促が終息したことであった。

死を選ぶ前の父は、深く懊悩《おうのう》し、ヒステリックになってちょっとしたことで瀬名や母に当たり散らしていた。

電話が鳴るたび、ドアがノックされるたびに怯え、青ざめる父にとって、億に近い借金は、どうあがいても這い上がることのできない蟻地獄であった。

少し前まで好景気に沸いていた世の中は、その間にもじりじりと失速していた。株価は値下がりを続け、「また上がるだろう」という世間の能天気な思惑と期待を裏切り、失速するグライダーのように値を下げていく。父の勤務先である不動産会社の業績に暗雲が立ちこめはじめたのもその頃だった。

聞き慣れない「リストラ」という言葉が一般的になり、父がそのリストラの対象になっていたことを瀬名が知ったのは、その死後であった。

結局、父の人生とはなんであったのか、と瀬名はいまでも考えることがある。

群馬の田舎から上京して東京の大学を出、夢と希望を持って会社に就職する。母と結婚して子供をもうけ、幸せな家庭を築いたはずの父の人生を狂わせたものは果たしてなんだったのか。

瀬名にはいつも、「他人様に迷惑をかけるようなことはするな」と諭していた父は、結局、最後まで自己破産を申請しないまま死を選んだ。借金を棒引きにして迷惑をかけるのではなく、少しずつでも一生かかってでも返したい——父はそう母に語っていたそうだが、そんな事情を父は瀬名にひと言も話してはくれなかった。

後でその話をきかされた瀬名に浮かんだのは釈然としない思いである。

カネのために、父は自分たちと永遠の別れを告げたのか。

父の遺言書には、生命保険が下りたらどこの会社にいくら返済してくれということが事細かに書いてあった。

そこまでして借金に縛られなければならなかったのか。

父の人生がなんであったのかという問いは、瀬名の中で次第に、カネとはなんなのか、という問いへと置き換えられていった。

カネなんかのために、なんで死ぬ？

だが、そうは思ってみても、「カネがない」という現実が如何《いかん》ともし難いものであることは、自分たちの生活を見れば明らかであった。

カネのために瀬名は働き、そして大学への進学も諦めた。

そんな瀬名母子に救いの手を差し伸べてくれる者は誰もなかった。大変だねとか、頑張ってとか、励ますひとたちは何人もいたが、だからといって親戚も含めてカネの面倒を見てくれると申し出た者は誰ひとりいなかった。息子を大学へやる費用を貸してくれないかと、母が自分の実家に相談して断られたとき、結局、自分の人生は自分で切り拓くしかないと瀬名は悟った。

「あの電脳って会社の社長さんは知り合いなの？」

そのとき母がきいた。

「会ったことはあるけど、親しいわけじゃない」

瀬名はこたえた。「ほんと、ムカツク話だぜ」

濃い疲労を滲ませている瀬名に、母は熱いお茶を淹《い》れてくれた。

「悪いな、こんな時間に。母さん、もう寝たほうがいいよ」

もう深夜零時を過ぎている。

「こんなときになんにもしてやれないから。私にできるのはこのくらいだけよ」

母はいい、瀬名がかけているソファに自分も腰を下ろした。母は不安なのだ。そしてこの日の買収事件について、話してもらいたいと思っているのは明らかであった。母にとって、瀬名は人生で残された最後の希望だ。それは瀬名もまた理解している。東京スパイラルを立ち上げた瀬名が、上場を果たして巨額の創業者利益を得たときから、母の口癖は、「父さんが生きてたら喜んだろうねえ」、だった。

瀬名もそう思う。だが、死を選んだことで、父はそのチャンスを放棄したのだ。

「でも、いきなり買収だなんて。洋介の意見もきかないで、どうしてそんな勝手なことするのかしら。失礼な話ね」

パートとアルバイトの経験くらいしかない母は、少し怒っていた。

「生き馬の目を抜く世界だから仕方がないさ。清田と加納が電脳に株を売ったと思う」

「清田さんたちが？」

目を見開いた母に戸惑いが広がった。それはそうだ。東京スパイラルが設立間もない頃、母はたまに東京に出てくると瀬名のアパートに泊まって料理を作ってくれた。それを三人で一緒に食べて遅くまで働いた日々はつい昨日のことのようだ。そのふたりと訣別したことは、いままで母には黙っていた。

「いいひとたちだったのに」母はいった。

「まあ、いろいろあって。あいつらにはあいつらの考え方があるんだろうけどさ。だけど、株を売るんなら、ひと言ぐらい、相談してほしかった」

眉根を寄せた母は、「どうなるの、これから」と不安に瞳を揺らす。「買収に応じるつもりはないんでしょう」

「ないね」

きっぱりと、瀬名はいった。「絶対ぶっ潰してやる。母さんは、心配しなくても大丈夫だから」

「こういうときのやり方ってなにか決まりはあるの」母はきいた。

「決まりはどうか知らないけど、対応の仕方はいろいろあると思う」

瀬名はいったが、具体的にどんな方法があるのかはわからなかった。「証券会社のアドバイスも参考にして進めることになると思うよ。いずれにしても、それなりに時間はかかるだろうな。でも、電脳の平山に買収はさせない。ついでに、ウチを買収しようとしたことを必ず後悔させてやる」

「洋介ならなんとかすると思ってるけど、なんでその平山さんってひとは、あんたの会社を買収しようと思ったのかしら」

母は基本的な疑問を口にした。

「それは、ウチのポータルサイトが欲しいからだろうな」

「それがあると、電脳って会社には都合がいいの?」

「たぶん」

そうこたえたものの、瀬名には、平山が考えているビジネスが読めなかった。一体、電脳はなんのために東京スパイラルを買収しようというのか。

「洋介が相手企業だったら同じことをしようと思う?」

なかなかのグッドクエスチョンだ。

「正直、わからないな」

瀬名はこたえた。「ただ、もし電脳がウチを買収すれば、あの平山って男がIT業界のトップに立つことになる。それが狙いかも知れない」

そんなことのために買収されてたまるかよ。瀬名の闘争心が燃え上がった。

3

「たまには飯でもどうだ」

電脳雑伎集団が東京スパイラル買収計画を発表して数日が経った夜だった。ちょうど帰宅しようと思ったときにフロアから出てきた尾西と森山のふたりを見て、半沢は声をかけた。

若手たちに、いろいろな不満が渦巻いていることはわかっている。なにかの機会を見つけて意見をききたいという思いもある。

「オレたちも、ちょうど飯食いに行くところだったんで」

尾西はいい、どうする、という顔で森山を振り返る。

「別に構いませんけど」

森山の返事でふたりと向かったのは神田にある古い居酒屋だ。

軽く乾杯した後、話が電脳の時間外取引へと移っていくのに時間はかからなかった。

東京中央銀行の買収手法が衝撃的であったことは否定できない事実であった。

「まさか、あんな方法でやってくるとは思いませんでしたね」

いまいましそうに尾西はいい、ふうと息を吐き出す。「予想外のスキームですよ。だけど、これで電脳は正しかったことになるんじゃないかな」

「どういうことだ」

半沢は運ばれてきた湯豆腐を口に入れながら、問うた。

「ウチのチームではあんな芸当はほとんど無理でしたから」

尾西はいった。「頭固い連中ばっかりだし。三木さんがリーダーでは、所詮こんなアイデア出てこないですよ」

「はっきりいうじゃないか」

半沢はたしなめるでもなく、いった。若手らの三木に対する評価が低いことはわかっている。

「部長も三木さんを認めていたんなら、申し訳ないですけどね」

案の定、尾西はちくりといい、黙ってきいている森山を一瞥《いちべつ》して続けた。「我々としては、こんな大事な案件なんだから、もっと実力重視でチーム編成してほしかったですよ。電脳の担当は森山だったんだから森山でよかったんです。そうすれば、あんな惨めな契約破棄になることもなかっただろうし、こいつなら、今回みたいな奇襲作戦も考え付くかも知れない」

「いや、無理だったと思う」

そのとき森山は右手でビールのジョッキを掴み、テーブルの一点を見つめていった。

「オレがやったところで、あんな提案はできませんでした。そもそも、情報がないし」

「株主に関する情報か」

半沢がいうと、森山はうなずいた。「東京スパイラルの株主構成はオレだって調べました。誰が大株主なのかはすぐにわかります。でも、東京中央銀行はそこをさらに一歩踏み込んで、大株主の誰かに株を売却する意向があったことを摑んでたわけです」

半沢は黙って焼酎《しょうちゅう》のグラスを傾け、敗北感を滲ませている森山を眺めた。「ウチの契約を横取りした手口は許せないですけど、たぶん電脳の平山社長は今回の件、東京中央銀行に鞍替えして正解だったと思ってるでしょう。オレだってそう思いますよ」

「三木さんに、今回の件、どう思ってるのかきいてみたいもんだ」尾西は皮肉混じりだ。

「この買収、成功すると思うか」

半沢が質問を発すると、ふたりは沈黙してそれぞれ考え込んだ。

「それは東京スパイラルの出方次第じゃないですかね。向こうにも、それなりのアドバイザーが付くだろうし、それがどんな手を打ってくるか」

尾西がこたえた。

東京スパイラルが開いた記者会見では、社長の瀬名が買収拒否の態度を鮮明にし、対抗策を講じると明言していた。

「あそこは付き合いが太洋証券だったな」

中堅の証券会社で、こうした敵対的買収に関してノウハウ豊富とはいいかねる。一方の東京中央銀行の野崎は、かつてロンドンで企業買収を手掛けていたことがあって、その分野では国内屈指のバンカーだ。

「太洋証券では、アドバイザーとしてはちょっと弱いかな」

森山もいった。

「瀬名社長もああはいったものの、白旗揚げたりして」

尾西が軽口を叩く。「やっぱり買収されることにしますとか」

すると、

「瀬名はそんなヤワな奴じゃないですよ」

森山がやけにはっきりとした口調でいったので、半沢は森山の顔をまじまじと見た。すかさず、

「なんだよ、森山。瀬名社長のこと、よく知ってるような口ぶりじゃないか」

尾西がからかうと、森山はにこりともせず意外なことをいった。

「瀬名のことは、よく知ってるんで」

「マジかよ」

尾西が目を丸くし、のけぞるように体を引いた。「どうして知ってるんだ？　大学で一緒だったとか？」

「大学じゃなくて、中学と高校ですよ」

森山はこたえた。「瀬名洋介は、中高のときの親友だったんです。ヨースケって呼んでた仲ですよ。オヤジさんの都合で転校しちまって、その後は音信不通になっちゃったんですけど、ああして世の中に出てきた」

「マジかよ。だけどさ、親友つっても、何年前の話だよ」

尾西が呆れていった。「もう人が変わっちまったんじゃないか」

「同じですよ。記者会見、ニュースで見たけど、まったく変わってなかった。向こう気の強い、昔親友だった瀬名洋介、そのまんまですね」

「でもさ、親友なのに音信不通になるなんておかしいんじゃね？　有名人になると友達が増えるっていうけどさ、ホントはお前もその口なんだろ？」

毒舌の尾西は、森山の矛盾を巧みに突いてみせたが、森山が浮かべたのはなぜか悲しげな表情だった。

「親父さんが株で失敗しちまったんです」

それをきいてさすがの尾西も神妙な顔になった。

「ヨースケの親父さん、不動産会社に勤めてたと思うんですけど、株の信用取引で大穴開けて、家を売らなきゃいけなくなったんです。オレら、私立に行ってたんですけど、その学費も払えなくなって。そんな事情だったんで、ヨースケとしてもオレやクラスメートたちに連絡を取りづらかったと思うんですよ。カッコ悪いと思ってただろうし」

「瀬名って、結構苦労してるんだな」

尾西はしんみりした口調になる。「だけど、その親友がさ、あんな形で世の中に出てきたんだから驚いたろ」

「東京スパイラルの瀬名洋介という名前は新聞や雑誌で目にしてたんだけど、最初は同一人物だとは思わなかったんですよ」

森山はいった。「ところがある日、駅の売店で買った週刊誌を電車で広げたら、そこにでかでかと顔写真が出ていて……。まるで不意打ちを食らったみたいに、あ、ヨースケじゃないかって」

「連絡は取らなかったのか」

半沢がきくと、森山はテーブルに視線を落とした。

「おめでとうっていってやりたかったんですが、個人のメルアドはわからないし、まさか東京スパイラルの代表電話にかけて社長を出してくれと名乗るのもちょっと……。それにいまさら昔の友達が名乗り出たところで瀬名にしても困るんじゃないかと思って」

「まあ、そりゃそうかもな」

湯豆腐を箸で上げ、口に運びながら、尾西がいった。「それでなくても、一杯友達増えただろうし」

「それにあいつの苦労を考えると、オレなんか、って気持ちもあるんですよね」

森山は続けた。「雑誌で瀬名の生い立ちを読んだんです。親父さんが株で失敗したことも、母親とふたりで貧乏暮らししたことも、包み隠さずに書いてありました。母親を楽にさせようと思ってバイトをしていたこととか、進学をあきらめて就職したことなんかも。ヨースケがそんな苦労しているときに、オレはなんの疑問も差し挟むことなく平凡な人生を送ってきたわけで。その間、ヨースケは苦しんで苦しんで、世の中の荒波を一身にかぶってきたんですよ。そんな人間に、安穏と大学は出たものの会社で腐ってるオレみたいなのが、昔の付き合いだからってほいほい名乗り出ることはできませんよ」

少し斜に構えた、森山らしい発想だった。

半沢は運ばれてきた酒を汲んだ。「気にし過ぎだ。連絡してやればいいじゃないか。友達だったんなら喜ぶと思うが」

「いまさらって感じじゃないですか」

臆する森山に、

「下心があって連絡するわけじゃない」

半沢はいった。「オレはいまこんなことしてるって、近況を知らせてやればいい。瀬名さんだって、お前と会いたいと思ってるかも知れない」

「相手にされないですよ」

そういった森山に、半沢はいった。

「そのときは仕方がない。だけど、自分が有名になって金持ちになったからって、そんなことで冷たくあしらうような男なのか、彼は」

森山はじっと考え込んだまま、こたえなかった。

4

太洋証券の二村が訪ねてきたのは、約束通り記者会見翌日の夕刻であった。

「いやあ、返事が遅くなりまして申し訳ございません」

来客はふたり。もうひとりは二村の上司に当たる営業部長の広重多加夫《ひろしげたかお》で、以前から顔見知りの男だった。

「昨日は二村にご用命をいただきまして、誠にありがとうございます、社長」

広重はいつもの低姿勢で礼をいった。営業のトップらしく、調子のよさは二村以上だが、なかなかのやり手で知られている男らしい、とは訣別した清田が以前いっていたことだ。

「私どもで大至急、対策を検討いたしまして、本日はそのご提案に参った次第でございます」

「それはありがとう」

さして期待しているわけでもないので、瀬名は感情のこもらない声でいった。

「まず、今回の電脳側の買収に対して、どんな条件であれ防衛するということでよろしいですな」

「当たり前だろ」

広重の念押しにこたえた瀬名に差し出されたのは、ペラ一枚の提案書だ。

「随分と簡単なんだな」

「簡単そのものです」

広重はいった。「敵対的買収の防衛策というと難しくきこえるかも知れませんが、ややこしいのは数ある防衛策のどれを選択するかということでして。その複雑な検討作業は、御社を知り尽くした我々が十分にやらせていただきました。本日は、その中でベストと呼べるものをご提案させていただこうと思います」

「それがこれか。——新株を発行しろと?」

提案書を読んで、瀬名はきいた。

「そうです。電脳がいくら買い進めても、決して過半数を取れないだけの株式を発行します」

広重は含みのある表情を向けてきた。「しかし、ただ発行するだけでは防衛策になりませんので、それをどなたかに持っていただくことになる」

「新株の発行分を?」

瀬名はきいた。「そんなカネを出す人間がどこにいるんだよ。何百億円にもなるんだぞ」

「もちろんです」

提案書には、簡単な図が示されていたが、その新株の引受先のところが空欄になっている。

「敵対的ではない協力的な会社——つまりホワイトナイトを引受先として提案させていただきます」

「いったい、どこの会社だよ」

瀬名はきいたが、広重はこたえなかった。「こんな計画、言うは易《やす》く行なうは難《かた》しの典型じゃないか。机上の空論っていうかさ。当てあんの」

懐疑的な瀬名に、広重が向けてきたのは勝ち誇ったような眼差しだ。いまその広重から、はっきりとした口調で言葉が発せられた。

「あります」

前屈みになって真剣な眼差しを向けている男の顔をしばし無言で見つめ、瀬名は提案書をテーブルに戻すと椅子の背にもたれた。

「どうでしょう、社長」

広重がぐいと膝を乗り出した。「私どもにアドバイザーを任せていただけませんか。必ず、電脳雑伎集団の意図を挫《くじ》いてみせます」

「どこの会社？」瀬名はきいた。

「それは契約をしていただかないと申し上げられません。私どもの手の内をお見せすることになるので」

広重が硬い口調でいった。「ホワイトナイトの選定が、このスキームのいわばキモですから」

「契約書、見せて」

瀬名がいうと、手回しよく準備していた二村がさっとテーブルを滑らせて寄越す。

「契約金として三千万円いただきます。その後、敵対的買収阻止の成功報酬として五億円——いかがですか、社長」

「もし、そのホワイトナイトが気に入らない場合、どうなる」

瀬名はきいた。「代わりを探してくれるのか」

「もちろんです」

広重の返事にしばしの間が挟まったのは、ホワイトナイトの代役がそうそう簡単に見つからないという事情があるからだろう。

「だけど、そもそも見つからないこともあるわけだよね。見つけてきても、オレが気に入るかどうかわからない。そこでポシャることだってあるのに、契約金三千万円は高いんじゃないか」

瀬名は交渉事に長《た》けた一面を覗かせていった。「三千万円払うのであれば、オレが気に入るホワイトナイトが見つかってからだな。それなら契約してもいい」

逡巡《しゅんじゅん》するかのような沈黙の末、

「ホワイトナイトを探すのは、そう簡単なことではないんです」

広重はこたえた。「我々の顧客網を慎重に精査し、御社の名前を隠して、そういう意向があるか確認しなければならない。これは相当、手間のかかる作業です」

「手間はわかる。じゃあ、あんたの月給いくらだ」

瀬名はすかさず、突っ込んだ。「たとえば、その作業に一カ月丸々かかったとして、どうして三千万円なんていう契約金になるのか、まるで理解できないんだよ。あんたの月給はそんなに高いのか、広重さん。そういうのをぼったくりっていうんじゃないのか」

「御社がどうなるかの危機ですよ、社長」

訴えるようにいった二村に、「だからなんだ」と瀬名は撥ね付けた。

「会社の危機だからといって、足元を見たこんな契約書にサインしてたら、いくらカネがあっても足りないんだよね」

「じゃあ、おいくらならよろしいんでしょうか」

根負けして広重がいった。「私どもも、こうしたリサーチには人手がかかるものですから、そこをご理解いただいて」

「契約金百万円」

瀬名はいった。「オレが納得するホワイトナイトが見つかったら、そのとき三千万円払う。その後、電脳側との交渉その他で有効と思われるアドバイスをしてもらって、最終的に敵対的買収を阻止することができた段階で三億円払おう。成功報酬にしても、五億円は高過ぎると思うので」

返事はない。瀬名は続けた。「それと、正直にいわせてもらうが、オレはお宅のアドバイス能力を信用しているわけじゃない。だから、有効なアドバイスが得られない場合、この契約の途中で、契約を破棄することも十分あり得る。そのときの罰則規定は設けないでもらいたい」

「なかなか、厳しい条件ですな、社長」

いつものにこやかな表情を引っ込め、広重はズボンの尻ポケットからハンカチを出すと、額の汗を拭いた。

「厳しいもんか。当たり前だ、そんなの」

瀬名はいった。「イヤなら契約はしない」

二村が、落ち着きなく身じろぎしている。広重は、重大な決断を迫られた男のごとき苦悩を眉間に刻み付けていた。

これだけの契約金と成功報酬の額だ。必ず契約を取ってこいとトップから発破《はっぱ》をかけられて来たことは容易に想像できる。

「そこをなんとか、考え直していただけませんか、社長」

いま一度、広重はいった。「これだけの巨額買収案件のアドバイザー業務ですし、大手証券であれば、この何倍もの成功報酬を要求されると思うんです」

「お宅は大手じゃない」

瀬名は突っぱねた。「だったら、いくつかの証券会社を回ってみて、お宅が有利な条件であれば、契約するってのはどうだ。それならオレも納得できる」

「そうおっしゃらず、是非、ウチでお願いします」

二村がテーブルに額をこすり付けんばかりに頭を下げたとき、

「瀬名社長の申し出通りでいかせてください」

覚悟を決めたらしい広重の静かな声が割って入った。

「部長、よろしいんですか」

二村が慌てていった。

「大丈夫だ」

余裕の表情を浮かべてみせた広重の表情になにか別の感情のようなものが浮かんだが、それは一瞬のうちに営業用の愛想笑いの下に押し隠された。「世の中の注目を集めている今回のケースで、ウチの防衛策が評価されれば、今後、同様の受注に結び付きます。それで十分。社長のおっしゃる条件でやらせてください」

その場で契約書の内容を確認した瀬名は調印を済ませ、「それで？」と話の先を促した。

「ホワイトナイトは、どこの会社なんだ」

「フォックスです」

さすがに驚いた顔をした瀬名に、広重が重々しく続けた。「内々に打診したところ、同社から株式を引き受けてもいいという回答をいただいています。郷田《ごうだ》社長も是非とのことでした」

パソコンと周辺機器販売大手のフォックスは、それまで大手コンピュータ会社に勤務していた郷田行成《ゆきなり》が四十歳のときに会社を辞めて設立。この十五年の間に、安売りというより叩き売りに近いパソコンの低価格販売で売上を伸ばしてきた会社だった。

最近は同じような会社が増えてきたこともあって成長は鈍化しているようだが、売上はピーク時二千五百億円はあったはずである。郷田は、自身コンピュータと称される緻密な頭脳の持ち主で、ＩＴ業界では一目置かれる存在だ。同じ業界だから、何度か言葉を交わしたこともあるが、堅実そのものの人柄はまさに敬服すべきものがある。

「郷田社長がおっしゃるには、やはり電脳のやり方はうまくないと。もし、お手伝いできるのであれば、そうしたいということでした」

広重は説明した。「郷田社長は、瀬名社長のことを非常に高く評価しておいでです。新株を発行されるのであれば、ぜひ引き受けたいとのことでした。いかがでしょうか。決して悪い話ではないと思いますが」

「フォックスがウチの株主になるとして、向こうにビジネス上のどんなメリットがある」瀬名はきいた。

「メリットはそれこそ無限ですよ」

広重は大げさに両手を広げた。「フォックスが株を持つことによって、いわゆるフォックス・スパイラルというＩＴ連合が結成されることになります。ポータルサイトとパソコン本体の組み合わせに便乗したい企業は無数にあるでしょう。この二社の資本提携は当然のことながら企業価値を高めると思いますので、それだけで株価は上がる。そうなれば、電脳の株取得費用は大幅に嵩むことになり、場合によってはそれだけでも買収を断念させることができるかも知れません」

瀬名は、こたえる代わりにカップのコーヒーを啜《すす》った。考える間、社長室にしばしの沈黙が訪れる。

やがて、「なるほど」、という言葉が瀬名から洩れると、場にほっとした空気が漂った。

「どうすればいい？」

今後のスケジュールを瀬名は問うた。

「まず、御社で、新株の発行を決議していただきたい」

広重がいった。「後は、実際にそれを発行し、フォックスに購入してもらうだけです。早ければ早いほどいいでしょう。電脳雑伎集団の公開買い付けを挫くためにも、少しでも早く発表するのが得策かと」

「デメリットは？」

その瀬名の言葉は、前のめりになっていた太洋証券のふたりを押し黙らせた。

「デメリット、ないしはリスクがあるんじゃないのか」

瀬名はきいた。

「私どもで点検したところ、このスキーム自体のデメリットもリスクもありません」

二村が断言した。

だが、これには瀬名は返事をしなかった。

東京スパイラルという小さな会社を上場企業にまで育て上げた経営感覚がそうさせるのか、どこか引っかかる気がしたからだ。

「検討して返事するよ」

やがて瀬名がいうと、話の腰が折られてしまったような中途半端な雰囲気になる。

「では、お返事をお待ちしておりますが、時間との勝負だということはくれぐれも申し上げておきます」

広重が釘を刺してきた。

嫌味な奴。瀬名は腹の底に湧いた嫌悪感で表情を歪めた。

証券会社のふたりをエレベーターホールまで見送ることもせず、社長室で別れた瀬名は、盛大な吐息を洩らした。

秘書が顔を出し、電話を取り次いだのはそのタイミングだった。

「社長、森山さんという方からお電話が入ってるんですが」

「森山？」

ソファにだらしなくかけたまま、瀬名はきいた。「どこの森山だよ」

「社長の中学時代の同級生だとおっしゃっているんですが。森山雅弘さんという方です」

「森山……」

つぶやいた瀬名の頭に、細い目をした、人なつこい顔が浮かんできた。

「つないでくれ」

秘書にいってデスクの電話を取る。

「あ、あの私、星野中学で一緒だった森山という者ですが」

受話器の向こうから、少し緊張した硬い声がした。瀬名の脳裏に、楽しかった中学時代のことが突如蘇り、その瞬間、意識は十五年も前の頃に戻っていた。

「マサ？」

瀬名は思わず口にしていた。

「あ、ああ」

戸惑うように、森山が返事をした。「ヨースケ？」

「おい、元気かよ、マサ」

親しみを込めて瀬名はいった。

「ああ、なんとかやってる」

森山はいった。「それよかヨースケ、すごい活躍じゃん。おめでとう」

「ただ、運がよかっただけよ」

瀬名はいい、「お前はなにしてんの？」、ときく。

返ってきたのは、「リーマン」というひと言だ。

「東京セントラル証券って会社に勤めてるんだ」

「マサが証券会社？」

おもしろくて、愉快で、空想好きで——。たしかに、物事をズバズバいう性格ではあったが、そのマサが、証券会社を選んだのは意外だった。正義感の強いマサと、切った張ったの金融の世界がリンクしない気がしたのだ。

「そうなんだ。オレも似合わないと思ってるんだけど」

森山はちょっと照れくさそうにいい、「忙しいところごめんな、突然電話して」と気を遣う。「実はもっと早く、お祝いをいいたかったんだけど、オレのことなんか忘れちまってるだろうと思ってさ」

「そういうヘンなところで内気なのは、昔のまんまだ」

「そうかも」

電話の向こうで森山は、笑い声を立てた。昔と変わらない笑い方だ。「とにかく、電話つながってよかったよ。ずっと連絡しようと思ってたから、これでなんかすっとした」

「よく電話してくれたな、マサ。ありがとうな」

こたえた瀬名は、「もしよかったら、今度どっかで飯でも食わないか」と誘ってみる。

返事があるまで、少しの間が挟まった。

「ありがとう。行きたいんだけど、オレ、ヨースケがいつも行くような高級な店には行ったことなくてさ」

森山の不安を瀬名は笑い飛ばした。

「オレが行くのは居酒屋ばっかだぜ」

「それなら、オレの給料でも大丈夫だな」

森山は、ほっとした口調になった。

「いつならいいんだ」

瀬名がきくと、

「ヨースケのほうが忙しいんだから、合わせるよ」

という返事があった。
二、三日候補を挙げ、日を決める。
「久しぶりに会ってわかるかな」

瀬名の懸念を、森山は笑い飛ばした。「オレのことはわからないかもな。だけど瀬名洋介の顔なら、誰だって知ってる」

「楽しみだな」

殺伐とした状況の中で、このときだけ瀬名はどこかほのぼのとした気持ちになって、森山との電話を終えた。

5

その日、森山が約束の店に行くと、瀬名は先に来ていた。待たせまいと早目に来たつもりなのに、瀬名の前にある灰皿にはタバコの吸い殻がすでにふたつ転がっている。

「早いな」それが十五年ぶりに再会した森山の第一声だった。

「暇なんでさ」

瀬名は笑いながら右手を差し出す。「久しぶり」

瀬名が指定したのは、有楽町の居酒屋だった。個室になっていて、客同士の顔が見えない造作は、瀬名のような有名人には都合がいいに違いない。

「でもさ、ほんとに成功してよかったな、ヨースケ」

乾杯した後、心からの森山の言葉に、瀬名は少し照れたような笑いを浮かべた。

「成功なのか、なんなのかわからないけど、いまのところ、なんとか生きてるって感じかな」

謙遜《けんそん》か自嘲かわからない口調だった。屈託がなく、明るかった中学時代の瀬名。その少年を、十五年という歳月はどこか陰のある大人へと変えていた。

「そんなことない。大成功だよ」

瀬名は、相変わらず笑っただけでこたえない。そして、

「オレもいろいろ大変でさ。知ってるだろ」

そういうと、ジョッキのビールをひと口飲み、視線を逸らしたままタバコに火を点けた。顔をしかめたようにして煙を吹き出す横顔は、ラフな服装とも相俟って、いまや飛ぶ鳥を落とす勢いのＩＴ経営者とは別人に見える。

「ああ、知ってる。だけど、お前のところにもちゃんとしたブレーンがいるんだろ」

森山は、きいた。

「ブレーンといえるかどうかは微妙かもな」

ため息混じりに瀬名はこたえた。

「そうか」

森山はなんといっていいかわからず、困惑した。「どっちにしても、買収は阻止しないとな」

「当たり前だ」

瀬名がふいに声を荒らげた。電脳による買収事件に、相当神経質になっている。口にしてから言葉の強さに気付いたか、ふと我に返り、「すまん」、と詫びた。

「ちょっとカリカリきててさ。あんまりムカツクもんで」

「いいって」

森山はジョッキのビールを口に運び、ふと気になっていたことをきいた。

「だけど、正直驚いたよ。時間外取引で株の大量取得だなんて」

「たしかに」

瀬名は率直にいい、タバコを灰皿に押し付けると思わぬことをいった。「だけど、お前なら、どんな手でくるか最初からわかってたんじゃないのかよ」

「どうして」

森山は目を見開いた。

「だって、東京セントラル証券って、東京中央銀行の子会社だろ」

瀬名の声にかすかな苛立ちが滲む。それが少し疑うふうでもあったので、森山は慌てた。

「子会社といっても、あくまで別会社だから」

そう弁明する。「東京中央銀行と情報を共有しているわけじゃないし、まして奴らと協力関係にあるわけじゃない。今回の件でいえば、むしろその逆なんだ」

「逆ってどういうこと」

興味を抱いたらしく、瀬名はきいた。

「電脳のアドバイザー、最初はウチがやるはずだったんだ」

森山はこたえた。

「お前の会社が？」

さすがに、瀬名が驚いた顔になる。

「電脳の平山さんから申し入れがあって契約までこぎつけたんだけど、銀行の奴らに横取りされたってわけ。情けない話だけどさ」

「親会社なのに、子会社の契約をかよ？」

瀬名は目を丸くした。

「信じられないよな。オレもだ」

森山は唇に自嘲を挟んだ。「ただ企業買収の分野では、親会社とウチとはライバル関係になってってさ。電脳のアドバイザーの座におさまった東京中央銀行の情報は、正直、オレたちのところにはまったく入ってこないし、あんなスキームでくるとは蓋を開けるまでわからなかった。もちろん、誰が電脳に株を売却したのかもわからないままだ」

「株は、ウチの元役員が売った」

瀬名の発言に、森山は、えっ、と声を上げた。「役員が？」

「財務の清田と、戦略担当の加納。このふたりがちょっと前に会社を出ていきやがった」

瀬名は、悔しそうにいった。「ふたり合わせた株式数と、今回電脳が買い占めたといわれている数はほぼ一致している。きっと東京中央銀行の中に、あのふたりがオレと袂《たもと》を分かったことを知っている人間がいたんだ」

企業買収はいわば情報戦だ。どんな手段であれ、東京中央銀行はそれを制したことになる。そして、情報で優位に立ったことを最大限に利用したのだ。

「しかし、そんなにまでしてアドバイザーになりたいかね」

瀬名はタバコを一本抜き、壁にもたれかかって火を点けた。「まあ、結構な手数料を稼ぐんだろうけどな」

「それだけじゃないよ」

森山はいった。「こんなことをヨースケにいうのは気が引けるけど、この買収話をまとめれば、企業買収アドバイザーとしての評価は格段に上がるだろうな。そうなれば、今後の企業買収市場で優位に立てるんだよね」

「成功すれば、な」瀬名はいった。

「そう、成功すれば」と森山。「ただ、失敗したら元も子もないどころか、場合によってはマイナス評価だ」

「そうなるさ、きっと」

負けず嫌いの性格そのままに瀬名はいい、ジョッキのビールを呷《あお》った。

「それで、もう対抗措置の提案は受けたのか、ヨースケ」

尋ねた森山にこたえようとした瀬名はふと、ぽかんとした表情を浮かべて動きを止めた。

そして、ふっと肩を揺すり、「すまん。いまお前が信用できるかどうかって、考えちまった」、そう正直に吐露する。

「そうか……申し訳ない」

森山は素直に詫びた。「いまの、無しな。もうきかないから」

瀬名にしてみれば、相手方アドバイザーと資本関係にある森山に秘密を話すのは躊躇《ためら》われるに決まっている。銀行と協力関係にないとどれだけいったところで、その実態は瀬名にはわからない。

だが、

「ウチのアドバイザーは太洋証券なんだ」

瀬名はいうと、つまみのエイヒレをひと切れ口に入れた。「買収防衛策については先日提案があった。具体的な動きはこれからだけど」

「いい提案か」

「正直、微妙かな。こういう場合、マサだったらどうする？」

「それは難問だな」

森山は箸を持った手を止めた。

「お前の率直な意見をきかせてほしいんだ」

瀬名は真剣な顔だ。

「そんな簡単に防衛策なんか出てこないよ」

少し困って、森山はこたえた。「個別の事情もあるのに思い付きをいったところでなんの意味もないし、かえって混乱するんじゃないの」

「まあ、そうかな」

そうこたえた瀬名の表情に落胆の色が浮かんだ。もし、いまここで即答できるほどの実力が自分にあったなら、ヨースケの力になってやれるのに。

だが、実際の森山は、東京スパイラルについて一般投資家程度の情報しか持ち合わせておらず、さらに敵対的買収の防衛策についても大した知識があるわけでもない。

「太洋証券はなんて？」

自己嫌悪を振り払うかのように、森山は問うた。だが、さすがの瀬名もすぐにはこたえず、躊躇うような間を挟む。

それもそのはず、森山がうっかり問うたことは、東京スパイラルにとって対外厳秘の戦略情報に他ならない。

問いを発してしまってからそれに気付いた森山だったが、質問を撤回しようと口を開きかけたところで言葉を呑み込んだ。

「ホワイトナイトを連れてくるといってる」

瀬名の口から、そんな言葉が飛び出したからだった。「新株を発行して安全な第三者に引き受けてもらうというスキームだ」

「引受先は、決まってるのか」

森山は思わずきいた。

「――フォックス」

瀬名の口から社名が出たとたん、森山は息を呑んだ。瀬名は続ける。

「電脳がいくら買い増したところで過半数に届かないように、新株を発行してそれをフォックスに引き受けてもらうことで話が進んでいる」

「株式引き受けの契約はもう？」

「まだ」

瀬名はこたえた。「ウチの取締役会でとりあえず新株発行の決議をすることが先決だ。

フォックスとの契約はその後になる」

「そうか」

森山はいった。「誰にも喋らないから安心してくれ」

「もちろん、安心してるさ。それより、どう思った？　プロとしての意見をきかせてくれ。信頼できるセカンドオピニオンが欲しいんだ」

「オレのこと、信用してくれるのか」

「こう見えても、人を見る目はあるつもりだ」瀬名の口調は、真剣そのものだ。

「フォックスの郷田社長とは親しいのか、ヨースケ」森山は、少し考えてからきいた。

「親しいというほどじゃない。が、堅実なひとだとは思う。印象は悪くない」

「この話、フォックスにとってのメリットはあるのか」

「それはオレも考えたんだが――」

瀬名は視線を斜め上へ向けていった。「商売的には、ウチのポータルサイトでネットユーザーを誘導してパソコン販売に結び付けたりは簡単にできるだろうな。そういうことはさておいても、フォックスと東京スパイラルが資本提携することでなんらかの意味はあると思う」

「それだけ？」

森山はきいた。

「それだけじゃあ、マズイか」

少し意外そうに、瀬名はきいた。森山は続ける。

「ウチの部長にきいた話だけど、電脳は、東京スパイラルの株買い占め資金として、千五百億円の融資を取り付けてるらしい。それを阻止するためには、やっぱり一千億円単位の資金が必要になるんじゃないか？　だけどさ、いまフォックスの業績って、決して順調とはいえないだろ。そんな会社がやる投資にしては、目的も曖昧だし、金額的にも大き過ぎる気がする。郷田社長と話したほうがいいよ、ヨースケ。意向をたしかめたほうがいい。証券会社の勇《いさ》み足ってこともあるから。それに、フォックスは、このスキームを実行するために、手元の資金だけでは間に合わなくて、金融機関から借入をしなきゃいけないはずだ」

森山は続ける。「それもフォックスにとっては負担なんじゃないか。フォックスが株の買い取り資金をどう調達するのか、きいたか、ヨースケ」

瀬名は、首を横に振った。「きいたほうがいいか」

「いや、きいてない」

「絶対、きくべきだよ」

森山はいった。「郷田社長のことだから無理はしないと思うけど、これはフォックスにとってもおいそれと乗れる話じゃないと思う」

瀬名はこたえなかったが、森山の話がその腑《ふ》に落ちたことは表情を見ればわかった。

「ありがとうな、マサ」

瀬名は礼をいった。「そう簡単じゃないとは思ってた。参考にさせてもらうよ」

「もし気になることがあったらなんでもきいてくれ。できる限り協力するから」

口には出さなかったが、少々気が滅入っているに違いない瀬名に、森山は敢《あ》えて明るい口調でいった。「それより、久しぶりに会ったんだ。雑誌では読んだけど、いままでの話をきかせてくれよ。オレはヨースケの口から直接ききたいんだ」

6

関西法務部に勤務していた同期、苅田光一《かりたこういち》が本部に異動になったから飲もうや——。渡真利からそんな誘いがあったのは、十一月最初の週末であった。

「では苅田の栄転を祝して！　乾杯！」

有楽町にある居酒屋の個室だ。音頭を取ってビールの入ったジョッキを掲げた渡真利に、苅田は笑顔を見せたものの、それにはどこか複雑な表情が入り混じっていた。

「なんだよ、苅田。せっかく次長に昇格したんだからさ、もっとうれしそうな顔しろや」

渡真利にどんと背中を叩かれた苅田は、「まあな……」と、曖昧な笑いを浮かべる。

「苅田は大阪に骨を埋めるつもりだったからなあ」

そういったのは、広報室次長の近藤だった。「気持ちはわかるよ。家を買った途端に転勤じゃあ落ち込むのも無理はないさ」

ふたりの、どこかしんみりしたやりとりを、半沢は黙ってきいている。

久々に集まった同窓同期四人の飲み会だった。バブル時代に慶応の同期として入行して仲のよかった四人だが、その後いまに至るまでの十七年という銀行員生活は四者四様といっていい。

苅田は一貫して法務畑を歩んできたが、どういうわけか長く関西法務部に据え置かれ、骨を埋める覚悟をした直後に東京法務部へ異動になった。ところが関西に家を買ったばかりだという理由で家族は来ず、東京出身のくせに東京に単身赴任しているという妙なことになっている。

「ずっと関西にいて本部に戻ってみると、なにか浦島太郎にでもなった気分だよ」

苅田がいった。「それにしても、半沢は災難だったな。まさかお前が出向になるとはね」

「ここのところ半沢は不幸続きなんだ」

渡真利がいった。「どこかでボタンをかけ違えちまったような感じだ。なあ、半沢」

「まあな」半沢はそっけなくいって、ビールの残りを一気に飲み干した。

「なにかあったのか、半沢」

心配そうにきいたのは近藤である。

「ちょっとした手違いがあってさ」

と返答を渋った半沢に、

「話してやってもいいだろ。もう関係ないんだし」、と渡真利が促した。

「まあそれもそうだな」

ため息混じりにいった半沢は、仕方なく電脳雑伎集団のアドバイザー契約を破棄された経緯を話してきかせる。

「ウチのこととはいえ、ひどい話だな」

近藤の口調はどこか能天気だ。「電脳の買収、成功するかな」

電脳雑伎集団による株式公開買い付けが始まって三日が経っている。東京スパイラルが意見表明で断固拒否を表明したことと、東京スパイラルの業績期待から株価が上昇に転じ、一時的に買い取り価格を上回ったため、公開買い付けは当初の思惑通りに進んでいないという噂はきいている。

「どうかな」

半沢はいった。「今後、スパイラル側がどんな防衛策を取るかもわからないしな」

「逆に、どんな防衛策でくると思う」

近藤はきいた。「半沢ならどうする」

半沢は、しばし考え込んだ。

「買収防衛策にはいろんなものがある。たとえば、新株を発行して信用できる第三者に株を持ってもらう方法とか」

すると、

「それは、ちょっと問題があるな」

苅田が異議を唱えた。「そういう目的で第三者に割当増資というのはマズイ」

「なんで」半沢がきいた。

「商法違反になる可能性が高いからだよ」

さすがに法務部だけあって、苅田は詳しかった。

「なんで、新株発行するのが商法違反なんだよ」

そうきいたのは渡真利だ。「そんなことが商法違反なら、世の中商法違反ばっかりになっちまうじゃないか」

「そうじゃないんだな」

苅田が説明した。「たしかに新株の発行そのものは商法違反にはならないんだけど、それが会社支配の維持を目的にする場合は法に抵触する可能性が高い。いま半沢が思い付きでいったことは、それに該当するんじゃないかな」

「なるほど、それは気付かなかったな」

半沢も認めた。「さすが苅田だ」

「法律セミナーみたいになっちまって悪いけどさ、そのやり方の問題点はそれだけじゃないぜ。わかるか」

問うたものの、こたえられる者はいないことを確認して、苅田は続けた。「防衛策のスキームとして成功させるためには、電脳がどれだけ市場で株を買い集めたとしても過半数に届かないだけの新株を発行する必要があるだろう。だけどさ、それだけの数の株式を信頼できる会社に引き受けてもらったら、結果的に、少数の株主が大量の株を保有することになる。そうなると、上場廃止になる可能性が出てくるんだ」

二〇〇四年現在、東京証券取引所の規定では、上位十社による合計出資比率が全体の八割を超えると一年間の猶予《ゆうよ》後に上場廃止に、さらに九割を超えると即時上場廃止になるのだと、苅田は説明した。

「なるほど、そういえばそんな話、きいたことがあったな」

渡真利が感心したようにいった。「であれば、結局のところどんな買収防衛策が有効なんだ？　苅田、教えてくれ」

「それはオレの専門じゃない」

がっくりさせることを苅田はいった。

「なんだ、人の意見にケチ付けただけかい」と近藤。

「ケチじゃない、法的な見解を述べただけだ」

「要するに誰もわかんねえってことか」

渡真利は少し呆れた調子でいった。「東京スパイラルがどんな手でくるか、楽しみだな。アドバイザーがどこか知らないが、腕の見せどころってやつじゃないか」

「まさか、ホントに新株発行したりして」

近藤が冗談めかしていった。

第三者に対する新株予約権の発行を検討していると東京スパイラルが発表したのは、その翌日のことであった。

第四章
舞台裏の道化師たち

1

「やあ、東京セントラル証券さん、元気？」

ミーティングブースに入ってきた電脳雑伎集団の三杉《みすぎ》は、四十代半ばの冴えない中年男だ。

突き出した広大なおでこが印象的な男で、肩書は財務部の係長。財務関連の窓口を務めている男ではあるが、東京セントラル証券のことは小馬鹿にしていて、仕事らしい仕事のひとつもくれたことはない。

「お陰様でといいたいところですが、元気なわけないでしょう」

とぼけた三杉の態度に、森山は冗談めかしていった。「なにか元気が出るようなお話、ありませんか」

これという用事があって訪問しているわけではない。担当者としての、単なる御用伺いのようなものだ。

「ないない。第一、なにかあったとしても社長がねえ。お宅のこと嫌いみたいだから」

「そんな冷たいことをいわないでくださいよ」

内心のむかつきを抑えて森山はいった。「今日は、ちょっとおもしろい資金運用のご提案を持ってきたんで、お話だけでも」

「ああ、ダメダメ」

三杉は、横顔を見せ右手をひらひら振ってみせた。「ウチはね、そういうのやらない会社だから。君だって知ってるでしょうに。副社長が嫌いなんだよね」

「それはリスクが高い商品はお嫌いという意味じゃないんですか。今度のは、ローリスクの商品なんですよ」

「興味ないから」

はっきりいった三杉は、ふと見ると手帳ひとつない空手《からて》で来ており、端《はな》から森山の話などきく気がないのがわかる。

「そんなことおっしゃらず、たまにはお付き合いくださいよ」

「あのさ、悪いんだけど、お宅と付き合って、どんなメリットがあるわけ」

三杉は、冷ややかにきいた。

「主幹事をさせていただいた縁じゃないですか。なにかお手伝いさせていただけませんか」

「なにも無いよ」

取り付く島もない返事である。「主幹事ったって、東京中央銀行の系列証券だからそうしただけのことなんでね。実力を買ったわけじゃない。お宅には、ウチの問題を解決できるだけの能力はないだろ。それは、今回の買収事案の経緯からも明らかじゃないか。そ私も知らなかったんだが、社長が最初にアドバイスを求めたのはお宅なんだってね。そ

れをほったらかしにして社長の逆鱗《げきりん》に触れたとか。アホじゃないの？　そんな証券会社に用はないよ」

「申し訳ありません」

真相を口にしても仕方がないので、森山はひとつ頭を下げた。「ただ、怠慢だったわけではなく、こちらも社長にご満足いただけるような提案を練っている最中のことで――」

「見苦しい言い訳しなさんな」

三杉は、手厳しいひと言を浴びせた。「結局のところ、それがお宅の実力なんじゃないの？　東京中央銀行の証券営業部はすごいよ。所詮、お宅のかなう相手じゃないね」

悔しいが、反論できない。

小馬鹿にする三杉のような男を相手に、ただへらへらと笑っているしかない自分が腹立たしかった。

「その買収ですが、勝算はあるんですか」

森山がきくと、三杉からは「はあ？」という腹立たしげな返事があった。

「あるに決まってるでしょう。だからやるんだよ」

愚問は承知で、「それにしても、東京スパイラルも全面対決の構えですね」といってみる。

東京スパイラルが新株予約権を発行すると発表したのは、昨日のことだった。瀬名からきいていた通りだが、その発表には、その予約権をフォックスが買うという肝心の一事はまだ伏せられていた。そのため、新株予約権の発行が敵対的買収への有効な対抗策になるのかと議論が湧き上がっているところだ。

「あんなもん、子供だましだ」

案の定、三杉はばっさりと切り捨てた。「東京スパイラルのアドバイザーは太洋証券らしいね。あんな弱小証券会社じゃ、そもそも話にならないね」

「でも、この後なにか仕掛けてくる可能性だってあるんじゃないですか」

ホワイトナイトの登場とか——森山は、その言葉を呑み込む。しかし、

「なにかって、なに」

逆に聞き返され、森山は言葉を濁すしかなかった。

なんだとばかりにそっぽを向いた三杉は、こんな話に付き合う暇はないと、これ見よがしに時計を見た。

「まあそういうわけだから」

と右手で自分の膝をぽんと叩いて立ち上がる。

「ウチに来てもなにもないからさ。今後はお互い、時間の節約といこうや。じゃあ、そういうことで。もしなんなら、解約申込書でも書くから。ウチはお宅と取引が切れても、

なにも困らないんでね」

つれないひと言とともに面談を打ち切った三杉は、とっととミーティングブースを出て見えなくなった。

実りのない面談を終えた森山は、見送られることもなく、エレベーターでひとりビルの一階へ下りた。

明治通り沿いにあるインテリジェント・ビルのエントランスには、幾何学《きかがく》的な美しさがある。そこに働く者にとってそれはプライドの具象であるかも知れないが、そこから排除されようとする森山のような者にとってそれは、ただ冷徹でよそよそしい光景に過ぎなかった。

森山がエントランスを出ようとしたとき、明治通りから黒塗りのクルマが一台入ってきて車寄せの庇の下で停まった。

十一月に入って冷たさを増した北風に首をすくめた森山だったが、そのクルマから降りてきた男の姿を見て、ふと足を止めた。

後部座席から降り立った五十過ぎくらいの男は、颯爽《さっそう》とした長身だった。体にぴったりと合ったダークスーツに赤いネクタイ、胸ポケットに同色のチーフを差した姿は、はっと目を引くほどダンディでもある。森山は、その男に見覚えがあった。

「郷田さんか」

森山はひとりつぶやいた。フォックスを率いる郷田行成だ。まさか、こんなところで見かけるとは。

森山の後ろから若い男がふたり迎えに走り出てくるのが見えた。

「お待ちしてました」

黙って右手を上げて合流した郷田は、真っ直ぐエレベーターへと足早に向かっていく。

突っ立ったまま森山は、男たちの後ろ姿を目で追った。若い男たちが身につけていたスーツには、〝D〟のデザインをあしらった襟章が光っていたからだ。電脳雑伎集団の襟章だった。

エレベーターホールに戻った森山が確認したのは、繰り上がっていく階数表示の停止階だ。

──七階。

それは、電脳雑伎集団のフロアだった。

2

どうにも気になり、帰社した森山は、郷田率いるフォックスについて調べてみた。

十五年前に郷田が創業し、八年後に株式上場。資本金六百億円、売上高は五年ほど前まで二千五百億円あったものが、競争激化で現在は二千億円程にまで落ち込んでいた。

売上の落ち込みに合わせて急激なリストラを断行し、なんとか黒字を確保したのは郷田の手腕だろうが、価格競争が激化しているパソコン販売業界で、今後どのような活路を見出していくのか、フォックスは業界の構造的な問題を抱えているように見える。だからこそ、東京スパイラルの新株予約権を引き受け、業績回復の突破口を開くのだという考え方はたしかにあるだろう。

だが——引っかかる。

「さっきからなに調べてんだ」

背後から尾西が声をかけてきた。

「いや、フォックスと電脳って、商売があったかなと思って」

「フォックスと？」

怪訝《けげん》そうに尾西はきいた。「なんでそんなこと調べてるんだよ。電脳でなにかいわれたか」

「いや、そういうわけじゃないんですけど。さっき電脳のビルにフォックスの郷田さんが入っていくの、見たんで」

「そりゃあ、似たような業種だから、取引はあるんじゃないの」

尾西がいうのももっともだが、実はその意見は間違っていた。

電脳の詳細な財務データのどこを探しても、取引先にフォックスの社名はなかったからだ。

念のため、三杉にも確認してみた。

「先程の話で、副社長の気に入っていただけそうな商品がありましたので、またお時間いただけないかと思いまして」森山は口からでまかせをいった。

「ウチ、興味ないから。あんたもしつこいね」

内容をききもしないで、三杉はいい、「そういうことで」、と電話を切りそうになる。

「ちょっと待ってください。ひとつだけ、お伺いしたいことがあるんですが」

森山は慌ててきいた。「電脳さんって、フォックスさんと取引、ありましたっけ」

「はあ?」

三杉は派手に語尾を上げた。財務部の係長職にある三杉は、立場上、電脳の取引先については知悉《ちしつ》しているはずだ。フォックスと取引関係があるのなら、三杉にきけばわかる。

「なんでそんなことを?」三杉はきいた。

「フォックスさんにちょっと興味がありまして」

森山はいい加減な理由を口にした。「もし、電脳さんとお取引があるのなら、どなたか窓口になる方を紹介していただけないかなと」

「ああ、そういうことならダメダメ」

三杉の答えはそっけない。「ウチ、なんも取引ないから」

「でも、これから取引ができるとか、そういう話はあるんじゃないですか。さっき、郷田社長が訪ねていらっしゃるのを見ました」

「あんたも目ざといねえ」

電話の向こうで三杉は呆れたような口調でいった。「あれは、社長への表敬訪問。まあ、こういう業界だから、情報交換とかいろいろなことで付き合いはあるらしいけどね。

それだけのことだよ。期待してもなにもないからさ。じゃあ、そういうことで」

一方的に電話は切れ、三杉との話は終わりになった。

表敬訪問？　電脳が敵対的買収を仕掛けている相手のホワイトナイトになる男が、そんなことをするだろうか。

森山が首を傾《かし》げたとき、

「なんだお前、そんなにフォックスに興味あったのかよ」

どうやら電話のやりとりをきいていたらしい尾西が背後から尋ねた。

「まあ、興味があるというか……」

言葉を濁した森山に、

「それなら、半沢部長にきいてみな」

と意外なことをいった。

「部長に？」

思わず振り向いた森山に、「その財務資料、見てみろよ」、と尾西はいった。

「フォックスのメーンバンクがどこか書いてあるだろう」

慌てて当該ページを開いた森山は、ずらりと並ぶ取引銀行の一番上に書かれた銀行名を見た。

——東京中央銀行だ。

3

「部長、ちょっとよろしいですか」

執務室のドアがノックされ、森山が顔を出したのは、取引先を回った半沢が帰社した直後のことであった。

午後五時を過ぎ、執務室から見える大手町界隈はすでに日が落ちている。寒々とした光景を一瞥した半沢はブラインドを閉め、いま妙に深刻な顔で立っている部下を改めて振り返った。

なにかあったか。直感でそう悟った半沢は、すぐに話そうとしない森山にソファを勧め、自分もテーブルを挟んだ向かい側にかけた。

「気になることがありまして。電脳の敵対的買収の件です」

「新しい情報でもあったか」

尋ねた半沢に、森山は、「ここだけの話にしていただけますか」、と最初に断った。

「どういうことだ」

「東京スパイラルの内部情報を得ています」

意外なことを、森山は口にした。「先日、瀬名社長と再会したとき、いろいろ話をきかせてもらいました。ただし、それは個人的に私が秘密を守るという前提できいた話です。本来第三者に話すべき情報ではありません」

「ちょっと待て」

半沢は静かな声で森山を制した。「なにをいいたいか知らないが、君が知っていることを私に話すことで瀬名さんを裏切ることにならないか」

森山は両膝においた拳を握りしめると、両肩を怒らせるようにして半沢を見た。

「瀬名社長には先程電話をして、部長の意見をきくことは承諾してもらいました。部長のことは信用できる相手だと説明してあります」

「そういってくれたのはありがたいが、なんについての意見だ」

「東京スパイラルの買収防衛策についてです」

森山の話は意外だった。「昨日同社は新株予約権を発行すると発表しましたが、ホワイトナイトとなる会社に全株を引き受けてもらう計画になっています」

「一社で？　それは問題があるんじゃないか」

先日苅田からきいた話をすると、森山の表情がみるみる曇っていった。

「太洋証券から提案されたスキームだと話してました」

「であれば、法的チェックをしていないとは考えられないが……」

森山にというより独白に近い半沢の言葉だったが、「わかりません」、と森山は首を横に振る。

「ホワイトナイトがどこかが問題だな」

そういった半沢に、

「――フォックスです」

森山はこたえ、半沢を驚かせた。

「間違いありません。フォックスのことはご存知ですか、部長」

「直接担当したことはないから詳しいことはわからないが、あそこに敵対的買収を防衛するほどの余裕があるかな」フォックスの業績はそれほどよくないはずだ。

「同感です」

森山は、自分の考えが半沢と一致したことで強くうなずいた。「ですが、それとは別に、気になることがあるんです」

森山は、心なしか声を低くした。

「今日、電脳本社で郷田社長を見かけました。三杉さんの話では、平山社長への表敬訪問だったとか。不自然ではないでしょうか」

「なるほど」

少し考えた半沢は、その場で、渡真利のケータイにかけた。

「これから会議なんだ。手短かに頼む」

せわしない口調でいった渡真利に、「フォックスの担当部署がどこかわかるか」、と尋ねる。

「フォックス？　あの郷田さんのか」

渡真利は、与信部門に精通した事情通だけあって、「法人営業部だ」、と即座に回答してみせた。メガバンクである東京中央銀行では、資本系列や会社規模によって複数の与信セクションに別れている。

「ちょっとききたいんだが、最近、法人営業部からフォックスに対して巨額の支援が決定されてないか」

半沢が問うと、

「お前、なんでそんなこと知ってるんだ」

渡真利の驚いたような声がきいた。「詳しいことはわからないが、なんでも資本政策に必要な資金とかで、近々一千億円単位の与信が予定されているらしい。経営安定化のテコ入れ資金という話だ。正式決定前だが、発表されればフォックスの株価を押し上げる要因になるだろうな」

説明した渡真利は、疑わしげな調子できいた。「まさか、フォックス株で儲けようって考えか、半沢。いいか、これはインサイダー情報だからな」

「いや、そうじゃないから安心しろ」

半沢はいい、「フォックスの担当次長、わかるか」、ときいた。

「本山《もとやま》だったと思う。知ってるだろ」

法人営業部ではなかなかのやり手だという評判だが、面識はない。内々で情報をもらうというわけにはいかなさそうだ。「電脳の敵対的買収の件でなにか進展は？」

「残念ながら、オレのところにも情報は入ってこないよ」

渡真利はいった。「逆に東京スパイラルの防衛策がお粗末過ぎやしないかと、そんな話ばっかりだ。なにかあるのか」

「いや。また連絡する――」

通話を終えた半沢は、

「フォックスに巨額の支援が決まっているらしい」

真剣そのものの眼差しを森山に向けた。「東京スパイラルの瀬名さんに会えないか。伝えたいことがある」

4

「今回の件、お世話になります」

訪ねてきた瀬名に、「いえいえ。まあ、どうぞ」、と郷田は笑みを浮かべて応接セットのソファを勧めた。

「太洋証券さんからこの話をいただいたときには正直驚いたけれども、話をきいてこれはウチにとって、たいへんメリットのある話なんじゃないかと思ってね」

上機嫌の郷田は、テーブルを挟んだ反対側の椅子にかけると、理知的な中に鋭さを秘めた眼差しを瀬名に向けた。

「無理なお願いではないかと思っていましたので、そういっていただけると、ほっとします」

頭を下げた瀬名に、

「東京スパイラルさんと資本関係をベースに業務提携することはウチにとって戦略上の意味がある。太洋証券さんはなかなかいいところに目を付けたもんだ」

郷田は、瀬名に随行してきた広重に賞賛の眼差しを向けて見せた。

「恐れ入ります」

広重がかしこまった表情で頭を下げる。「お役に立てれば、我々としてもうれしい限りです」

「その業務提携の件なんですが、どのようなことをお考えでしょうか。もし、具体的なプランがあれば即座に検討に入りたいと思います」

瀬名の申し出に、「それはありがたい」、と郷田は礼をいった。「詳細については後日まとめてお願いするつもりでおります。お互いに相乗効果が出るような提携のやり方があると思いますので。それで、ウチが新株予約権を購入する件、いつ発表されるおつもりですか」

「来週中にも。ただ、それについてはフォックスさんの事情も伺ってからと思いまして」

「ウチの事情とは？」

尋ねた郷田に、瀬名は書類を差し出した。発行株式数と株価、必要取得額を概算で示した書類だ。

「弊社が今回発行する新株予約権を購入していただくにあたり、約一千億円の資金が必要になります。その資金調達のタイミングなどもあると思いますので、それを踏まえて発表したいと考えています」

「資金調達ならもう済ませたから大丈夫ですよ」

瀬名は、郷田の顔をまじまじと見つめた。

「もう、お済ませになった？」

森山から指摘された通り、一千億円にも上《のぼ》る資本調達は、容易ではなかったはずだ。その支援をすでに取り付けたというのは予想外の素早さである。しかし、

「それはそうですよ、瀬名さん」

逆に呆れたような顔になって、郷田はいった。「資金調達もすべて話は付けてある。その上で、こちらは太洋証券さんの申し出に承諾の返事をしたわけだ」

「さすが、郷田社長です」

広重がすかさず持ち上げた。「なさることに隙がありませんな」

「大きな話だし、失敗は許されませんからね」

重々しい口調で郷田はいった。その通り。相手は電脳だ。付け入る隙を与えるわけにはいかない。だが、瀬名は胸に浮かんだ疑問をふと口にした。

「資金調達はどこでされたんですか」

森山のアドバイスがあった後、フォックスについて調べたが、同社のメーンバンクが東京中央銀行だということが気になっていた。資金調達のためには資金使途を明確にしなければならない。もし、東京中央銀行にこのスキームが洩れれば、電脳雑伎集団に防衛策の手の内を見せることになる。

「白水銀行にお願いしてあります」

郷田のこたえに、瀬名は胸を撫で下ろした。「ウチにとっては準主力銀行ですが、事情を話したところ、喜んで協力するといっていただきました。東京スパイラルとフォッ

クスが提携したときの爆発力に期待してということろですかな」

「そうでしたか」

瀬名は安堵《あんど》の混じった吐息を洩らした。「それで、融資の実行時期はいつ？」

「それは御社の決議次第です。逆に、いつになるのか私がききたい。その前に、瀬名社長は、私どもが株主になることについて、どう思われているのか、そのあたりのことをおきかせ願えませんか。今日はそのよい機会だと思っておりました」

「ごもっともです。私もそのつもりで参りました」

瀬名は、準備してきた会社紹介資料を郷田に手渡した。

「新株予約権の売買が成立するまでに、御社の精査も入ることになるのでしょうが、その前に私から東京スパイラルの経営理念及び重要な会社情報について説明をさせていただきます」

プレゼンは瀬名の得意技のひとつだ。フォックスに対する疑問が解け、資金調達もすでに合意に達しているのであれば、太洋証券が持ち込んだスキームがそのまま進む可能性は高い。

ホワイトナイトとなる郷田に対し、瀬名が語りはじめたのは、アパートの一室で起業した三人の若者が、その夢を実現させるまでの、まさにサクセスストーリーであった。

「感動的な話でした」

小一時間にも及ぶ瀬名の話の間、ひと言も差し挟むことなく静聴した郷田は、そう感想を述べた。

「私にも、そんなふうに輝いていたときがあったなあ」

つぶやいた郷田はやけにもの悲し気な表情を浮かべる。

「いまも輝いていらっしゃるじゃないですか、社長」

大きな声で励ましたのは広重だ。「この資本提携で、さらに大きく飛躍できるはずです」

だが、それにはこたえず、

「世の中、いろんなことがあるが」

郷田は、瀬名を見つめた。「我々経営者は自分の生き方を見失ったらおしまいだ。どこかに解決策があると信じる勇気が必要なんだと思う」

それは、妙に瀬名の心に引っかかる言葉だった。

5

「すまん、時間をとってもらって」

頭を下げた森山に、「いや、こんな時間しか空いてなくてすまん」、そうこたえた瀬名は、手にした名刺入れから一枚を抜いて、半沢と名刺交換した。

透明なガラスで仕切られた社長室からは、午後十時半を過ぎているというのにまだ大勢の社員が働いているオフィスがよく見える。

「御社の防衛策について森山から話をききました。差し出がましいようですが、それについてお話をさせていただいたほうがよろしいかと思いまして」

「ありがとうございます。ただ、その件なんだけど――」

瀬名は森山を見ていった。「お前がいってたフォックスの資金調達の件、今日、郷田さんに直接きいてきた。もう銀行と調達の合意ができているらしい」

「いくら？」森山がきいた。

「金額は詳しくきかなかったけど、一千億近くは必要になると先方も承知しているから、それに近い額じゃないかな」

「どちらの銀行か、おききになりましたか」

半沢が尋ねる。

「白水銀行だということですが」

「白水？」

半沢は思わず聞き返した。「そうおっしゃったんですか、ご本人が？」

「ええ、そうですけど……それがなにか」

「ここだけの話にしてください」

前置きして、半沢はいった。「フォックスは、ある金融機関で一千億円単位の支援が決定していまして、状況からしてそれが今回の新株予約権の購入代金に充当されると考えられています。問題はその金融機関がどこかということですが――」

「白水じゃないと？」瀬名がきいた。

「違います」

半沢はゆっくりと首を横に振った。

「――東京中央銀行です」

瀬名に、驚愕の表情が広がっていく。

「しかし、郷田さんは――」

「調べてみる必要があるとは思いませんか」

半沢は続けた。「太洋証券が持ち込んだこの話が、本当に信じるに値するのかも含めて」

瀬名の表情になにか別の感情が滑り込んできた。

「どうすればいいですか」瀬名は聞いた。

「新株予約権は議決されただけですね。フォックスとの契約は？」半沢はきいた。

「それはまだ――」瀬名はこたえた。

半沢はうなずき、「本件の法務リスクについては認識していらっしゃいますか」

「法務リスク？」

聞き返した瀬名に、森山がこたえた。

「太洋証券のスキームだと、商法違反になるかも知れない。それだけじゃなくて、株式の上場基準に抵触する可能性もあるんだ」

この面談の前に半沢からきいた内容をそのまま瀬名に話すと、表情がみるみる曇っていった。

「マジかよ。そんな話きいてないぜ。なんで太洋証券は説明しなかったんだ。知らなかったのか」

瀬名は苛立つ仕草でタバコに点火する。

「いえ」

半沢はいった。「知らないはずはありません。彼らには彼らの意図があるんです」

「意図？」

瀬名が向けてきた瞳には、深い疑念がこびり付いていた。


東京スパイラルの入ったビルを出た半沢は、タクシーに手を挙げながらいった。

「どちらへ」森山がいった。

「銀行の知り合いと待ち合わせしてる。フォックス関連の情報をもらうことになってるんだが、一緒に来るか」

「もちろんです」

即答した森山は、停めたタクシーに半沢とともに乗り込んだ。

行き先は青山通りに面したビルの地下にある店である。

「よお、半沢。飯、食ったか」

四人掛けのテーブル席から、呑気な声をかけてきたのは渡真利だ。テーブルにはもうひとり、近藤がいて、赤い顔をして酒のつまみを前にしている。

「いや、食いそびれた」

半沢が近藤の隣にかけ、森山のために渡真利がカバンをどかして隣席を空けた。お互いを簡単に紹介した半沢は、「遠慮しなくていいから、なんでも食え」、と森山にメニューを渡して好きなものを注文させる。

「それで、なにかわかったか」渡真利に向き直った。

「電脳の平山さんとフォックスの郷田さんの関係は、まだわからない。だが、いろいろ調べてるうちに、気になる情報が耳に入った。フォックスに身売りの噂があるらしい」

「それは、どこからの情報ですか」

森山が目を見開いてきいた。

驚くのも無理はない。身売りをする会社が、片や一千億円単位の株式を取得する。俄には信じがたい話だからである。

「東京経済新聞の馴染みの記者からだ。フォックスを担当しているウチの連中からの話ならこんなところでは話せない。たとえ相手が系列証券の人間でも、守秘義務があるからな」

渡真利はいった。「で、その記者が噂をどこからか聞き付けてオレに確認しに来てね。奴もジャーナリストのはしくれと見えてニュースソースは明かさなかったが、郷田さんが誰かにそういう話を打診したのが洩れた可能性がある。たしかに、そんな噂が立ってもおかしくないほど、フォックスの業績はぱっとしない。有価証券報告書の数字以上に、財務内容が傷んでいるだろうしな」

含み損や、回収が難しい債権が、公表される決算報告書に全て反映されているとは限らない。

「その業績が低迷しているフォックスに、銀行が根拠もなく一千億円を超える支援をするはずがない」

半沢は断言した。「なにか理由があるはずだ」

「もしかして、裏に電脳雑伎集団がいるとでも」

渡真利がきき、意味ありげな視線を森山にも投げて寄越した。

「仮説に過ぎん」と半沢。

「ちょっと待った」

近藤が割って入った。「電脳はいま東京スパイラルの買収で手一杯だろう。そんなことまで手を回すとは思えないな。記者会見で見たけど、あの平山って社長は、見るからに堅実そのものだったぜ」

「見かけはな」

半沢は涼しい顔でいった。「だが、中身はギトギトの商売人だ。徹底したえげつない商売で生き残ってきた男なんだ」

「そのくらいじゃないと、あんなに会社を大きくすることはできなかっただろうな」

渡真利が納得した口ぶりでいった。「で、そのギトギトの商売人はなにを考えてるんだ」

「オレの推測だが――」

そう断って半沢はいった。「フォックスと電脳の間でなんらかの裏取引があるかも知れない」

森山が、はっと顔を上げた。

「まさか」

近藤が驚愕の表情を浮かべ、渡真利は考えを巡らせたまま冷酒のグラスを凝視している。

「フォックスの郷田社長は、東京スパイラルの新株予約権の購入資金を白水銀行で調達したといったそうだ」

半沢の言葉に、驚いた渡真利がなにかをいいかけたが、言葉は出てこない。

「郷田社長は、東京中央銀行との関係を疑われるのを避けたんだろう。瀬名社長を安心させるための方便《ほうべん》じゃないか」

「それはつまり――」

渡真利は、後のセリフを呑み込んだ。

代わりに半沢が言葉を継ぐ。

「そう。おそらくこれが、東京中央銀行のスキームだ」

6

半沢が再び森山を伴って出掛けたのは、渡真利らと会った数日後のことであった。

午後八時を過ぎている。晩秋の夜気は思わず首をすくめたくなるほど冷えていたが、新橋の繁華街はその寒さをものともしない人出で賑わっていた。

「先日の話、私なりに考えてみたんですけど」

半沢と並んで歩きながら、森山はいった。「フォックスに対する東京中央銀行の巨額支援に対して、電脳がなんらかの保証を付けているとは考えられませんか」

「可能性はあるな。だけど、それをどうやって確認する」

半沢は問うた。

「電脳の三杉さんにきいてみればなにか摑めるかも知れません」

「三杉さんが知ってるかな」

半沢は疑問を呈した。「一介の係長が重要な企業買収情報を知っているとなると、それはそれで問題がある」

平山の情報管理は徹底していて、いかに財務部の人間とはいえ、トップシークレットに位置付けられるような話が係長レベルの人間に伝わっているとは思えない。

「他に確認のしようがありません」

「そうかな。君も知ってる情報源がひとつあるじゃないか」

半沢にいわれ、森山は思わず足を止めて首を傾げた。

「私も知ってる情報源？」

半沢はかまわずガード沿いの道を歩き続けている。追いかけてきた森山は、「部長、どういうことなんですか」、ときいた。

「いまにわかる」

半沢は一軒の居酒屋の前で立ち止まっていた。串焼きの店で、入り口脇にある換気扇からはもうもうたる煙が吹き出している。

そこは、半沢がたまに行く馴染みの店だった。威勢のいい声に迎えられ、頼んでおいた奥の小上がりに進むと、座卓を挟んで森山と向かい合う。

「どなたかいらっしゃるんですか」

隣席に置かれた箸を見て森山がきいた。

「その情報源が来る。君も会っておいたほうがいいと思ってな」

森山は緊張で頬のあたりを強張《こわば》らせた。

「飲みながら待とう」

注文を取りにきた店員に瓶ビールを頼み、ふたりで軽くコップを掲げた。突出しは、タコとキュウリの酢の物だ。

「部長、もし、フォックスと電脳の間に裏取引があることがわかったら、そのときはどうしますか」

「君はどうしたい」

逆に問われ、森山はずっと息を吸い込みながら天井を見上げた。

「個人的には瀬名の力になってやりたいと思っています。ですが、会社としては電脳とも取引があるので、そう簡単なことじゃないかと」

「電脳の担当だしな、君は」

「一応は」

森山は渋い顔でうなずいた。「とはいえ、口座があるだけで、なんの取引もいただいていませんが」

「当初、そんな証券会社に電脳は話を持ち込んできた。なぜだと思う」

半沢の問いに、森山は首を傾げた。

「私もそれは疑問に思ってたんですが、わかりません。部長はどう思われますか」

「あの平山さんがわざわざウチを指名したのには、なにか理由があるはずだ」

半沢はいった。「株式上場のときの主幹事だったというような、上っ面の理由以外の、必然性のある理由が」

「私もそう思います。その必然は、ウチから東京中央銀行に鞍替えすることでも満たされたんでしょうか」

森山がなかなか鋭い質問を寄越した。

「その点については怪しいな」

半沢はいった。「東京中央銀行が契約をものにできたのはローンパワーのおかげだ。それを差し引いても、東京中央銀行が提案したスキームはなかなかのものだったけどな」

「やり方はともかくとして、ですが」

森山が皮肉を混えると、

「そんなもんさ」

半沢は短く嘆息した。「世間的には紳士面をしてみせるが、銀行の実態はヤクザと大して変わらない」

銀行という組織を知り尽くした男の言葉である。「今回の件、真実がわかったら、瀬名さんの力になってやれ、森山。遠慮はいらない」

入り口の扉が開いてまたひとり客が入ってきた。

「奥でお待ちです」

店員の声に振り向いた森山が、顔色を変えた。

「遅くなりました。申し訳ありません」

カバンを持ったまま頭を下げたのは、たしかに森山も知っている男に違いなかった。

だが、それは思いも寄らない相手であった。

三木だ。

「いや、我々もいま来たところさ。まあ、そこにどうぞ」

半沢は森山の隣を勧めた。「どうだ、新しい職場は」

三木にビールを注ぎながら半沢はきいた。

「おかげさまで」

「総務グループらしいな」

満たされたコップを見つめながら、三木はうなずいた。東京セントラル証券にいた頃と比べ、陰気に見えるのは気のせいだろうか。

「楽しいか」

三木はすっと息を呑んだ。出てきた答えは、

「これから、なんとか頑張っていきたいと思います」

という優等生的なものであった。だが、

「理不尽な話だな」

半沢のひと言に、三木の視線がテーブルに落ちていく。「伊佐山さんから直々《じきじき》、君が欲しいという話があったらしい。そこまでして戻した者を総務グループに置くとはね。随分低く見られたもんだな」

「申し訳ありません」三木は神妙な顔になる。

「君が謝ることはないだろう。それとも、なにか謝ることでもあるのか」

半沢の言葉に、森山は息をつめて三木の表情を見た。

いえ――。三木から出てきたのは、そんな短い返事だ。

「今日は忙しいところを呼び立ててすまなかったな。とりあえず、飲もう」

いくつか料理を注文して、しばし弾まぬ会話が続いた。そんな半沢が再び話を戻したのは、さしさわりのない世間話を続けた後である。

「ところで――実は、電脳のアドバイザーを銀行に取られた件、いまだウチとしてはしこりになっていてね」

そう半沢は切り出した。「社内の士気は落ちたままだし、電脳との取引もいまにも切れそうだ。こうなってしまった原因について検証する必要がある」

三木は手にしたコップをとんとテーブルに置き、正座した膝に両手を置いている。

「一所懸命、やらせていただいたつもりですが、こんなことになって申し訳ありません」

だが、

「それは君の本心からの言葉か」

半沢は、疑問を口にした。

「どういうことでしょうか」

三木は急に落ち着かない様子になって、視線を左右に揺らした。

「回りくどい話は面倒だから、はっきりきこう。電脳の情報をリークしたのは、君じゃないのか」

半沢の直截《ちょくせつ》な問いに、三木は表情を変えた。

「ち、違います」

そう即座に否定して首を横に振った。「私じゃありません――」

「伊佐山さんが君を名指しで欲しいといったことについては人事部も首を傾げてたぞ。そこまでして君を必要とする理由はどこにあるんだろうかってな」

「違います」

頑《かたく》なに否定する三木に半沢は、きいた。

「じゃあ、誰だ」

森山が驚いたのは、その質問が唐突に思えたからではなく、三木が唇を噛んで俯《うつむ》いたからだ。

「知ってるんですか、三木さん」

森山が腰を浮かしてきいた。

返事はない。

「誰なんです、三木さん。情報をリークしたのは――」

「それは……」

やがて三木の口から出た名に、半沢と森山は思わず顔を見合わせた。

「――諸田次長です」


三木の口から出た名前に、半沢はしばし沈黙してから、いった。

「詳しく話してくれ」

「電脳雑伎集団の平山社長から例の買収話が持ち込まれて、数日が経った頃のことです」

三木はがっくりと肩を落とし、いまにも消え入りそうな声で話しはじめた。

「諸田次長に呼ばれて、どんな買収スキームでやるつもりなのかきかれました。思い付きでもかまわないから、君の考えていることを全て話してくれと。それで、自分なりの考えをいくつかお話ししました。次長は黙ってそれをお聞きになった上で、それじゃあ、うまくいかないだろうと」

「理由は」

半沢が問うと、三木はますます小さくなって続けた。

「スキームが甘いと。もっと画期的なものが欲しいというご意見でした。もし、これが成功すれば、その実績で銀行に戻してやってもいいともおっしゃいました」

「それで、どうしたんです」食い入るように三木の横顔を見つめたまま、森山がきいた。

「正直、悩んだ」

三木は声を絞り出した。「なんとかしなきゃと焦った。だけど、画期的なアイデアなんかそう簡単に出てくるはずもない。ところが、そんなとき諸田次長が銀行の伊佐山部長と連絡を取っていることを知ったんです」

「どうしてそれがわかった」半沢はきいた。

「チームで新たなスキーム案を作成して、次長室に報告に行ったときのことです。書類をデスクの未決裁箱に入れたとき、パソコンにメールの送信画面が表示されたままになっていまして——。諸田次長の私物のノートパソコンでした。覗き見するつもりはなかったんですが、タイトルの『電脳』という文字が目に入ったものですから……」

「どんな内容だ」

半沢の声に鋭さが混じり、三木はごくりと生唾を飲み込んだ。

「電脳雑伎集団に関する重要な情報があると書いてありました。打ち合わせがしたいと」

「なんでそのとき、黙っていたんですか」

怒りに燃えた目で森山が食ってかかる。

「諸田次長がウチの内部情報を銀行にリークするとは思えなかったんです。それに、相手は銀行です」

三木の弁明は、自分を睨み付けるようにしている半沢に向けられていた。「まさか、東京セントラル証券が扱っている重要案件を横取りするなんて、そんなこと思ってもみませんでした。本当です、信じてください、部長」

いまや涙目になって訴える三木を、半沢は凝視している。だが、それにはこたえず、

「それで」

と話の続きを促した。

「それで――そのときは何事もなく過ぎていきました。ところが、その後電脳から契約破棄を言い渡され、情報がリークされたのではないかと問題となったとき、諸田次長に直接きいてみたんです」

「諸田はなんといった」問う半沢の口調は静かであった。

「誰にもいうなと」

三木はこたえた。「悪いようにはしないから、自分を信じて待ってくれと。一旦はそれで引き下がったんですが、その日のうちにまた呼ばれて、証券営業部の伊佐山部長と話をした、この話を忘れてくれるのであれば、証券営業部へ異動させてやるがどうだと、そういわれました」

「それで君は、諸田が出した交換条件を呑んだわけか」

三木は表情を歪めた。

「私にはそれしか残っていなかったんです」

悲痛な声を、三木は出した。「電脳から契約を破棄され、社内で私の立場はありませ

んでした。このままセントラル証券に残ったところで、将来なにがありますか？　子会社の片隅で、次の出向の辞令が出るのを待つだけの日々です。ですが、諸田次長の条件を呑めば、銀行に戻れます。しかも証券営業部という花形部門で、いままでのことは白紙に戻してゼロからスタートできる。私には、そうするしかなかったんです」

「いいよな、戻るところのある人間は」

森山が吐き捨てた。三木を見つめる目は怒りで煮えたぎるようだ。「三木さんにとって結局、ウチの会社は単なる腰掛けに過ぎないのかも知れない。銀行から出向させられたショボイ会社かも知れない。だけどさ、オレたちプロパーの人間にとって、東京セントラル証券は、唯一の居場所なんですよ。オレたちは、失敗しても、先がなくても、この会社にいるしかない。三木さんはオレたちの会社を出世のために売ったんだ」

三木は黙したまま横顔でその言葉をきき、「すまなかった」、と詫びた。

「結局、同じ職場で机を並べていても、三木さんは仲間でもなんでもなかったってことですよね」

森山の声に恨みがこもった。「銀行にアドバイザー契約を奪われたとき、それが諸田次長のリークが原因だと暴露すれば、まだ三木さんはウチの会社に居場所があったはずなんですよ。だけどそうはしなかった。なんでですか。そこまでして銀行に戻りたいんですか。いったい三木さんにとって銀行ってなんなんです？」

答えはない。やがて、出てきた言葉は、「すまん……」、という詫びだけだ。

「答えになってないですよ」

吐き捨てた森山に、「もうよせ」、と半沢はいった。

「銀行ってところが果たしてなんなのか、それは三木自身がいま一番ききたいことなんじゃないのか」

半沢の指摘に、三木は唇を噛む。

「ここだけの話だが、先日、諸田に異動の内示が出た」

半沢の言葉に、森山と三木のふたりが顔を上げた。「明日、発令されることになっている」

「どこへです」森山は、テーブルから身を乗り出さんばかりになってきいた。

「同じ証券営業部だ」

森山が目を見開いた。

「そこの部長代理職。オレたちの会社を売って得た、それが諸田の新しいポジションだ」

半沢はいった。「諸田は三木のスキームをきいて、この話に勝機はないと思ったんだろう。そして、もっと手っ取り早く、自分が銀行に戻れるやり方を思い付いた。それが情報のリークとその代償としての銀行復帰人事だ。ところで三木、君に頼みがある」

そういうと半沢は、かつて部下だった男を睨み付けた。「銀行の買収スキームが知りたい。それと、フォックスに関する情報も」

「しかし、それは内部情報になりますし」

「君はウチの内部情報が漏洩するのを看過した」

たじろいだ三木に、半沢は冷徹にいった。「銀行もまたそれを利用してアドバイザーの地位を得たじゃないか。君たちに、そんなことをいう資格があるのか。それとも、君たちのしたことが頭取の耳に入ってもいいのか」

目を見開いた三木は青ざめ、反論の言葉は呑み込まれた。

7

その諸田への辞令は、翌日の午前九時に出た。

証券子会社の次長から銀行の部長代理への転出は、さほどの栄転といえないかも知れない。だが、銀行への復帰は不可能だと思われていた諸田にすれば、この人事は慶事以外の何物でもない。

案の定、その胸中は、社長から辞令を受け取ったときの満面の笑みにも表れた。

「ありがとうございます」

礼とともに深々と頭を下げて辞令を受け取った諸田に、「まあ、頑張ってくれ」、と社長の岡は気のない言葉をかけ、短い交付式が終了する。

「お世話になりました」

同席した人事部長と別れ、営業企画部のフロアに戻った諸田は、半沢に深々と頭を下げた。

「君には本当にやられたよ、諸田君」

半沢はいった。

そのとき諸田が浮かべたのは、きょとんとした表情だ。フロア奥にある諸田のデスクの前である。ふたりのやりとりは、森山ら部下たちにもよくきこえるはずだ。

「は、なんのことでしょうか」

上目遣いのまま諸田はきいた。

「なんのことか、それは君が一番よくわかっているんじゃないのか」

半沢の言葉で、諸田の顔にようやく警戒感が滲み出てくる。

「いえ、私には皆目《かいもく》……」

「昨日、三木君と会ったよ」

返事はない。「いまさらながらに三木も後悔してたぞ。君を信用したばっかりに、酷い目に遭ったってな」

諸田は表情を消して半沢を見ている。

「君はやることが中途半端だな」

半沢はなおも続ける。「三木のことをどう評価していたか知らないが、人事を条件にして口止めするのなら、それなりのポストに就けてやるべきじゃなかったのか。いまの三木は不満の塊だ。そんな人間に君の秘密を守り続けることは不可能だと思うがね」

「あの、部長。なんのことだか、よくわからないんですが」

部下たちの目線をちらりと気にした諸田は、歪んだ笑いを唇に浮かべた。

「電脳の情報を誰がリークしたかという話をしてるんだ」

「電脳の？」

さあ、と諸田はふてぶてしく首を傾げてみせた。「私には誰がそんなことをしたのか——」

「君だ」

半沢の言葉に、「私が？」、と諸田は大げさに驚いてみせる。

「ちょっと待ってください、部長。三木がそんなことをいったんでしょうか。誤解ですよ」

しらじらしく諸田は反論した。「私がそんなことするはずがないじゃありませんか。なにか証拠でもあるんですか」

「たしかに、証拠はないな」

半沢はいった。「だが、三木は嘘をいっていない。従って、私は君がリークしたと確信している。私だけじゃない、彼らもだ」

自席でやりとりを窺《うかが》っていた森山が立ち上がり、憤怒と不信の入り混じる眼差しをこちらに向けてきた。尾西や他の連中も席を立ってこちらを見ている。

「三木がなにをいったかは知りませんが、そんな言葉を信じるんですか、部長。君たちも」

諸田が問うた。

「三木は謝罪したぞ」

半沢は静かにいった。「君もいま、この場でみんなに謝るべきなんじゃないのか」

だが、

「なんで私が謝らなきゃいけないんですか」

諸田は突っぱねた。「いい加減なことといわないでくださいよ」

「最後のチャンスだ、諸田。でなきゃ、後悔することになる」

「おもしろいじゃないですか」

ついに諸田は、開き直って不敵な笑いを浮かべた。「私はもう銀行の人間なんですよ、部長。皆さんにどう思われようと、そんなことは関係ない」

「あくまで認めないと？」

半沢がいうと、

「なんのことかさっぱりわかりません」

諸田はしらを切った。「どういうつもりかわかりませんが、妙ないいがかりを付けるのは止めてもらえませんか」

諸田は、自分を見つめている部下たちを見回して続けた。「いいか、みんな。世の中ってのはな、結果が全てなんだ。君たちは、銀行に負けた。なぜ負けたか、そんなことをいまさらほじくり返したところで、なにも得るものはない。もっと謙虚になったらどうだ」

「生憎、我々は結果が全てだとは思っていないんでな」

半沢はいった。「君がやったことは、絶対に許せないし、必ず借りは返させてもらう」

「ほう、そうですか」

諸田は余裕の笑みを浮かべていた。「いつでもお待ちしていますから、やってみてください。半沢部長、こんなことは私がいう筋合いのものではないかも知れませんが、最後ですから忠告しときますよ。いつまでも本部の次長気分でいると痛い目に遭うのはあなたのほうですよ。これから銀行に挨拶に行くことになってますので——失礼」

そういうと諸田はさっさとフロアから姿を消した。

8

三木とは八重洲の裏通りにあるバーで待ち合わせた。顔馴染みの店だ。カウンターは空いていたが「奥、いいかな」、という半沢のひと言で、個室のひとつへと案内される。

森山とふたり、シングルモルトの水割りをふたつ頼んで待った。

「諸田次長の情報漏洩がはっきりしても、なんら処分はできないんですね」

不機嫌にグラスを口に運んでいた森山は不満そうだ。

「証拠がない。それに、奴はもうウチの人間じゃない」

「それで銀行が処分するかといえば、それもない」

「だろうな」半沢は、こたえる。

「だったら、どうやって借りを返すんですか、部長」

森山は突っかかるようにきいた。「あんなのが許されてたら、今後、銀行から出向した人間を誰も信じなくなりますよ」

「もともと信じてたわけじゃないだろ」

半沢に問われ、森山はむっとした。

「信じてないのは、銀行から出向した人間だけじゃないですよ」

「会社という組織とか、この世の中とかか」

半沢が問うと、森山はつまらなそうな顔になっておし黙る。

「オレたちはハシゴを外された世代ですから」

「就職氷河期だったからか」

「まあ、そうですね……」

「そいつは不幸だったな」

森山はしばし黙って、グラスのウィスキーを口に運んだ。「社会や会社を頼らないで自分の力でなんとかしようとするその発想は間違ってない。全ての世代を通じて」

「バブル世代は余裕じゃないですか」

森山の反論に、半沢はグラスを見つめたまま小さく笑った。

「そう見えるか」

「見えますよ。チョー楽な就職をして、なんの特技もないのに一流企業で余裕ぶっこいてるというか……」

「それで、下が苦労していると。君と同じだな」

森山は肯定の沈黙を返した。

「オレたちのときもあったぞ」

森山が顔を上げた。

「あったって、なにがです?」

「世代論さ」

半沢はこたえた。「オレたちは新人類って呼ばれてた。そう呼んでたのは、たとえば団塊の世代といわれている連中でね。世代論でいえば、その団塊の世代がバブルを作って崩壊させた張本人かも知れない。いい学校を出ていい会社に入れば安泰だというのは、いわば団塊の世代までの価値観、尺度で、彼等がそれを形骸化させた。実際に彼等は、会社にいわれるまま持ち株会なんてのに入って自社株を買い続け、家を買うときには値上がりしたその株を売却して頭金にできたわけだ。バブル世代にとって、団塊の世代は、はっきりいって敵役でね。君たちがバブル世代を疎《うと》んじているように、オレたちは団塊の世代が鬱陶《うっとう》しくてたまらないわけだ。だけど、団塊世代の社員だからといって、全ての人間が信用できないかというと、そんなことはない。逆に就職氷河期の社員だからといって、全て優秀かといえば、それも違う。結局、世代論なんてのは根拠がないってことさ。上が悪いからと腹を立てたところで、惨めになるのは自分だけだ」

「部長はどう考えてたんですか。組織とか会社とか」

「オレはずっと戦ってきた」

半沢はこたえた。「世の中と戦うというと闇雲《やみくも》な話にきこえるが、組織と戦うということは要するに目に見える人間と戦うということなんだよ。それならオレにもできる。間違っていると思うことはとことん間違っているといってきたし、何度も議論で相手を打ち負かしてきた。どんな世代でも、会社という組織にあぐらを掻いている奴は敵だ。内向きの発想で人事にうつつを抜かし、往々にして本来の目的を見失う。そういう奴らが会社を腐らせる」

「諸田次長のようにですか」

「その通り」

半沢がグラスを口に運んだとき、人の気配が近づいてきた。

「遅くなりました」

入り口に近い席にかけた三木は、銘柄もきかず、「同じもの」、とだけ注文して水割りが届くのを待つ。その表情は陰鬱で、店内の暗い照明の下ではなおさら暗く見える。

「電脳雑伎集団がフォックスを買収するという話がすでに出来上がっているようです」

資料を差し出し、三木はいった。

「ということは、フォックスに対する融資というのもやっぱり？」顔を上げ、森山がきいた。

「全額が東京スパイラルの新株予約権購入資金です」

予想通りだ。フォックスにいくら融資しようと、電脳がフォックスを買収することで東京スパイラルを支配すれば、銀行としては成功である。結局、「行って来い」で融資も回収できるだろう。

「太洋証券との関係は？」半沢がきいた。

「この買収スキームに協力することで、アドバイザー料だけでなく、最終的に様々な手数料が入る仕組みになっているようです」

森山が憮然として押し黙る。三木はまた一段と声を低くした。「それと、フォックスの業績について、興味深い話をききました」

証券営業部内で仕入れた情報だ。

すべてを聞き終えた半沢は、しばらく何事か考えたまま言葉を発しなかった。森山は、ずっと仏頂面をして押し黙っている。

「要するに、それが身売りの原因というわけだな」

やがて半沢はいい、話題を変えた。

「諸田がそっちに挨拶に行ったろ」

「取引先担当の部長代理ポストだそうです」

三木はいった。「東京スパイラル買収チームとも連携して、電脳との交渉窓口を任されるとか」

「信じられないな」

森山が唖然とした顔を半沢に向ける。「無茶苦茶ですよ、そんなの。ウチにきた話を銀行に売って、それで自分が担当に収まるなんて」

「諸田にしては、なかなかの手際だな」と半沢。

「そんな悠長なこといってる場合ですか、部長」

憤る森山に、「行くぞ」、とひと言いって半沢は三木との短い会合にピリオドを打つ。

「あの——私はこれからどうすればいいんでしょうか。このまま証券営業部にいても……」

問うた三木に、歩きかけた半沢は冷ややかな眼差しを向けた。「君が選んだ道だろ。総務グループがイヤなら実力で仕事を勝ち取るしかない。それができないのなら、文句をいわないでいまの仕事をこなせ。仕事は与えられるもんじゃない。奪い取るもんだ」

森山とともに店を出ると、「瀬名さんに会いたい。至急、アポを取ってくれ」、半沢はいった。

森山が瀬名のケータイにかけた。

「いま青山にいるそうです。会社でどうかと」

「これから向かうと伝えてくれ」

半沢はこたえ、駅への道を歩き出した。

「こんな時間にお時間をいただき、申し訳ありません」

少し赤い顔をして、瀬名はソファにかけていた。アルコールが入っているということではお互い様だ。

「我々にとってはまだ宵の口ですよ」

瀬名はいい、半沢の隣にかけている森山にきいた。「この前の件か」

「そうなんだ」

森山はこたえた。

三木からきいた話をすると、瀬名の表情から感情がすり抜けた。半沢に向けられたのは、冬の湖面のような目だ。

「郷田社長はホワイトナイトじゃなく、電脳雑技集団が放った刺客です」

半沢の説明に瀬名の目が泳いだ。

「そういうことかよ」

そのとき瀬名が浮かべたのは、嘲笑に見えた。世の中の不条理を嘲笑《あざわら》う、そんな笑いだ。だがいま、その笑いは急速に萎《しぼ》み、もの悲しい孤独な表情にすり替わっていく。

「信じるかどうかはヨースケ、お前の判断に任せる」

森山の言葉に、返事はない。

瀬名は胸ポケットからタバコを取り出し、点火した。

脚を組み、まるでつまらない小説に付き合わされた読書家のような遠い目をして、ゆっくり煙をふかす。

「おもしろいよな」

乾ききった言葉がこぼれた。「千人もの社員に囲まれ、世の中ではそこそこに成功したといわれているが、実態は、信用できるパートナーがひとりもいない。創業メンバーには裏切られ、証券会社には騙される。一目置いて尊敬してきた相手は詐欺師ときた。いったい、どうなってんだ」

「気持ちはわかる」

森山がいった。「だけどさ、文句いっててもしょうがない。なんとかしなきゃいけないと思うんだ」

「やれやれだぜ」

瀬名は投げやりな態度でいった。「そんなにまでして、ウチの会社が欲しいのかね。なんのために？　人の心を踏みにじってまでして、なにが残る？　そんなにカネが欲しいのか」

瀬名は短く笑いを吐き出し、ひとつふたつ咳き込んだ。再び顔を上げたとき、目に涙が滲んでいたが、それは咳き込んだせいだけではないはずだ。

そのとき、

「いろんな奴がいる。それが世の中です」

半沢がいった。「そいつらから目を背けていては人生は切り拓けない。会社の将来もです。だから戦うしかない。その手伝いをさせていただきたい」

「手伝いって、半沢さん。お宅、東京中央銀行の子会社じゃないですか」

呆れ半分の笑いを吐き出し、瀬名は視線をカーペットに投げた。やがて戻ってきた視線に浮かんでいるのは、憐憫《れんびん》とも取れる色合いだ。

「親会社が仕掛けている買収スキームなんでしょう？　その子会社が、敵対するウチを手伝うって、それはないですよ。またオレを騙そうとでもいうんですか。なんかもう、誰も信用できなくなってきたんですよね」

「本件に関する限り、東京中央銀行は、我々の競合であり、敵です」

半沢は断言した。「私は、御社のアドバイザーになって、連中を見返してやりたい。電脳雑伎集団の買収工作を粉砕して、東京セントラル証券の実力を示したいんです」

「電脳と付き合いがあるっていってなかったっけ、マサ」

「口座はあるが、取引はない。解約寸前だ」

森山もいった。「一緒に戦わせてほしい。頼む」

瞑目し、考え込んだ瀬名から、

「わかった」、というひと言が洩れてきたのは長い沈黙の後だった。

第五章

コンゲーム

1

「他になにかありますか」

司会進行役を仰《おお》せつかっている営業部長の花畑《はなはた》は、神妙な顔をして会議室を見回した。

部長以上が出席する経営会議の席上である。中央には、いまし方業績目標の下ブレ予測をきかされたばかりの岡社長が憮然とした表情で腕組みをしていた。少し離れたところにかけている専務の神原《かんばら》の顔には深い苦悩が刻まれており、会議室全体は気まずい雰囲気で覆われている。神原は悲観主義者で、会議で笑っている顔を見たことがなかった。

「ひとつ、いいですか」

半沢が挙手をすると、花畑はピリピリとした顔で、「どうぞ」とボールペンを揺らした。

「営業企画部で獲得したい新規案件があります。本来なら稟議《りんぎ》書を上げるのがスジですが、時間もないので、この場でご決裁をいただきたい」

花畑が岡を一瞥《いちべつ》し、無言で判断を仰《あお》いだ。

負けず嫌いの岡は、電脳雑伎集団での失態以来、半沢に対して批判的な言動を繰り返しており、いまも胡乱《うろん》な眼差しを向けてきたところだ。

「電脳の件もあるからな」

案の定、嫌味な口調で岡はいい、「穴埋めしてくれないと困るよ、半沢部長」、と最近の会議でいつも口にするセリフを続けた。「どんな案件だ」

「敵対的買収を仕掛けられている某企業から、買収防衛策のアドバイザーになってくれとのオファーがありましたので、ご報告かたがたご相談させていただきます」

「この前みたいな買う側じゃなくて、買われる側ってことだな」と花畑が念押しする。

「その通りです」

半沢がこたえたとき、「いちいち稟議なんか上げなくていいからやればいいじゃないか」と、ぞんざいな口調で岡がいった。「ウチはただでさえ収益が弱いんだから。大型の敵対的買収なのか」

「世間的にもかなり注目されています。防衛策のアドバイザーとして買収を阻止することができれば、企業買収分野での我が社の評価にも結び付くことは確実かと」

「いい話じゃないか」

皮肉混じりの岡が、椅子の背から体を起こした。「銀行に取られてばっかりじゃなくてさ、いつもそういう案件を持ってくればいいいんだよ。成功させて、銀行を見返してやれ」

口癖が出た。岡の負けず嫌いを、そのまま口に出したような言葉だ。

「それでは、この話、進めさせていただきます」

「そういう話は大きいほどいいからな。世間の注目を浴びているのなら、なおさらだ」

岡はいい、ふと思いついたように尋ねた。「それで、なんという会社だ？」

「東京スパイラルです」

半沢がこたえた瞬間、岡の顎が落ちた。会議に出席している全員の顔が横っ面を張られたかのようにこちらに振られた。

「なに？」

岡は発作でも起こしたように大きく息を吸い込み、椅子の背にもたれて天井を見上げた。会議室がざわつき、「本気かよ」、という言葉がどこからか洩れてくる。

「東京スパイラルの瀬名社長とは昨夜、話をまとめてあります。是非、やらせていただきたい」

「ちょっと待てよ、半沢」

営業を統括する花畑が、泡を食った顔でいった。「銀行と敵対するつもりか」

「それがなにか」

さらりといった半沢に、「銀行には事前に話を通したのか」、と花畑はきいた。

「銀行は、電脳のアドバイザーになるときウチに事前に話を通しましたか？」

半沢は切り返した。「事前に話を通す類《たぐい》のものではありません。電脳の契約を横取りしたのは銀行のほうです。スジを通す必要はない」

「そんなこといったってさあ。いかにもそれはマズイだろう」

花畑は弱り切った顔になった。この男は、銀行時代証券部門で伊佐山の下にいたことがある。調子のいいところは営業向きだが、根は臆病だ。

「どこがマズイんでしょうか」半沢はきいた。

「どこがってさ、銀行に睨まれるだろう。ウチは子会社だぞ。親会社の銀行と敵味方に分かれてアドバイザーになるなんて。利益相反《りえきそうはん》行為とも取られかねない」

「東京スパイラルの瀬名社長はそれでも構わないとおっしゃっています。銀行に遠慮することは一切ないし、銀行の敵対的買収を防げば、東京セントラル証券の実力を示すことができる。それこそ、岡社長がいつもおっしゃる、銀行を見返す千載一遇のチャンスだと思いますが」

「しかしだな、公開買い付けがスタートしてもう二週間だ。買い付けはかなり進んでるんじゃないか」

花畑は当然の懸念を口にした。「ウチが貧乏くじを引くことにならないだろうな」

「それは大丈夫です」

半沢はいった。「電脳雑伎集団の株式公開買い付けは、買い付け価格を低目に見積もったこともあって、思うように進んでいません。勝機は十分にあります。ご承認いただきたい」

全員の視線が岡に注がれた。

試金石だ。

普段から銀行を見返せといっている男が、どこまで本気なのか。銀行と敵対するこの案件は、岡の前に差し出された踏み絵といっていい。

「勝てる見込みはあるのか」

いまや顔を真っ赤にした岡がきいた。「銀行は証券営業部と証券企画部が連動してこの話を進めている。君がそれに対抗して、勝てるのか」

「勝てます」

半沢は断言した。「必ず、東京スパイラルを電脳の買収工作から防衛してみせます」

「おいおい、本気でいってるのか」

花畑がいった。「相手は東京中央銀行の証券営業部だぞ。実力もノウハウもある。それに対抗できるのか」

「やらせていただきたい」

半沢がこたえると、

「どう思う、専務」

腕組みしたまま、岡は隣にかけている専務の神原にきいた。

「最初きいたときには魂消《たまげ》ましたが、いいんじゃないですか。私は賛成です」

半沢は初めて神原がにやりと笑うのを見た。

反対すると思ったのだろう。瞠目《どうもく》した岡は、緊張した顔で空咳をした。

「わかった。思うようにやってみろ。ただし――」

ぎろりと半沢を睨み付ける。「今度こそ失敗は許さん。必ず銀行の敵対的買収策を粉砕しろ。いいな」

2

「その後どうだ、電脳側の情報は摑んだのか」

渡真利から飲まないか、と誘いがあったのは東京スパイラル支援が決裁された日の夜のことであった。

待ち合わせたのは、地下鉄麴町《こうじまち》駅に近いもつ鍋の店だ。カウンターに置いた小さなコンロの上では、白味噌のもつ鍋がぐつぐつと音を立てている。

「まあ、お陰様で」

煮え具合をお玉で見ていた渡真利は、その手を止めて半沢を見た。

「どうやって？　電脳から聞き出したのか」

「いや。お宅の、ちょっとばかり貸しのある人間から」

「まったく、お前って奴は！」

渡真利は大げさに呆れてみせたが、すぐに声を潜め、「で、どんな話だった」、ときいた。抑え切れない興味が滲み出ている。

半沢は横顔に笑みを浮かべた。「証券営業部へ行ってきいてくれればいいじゃないか」

「冷たいことをいうなよ、半沢」

渡真利はいった。「奴らがしゃべると思うか。今回の件についてはな、この前もいった通り、鉄のカーテンを引いていやがるんだ。こっちには欠片《かけら》ほどの情報も入ってきやしない」

行内きっての情報通を自任する渡真利からすると、それは癪《しゃく》に障《さわ》る状況なのに違いなかった。

「いったいどうなってるのやら。こっちも、融資部という立場上、でかい金額が動く話であれば把握しておきたいところでな」

「くだらん後付けの理由はいうな。要するにお前は連中の秘密が知りたいだけだろ」

コップの日本酒を飲みながら見透かした半沢に、

「まあ、そういうこと」、と渡真利もあっさりと認める。

「まあ、これはそもそも銀行の内部情報なんだから、お前に話すのはかまわんだろう」

三木からきいた証券企画部が立案した買収策の一部始終を話してきかせる。ただし、東京セントラル証券が東京スパイラルのアドバイザーになる件は、黙っていた。まだ話せる段階ではないからだ。

渡真利は、時々唸《うな》ったり、驚きの表情をしたりして聞き入っていたが、

「そこまでやったのか、連中は」

と、むしろ感心したようにいった。「まさに仁義なき戦いだな」

「銀行には最初から仁義なんかないだろ。ハシゴ外しは得意技だ」

「まあ、そうかもな」

渡真利はどうでもよさそうにいい、「それにしても、伊佐山のオヤジも相当のワルだな」、と続ける。

「銀行員の鑑《かがみ》だな」

半沢は皮肉をいった。「お前も見習ったらどうだ、渡真利」

「オレは善人代表の銀行員なんだ」

渡真利はいい、「かくして電脳の買収作戦は大成功の巻か」、と天井を仰いだ。

「そう、うまくいくといいけどな」

「気になる言い方をするじゃないか」

「大した意味はない」

半沢はもつ鍋の加減を見て、「もういいんじゃないか、これ」、と話を逸らそうとする。

だが、渡真利は体の向きを斜め四十五度にすると、やけに真剣な顔を半沢に向けた。

「なにかあるのか、半沢」

「そのうちわかるさ」

もつを小鉢に取りはじめた半沢に、「ひと言いっていいか」、と渡真利は続けた。

「なにを考えてるかは知らないが、あんまり銀行を刺激しないほうがいいんじゃないか。タダでさえ、お偉方にはお前を目の仇にしている連中が多いんだ。ここで妙なことをしてみろ、それこそ片道キップになっちまうぞ」

片道キップとは、要するに証券子会社に出向したまま銀行に戻れなくなることを意味している。

「別にかまわんね」

半沢は涼しい顔でいった。「オレは、やりたいようにやってきたし、今度のこともそうさせてもらう」

「それがお前の悪いクセだ」

渡真利はいつになく真面目な顔になった。「そうやって敵を作ってきたんじゃないか。なんでいま証券子会社に出向してるのか考えてみろ。徹底的に相手をやっつけることだけが正解じゃないぞ。たまにはおとなしく流しておくことも必要なんじゃないか。いまは雌伏《しふく》の時だと思え」

「ご意見だな」

半沢は笑った。「オレにはオレのスタイルってものがある。長年の銀行員生活で大切に守ってきたやり方みたいなもんだ。人事のためにそれを変えることは、組織に屈したことになる。組織に屈した人間に、決して組織は変えられない。そういうもんじゃないのか」

渡真利はぐっと顎を引いて半沢を凝視していたが、やがてその視線は力なく落ちていった。代わりに出てきたのは嘆息である。

「わかった。まあお前がそこまでいうのなら、もうなにもいわん。——食うぞ」

3

「今回の件、太洋証券や郷田社長にはどう伝えればいいかな」

東京スパイラルの社長室で、瀬名は深く肘掛け椅子に体を埋めたまま尋ねた。テーブルにはいま締結したばかりの、東京セントラル証券が東京スパイラルのアドバイザーになる旨の契約書が載っていた。

「なにも伝える必要はありません」

半沢がこたえ、瀬名だけでなく、同席している森山もまた顔を上げた。「ウチが新たにアドバイザーになったこともまだ伏せておいてください。敵に手の内を見せる必要はない」

「どんなスキームにするか、いい案はあるんですか」瀬名はきいた。

「それを本日、ご相談に参りました」

半沢はこたえた。「敵対的買収の防衛策にもいろいろなものがあります。それを法律面も検討した上で、最適なスキームを選択したい」

「具体的な提案をさせてもらう前に、敵対的買収に対する防衛策について、一般論をレクチャーさせてくれないか、ヨースケ」

森山はいい、準備してきたレジュメを瀬名に渡す。それから小一時間、国内外の防衛策をひと通り説明した森山は、「なにか質問は？」と瀬名に問う。

「だいたいわかった」

熱心に耳を傾けていた瀬名は、本題を切り出した。「それで、ウチにとって最適な方法はなんだと思う？」

「いろいろ検討した結果――」

こたえたのは半沢だ。「提案したいのは、逆買収です」

瀬名は息を呑んだ。

「ウチが電脳を買収しようっていうんですか？」

「いえ。電脳を買収するわけではありません」

半沢の答えに、瀬名は顔に疑問を浮かべた。半沢の隣では、森山が真剣そのものの表情でやりとりを見守っている。

――この会社、いわれているほど窮地にある会社なんでしょうか。

それは、数日前、部内で開かれていたミーティングの席で飛び出した森山のひと言がきっかけだった。それまでの何日か、森山は、その会社について徹底的な分析を試みていたのである。

どういう意味だと尋ねた半沢に、森山が指摘したのは、半沢も見逃していた事実であった。

それに注目したのは、まさに森山のセンスとしかいいようがない。それが、東京セントラル証券の買収防衛戦略の新たな扉を開いたのだ。

いま、瀬名に問われた半沢は、森山とともに練った作戦をついに口にした。

「電脳ではなく、我々が狙うのは――フォックスです」

4

珍しく伊佐山が郷田を誘ったのは、新宿の小さな店だった。伊豆の漁師が経営しているという店のウリは、半透明なほど新鮮なイカ。鮮度の高い魚料理を得意としている隠れ家的な店である。

「いやあ、今回の件ではいろいろとお世話になります」

伊佐山はいうと、運ばれてきた生ビールを掲げて乾杯した。

「こちらこそ、お世話になります」

郷田はそう返したが、その面差《おもざ》しはいまひとつ冴えない。

「まあ、例の件はさぞかしご心痛だとは思いますが、我々としてはそういうタイミングにこの話をお持ちできたことに、ご縁を感じております」

この店を選んだのは、行内では食通で鳴る伊佐山であった。グルメ雑誌に登場することもある郷田を誘うのに、高級レストランでは飽きているだろうというので、ひたすら新鮮な食材を堪能できる庶民的な居酒屋を選んだあたり、伊佐山の自信といっていいかも知れない。

「それでどうですか、あちらの準備は。進んでいますか」

「取締役会で新株予約権の発行を決議したところまでは、瀬名社長本人から伺っています」

郷田はこたえた。「先日はウチに挨拶に来られたので、こちらの資金調達の目処《めど》は立っているからいつでもいいと申し入れたところです」

「それに対して瀬名さんはなんと」

伊佐山の口調には、どこかせっかちなところがあった。東京スパイラルの出方が予想以上に鈍いと見ているのだろう。その理由が知りたいのだ。

「少々、驚かれたようですな。名乗りを上げたはいいが、資金調達は難航するのではないかと思っておられたんではないでしょうか。もちろん、お宅で調達したとはいってませんよ」

伊佐山は隣にひかえている野崎と視線を交わし、

「ポイントを押さえていただき、恐縮です」

と笑みを含みながら頭を下げた。「なにしろ、その辺が肝心なところでして。相手を警戒させてはマズイですから」

「承知しております」

郷田が幾分苦い顔をしてこたえる。

気乗りしないことは、その表情に出ていた。

財務担当から、運用失敗による巨額損失が出る可能性があると郷田が最初に報告を受けたのが八カ月前のことだ。大量に保有していたファンドが値を下げ続け、さらに某国の財政危機をきっかけに大暴落をはじめたのは突然のことで、対処のしようがなかった。

気付いたときには自主再建の道すら閉ざされ、郷田に残されたのは、救済してくれる相手を探すこと以外になかったのである。

相談していた東京中央銀行にその救済相手として引き合わされたのが、電脳雑伎集団だ。

巨額損失穴埋めの目処が立たず、早晩、経営破綻の淵に瀕していた郷田にとって、その提案は、願ってもない良縁に見えた。

「それにしても今回の件、平山さんの資本参加を了承されたご英断があったからこそ可能でした。改めて礼を申し上げますよ」

伊佐山はすでにスキームが成功したかのような、満面の笑顔で頭を下げた。

資本参加、か。その言葉を、郷田は虚しく胸の内で反芻《はんすう》してみる。ご英断と持ち上げてみたところで、伊佐山が郷田に対して経営者落第の烙印を捺《お》しているのは明白であった。

だが、それに対して反論の余地はない。

本業での失速、業績不振を少しでもなんとかしようとハイリスクな運用を決断したのは、他ならぬ郷田自身だ。業界でコンピュータと称される経営手腕が狂った瞬間であった。

「この業界は難しい」

いま、心から郷田はいった。「ひとつの業態で、十年、いや五年生き残るのは至難の業《わざ》だ。こうした買収に応ずるのも、業界の摂理なのかも知れない」

「そういう戦いの中で皆さん生きていらっしゃるんですねえ」

伊佐山の言い方は、まるで他人事《ひとごと》だ。「郷田さんのその潔さが、かえって人間性の深さを醸し出している気がします」

調子のいいことをいわないでくれ——。そういいたいのをこらえ、郷田は、ビールのジョッキを口に運ぶ。

「人間性とはまた皮肉なことをおっしゃいますな、伊佐山さん」

「皮肉なもんですか」

伊佐山は大げさに驚いてみせた。「往々にして経営者にはプライドがある。そのプライドが邪魔をして、時として重要な判断ミスを招く。今回の件、郷田さんは平山さんの申し出を受けられた。ベンチャーの経営者にとって、買収に応じるかどうかは最も難しいご判断だったでしょう。そこに、経営者としての器を見た気がいたします」

皮肉な笑いを浮かべただけで、郷田はこたえなかった。

あのとき——「いい運用話があるんですが」、そういってきた財務部長からの提案に、郷田は飛び付いてしまった。IT企業経営者として長く業界のリーダー的存在だった郷田にとって、過当競争による業績の下落傾向は長年の懸案だ。その事態を打開しようともがき、少しでも業績を底上げする材料を物色していた最中に、持ち込まれた提案であった。

まさにプライドが、そうさせたのだ。

IT業界は弱肉強食だ。最強の肉食獣になるか、エサとなる草食動物になるか。経営者の判断ひとつで、そのどちらにもなり得る。郷田は、その肝心な場面で、まさに命取りになる判断ミスを犯した。

電脳の傘下に入ることがベストだとは思わない。だが、攻めの経営から土俵際の守りへと転じた郷田に、その他の選択肢を探す時間的な余裕はなかった。

同時に、電脳のアドバイザーとなった東京中央銀行から申し入れられた「事業協力」を拒否するだけの勇気も。それが今回の買収劇で振られた役割だった。そしていま——。

「平山さんのたっての願いとあれば致し方なかったが、まあ正直、あまり褒められたやり方ではありませんな」

郷田のやんわりとした批判に、ふたりの銀行員はまるで悪びれた風を見せなかった。

「いやあ、おっしゃる通りかも知れません。無理なことをお願いして申し訳ない」

伊佐山は言葉と裏腹に、ニヤニヤした笑いを浮かべる。「しかし、この業界に仁義などというものは存在しませんから」

「たしかに、そういう業界かも知れない」

郷田は、いった。「ただ、それがいいか悪いかという問題は別です。でき得るのなら、社会通念上、許される範囲での逸脱であってほしいものだ。今回のは、少々度が過ぎているのではないかと思う」

「スキームには細心の注意を払っていますから。ご安心ください」

事務的な口調で野崎がいった。「郷田さんにせよ、平山さんにせよ、後になって非難されるようなことになっては、この案件、成功したとはいえないと考えております」

郷田は黙ってジョッキのビールを口にする。

「実は平山さんも随分気にされていまして、できるだけ早く結論を出したいと」

「しかし、瀬名さんを説得するのは私ではなく、太洋証券の仕事でしょう。彼ら、アドバイザーなんだから」

「太洋証券ですか」

野崎は鼻で笑った。「連中は頼りにならないというか、一応の役割は振ってますが、猿回しの猿で、こういう高等な話にはまったくついてこられないんですよ。ここは、郷田さんからぜひプッシュしていただきたい」

「やってはみますが、あまり期待せんでください」

「お願いします。それが済まないことには、御社の話も進みませんし」

野崎は意味有り気にいった。いやらしい男である。郷田は、この男にいつも感じる嫌悪感を無理矢理胸の底に押し込めた。「それに、郷田さんがいま抱えていらっしゃる問題も、そう長く世の中に隠しておける類のものでもない。今回のスキームは、御社の資金繰りの面から見ても十分にメリットのある話です」

「わかりました。明日にでも瀬名さんに連絡を取ってみましょう」

郷田の返答に、野崎が浮かべたのは陰気な笑いだった。

5

電脳雑伎集団の玉置《たまき》克夫《かつお》が、戸《と》村《むら》逸樹《いつき》を食事に誘ったのは十一月半ばの金曜日のことであった。

ふたりで新宿駅に近いビルの最上階にある寿司屋に入った。

築地が本店の寿司屋だが、何年か前にテナントとして入り、繁盛している店だ。営業部長の戸村がたまに接待に利用する店だった。

「ふたりで飯を食うのは久しぶりだな」

玉置はいって、運ばれてきた瓶ビールを取ると、戸村に注いだ。

いつもはカウンター席にかける戸村だが、財務部長の玉置の誘いとあらば込み入った話かも知れないと気を遣い、フロアの片隅にあるテーブル席で向かい合う。ここなら、他人に話をきかれる心配もない。

軽く乾杯し、玉置がはじめたのは当たり障りのない話だった。

話題が仕事のことになったのは、ビールから日本酒に変わったタイミングだった。

「例の話だが、本当にあれでいいと思ってるわけじゃないだろう」

それまで、黙って話をきいていた戸村が口を開いた。

「まあ、そうだな」玉置は静かに日本酒の入ったグラスを見つめる。

「あれでいいとは思っていない。収益の柱を作るのなら、もっと他の方法を取るべきだとも思う。だけど、社長の頭は買収で凝り固まっていて、考え直す余地はほとんどなかった」

「それでいいのかよ」

戸村はいった。「社長に意見をいえるとすれば、君かオレのどっちかじゃないか。今回の話こそ、事前に食い止めるべきだったと思うぜ。財務について社長の知識は乏しいんだから、それなりの理由を付けて納得させることはできたはずだ」

玉置の脳裏に半月ほど前のやりとりが蘇ってきた。

「営業担当として申し上げますが、これは正直、承服しかねます」

戸村が発言した途端、役員会は凍り付いた。

全員が顔を上げて戸村を見やり、そして社長の平山と副社長の美幸のふたりに遠慮がちな視線を振る。

電脳雑伎集団は、創業者の平山と、その妻美幸が二人三脚で築き上げてきた「帝国」であった。絶対君主制である同社で、経営方針を巡って社員が反対の意思表示をすることは極めて異例といっていい。発言した戸村もそれは承知しており、いま硬い表情でふたりの経営者を見ている。

「別にあなたの意見をきいてるわけじゃないのよ」

間髪を入れず、きついひと言を発したのは美幸だった。「こうしてちょうだいといってるんです」

全員の視線が戸村に集中した。

電脳雑伎集団の営業全体を統括する立場にいる男だ。といっても肩書ほどの権限があるわけではなく、戸村の仕事は、創業夫婦である平山たちの決めたミッションを働き蜂よろしくこなすことだけだ。仕事内容の是非といった判断は含まれてこなかった。いままで、それでうまくいってきた。

電脳雑伎集団は平山夫婦が苦労してゼロから作り上げてきた会社であることは、社内の人間なら、いや社外の人間であっても誰もが理解している。同時に、創業以来、この組織が右肩上がりの成長を遂げてきたということも。それはつまり、平山のアイデア、方向性が正しく効果的に機能してきたことの明確な証拠でもあった。

「いま東京スパイラルを買収する必然性というか、根拠というか、それが見当たりません」

黙るかと思った戸村が、反論を口にした。「既存事業との位置付けからしてシナジーを期待しにくい。わざわざこの時期に買収することはないと思うんです」

「シナジーは生まれるものじゃなく、作るものだ」

妻に代わり、冷静な口調でいったのは、平山本人だった。IT企業には自由な社風が多いが、電脳雑伎集団の役員会は、まるでお堅い銀行の役員会のように全員がスーツを着て、かしこまって円卓を囲んでいる。いまや業界でも有名になった、サラリーマン出身の平山らしい組織作りそのままだ。

「攻めるときには攻める。銀行も資金を出してくれるといっているし、そういう時期に一気呵成《かせい》に事を進めるのはいいことだと思う」

「社長――」

戸村がまた挙手をして発言を求めた。平山の表情には変化はないが、美幸のほうは、営業部長の思わぬ反論に不愉快を隠そうともしなかった。真剣さを通り越して怒りを浮かべた表情は、いまにも爆発しそうだ。

美幸の実家は、大阪市内にある大きな商家で、幼い頃から使用人たちに囲まれて育った。丁稚奉公からのれん分けで商いをはじめて成功した父は面倒見のいい男だったが、社員たちにも滅私奉公を求める古い考えが最後まで抜け切らなかった。そんな父のやり方を見てきた美幸は、それが古いとは頭で理解しながらも、自らが育ってきた環境から抜け出せないところがある。「養ってやっている」——それがいま戸村を見下すようにしている、美幸の本音だ。

そうした事情は戸村も、わかっているはずだ。それでも、意見しようとするのは、戸村の危機意識が、それを上回っているからに他ならなかった。

「いままで、電脳が取ってきた経営戦略そのものは正しいと思います。だからいまがあるわけでして……。しかし、今回の東京スパイラルについては、勇み足ではないでしょうか。同社を買収する資金が調達可能であれば、もっと有効な投資は他にあります。開発資金も数年前から抑えられたままですし、顧客サポートも顧客満足度調査ではあまりいい結果を得られておりません。そのせいか顧客離れも起きはじめており、競合他社の激しい攻勢にさらされています。いま本業をテコ入れしないと、数年後、いや来期の業績すら目標を下回ることになりかねません」

「そうならないようにするのが、戸村さん、あなたの役割でしょう」

言葉遣いはなんとか冷静さを保っていたが、美幸の頰は怒りで震えんばかりだった。

普段面倒見のいいところのある美幸だが、一所懸命さのあまり、冷静さを失うことが時としてある。いまがまさにそうだ。

「もちろん、いままでそうしてきました」

戸村は辛抱強くいった。「しかし、同業他社の攻勢と過当競争によって社内でのネットワーク構築事業の収益が今期に入って十パーセント近くも圧縮されています。通信速度か、セキュリティ強化か、あるいは新次元のハードか——なんらかの付加価値を付けていかないと収益力は低下する一方です。経営方針を修正したほうがいいのではないでしょうか」

戸村は、わずか三十歳で大手コンピュータ会社の営業部長になり、辣腕《らつわん》を振るってきた男だった。それが五年ほど前、引き抜かれて電脳雑伎集団に転職してきた。マーケットのことは誰よりも知り尽くしており、本業分野で客観的な評価眼を持つことに関しては戸村の右に出る者はいない。それだけに戸村のこの発言には重みがあった。

「本業が手薄になっていることはわかる」

応じた平山の発言は、妻の美幸と比べて、あくまで冷静そのものだ。「しかし、この業界はすでに過当競争に入っており、新しい技術を開発しても、投資に見合う回収が難しい。ここで、本業に再投資することが正解とは一概にいえないのではないか」

「厳しいことはわかっています」

こうした議論は戸村の得意とするところである。「しかし、この分野ではまだ当社の強みがある。顧客がいて、先行企業としての知名度もある。ノウハウも、他社が追い付いてきたとはいえまだ負けていないし、アフターサービスまで含めれば優位性もある。しかし、その優位性は、なにもしなければ次第に色あせていき、近い将来なくなる運命にあります。過当競争は厳しいが、置かれている状況は同業他社、みんな同じなんです。当社はこの分野で世の中に貢献し、成長してきたのに、テコ入れすらせずに逃げようとしている。それでいいのかと申し上げているんです。本業を軽視して、買収戦略に出るのは尚早ではないでしょうか」

「これは経営判断なんです」

なにかいおうとした平山に代わり、ぴしゃりと撥ね付けるように発言したのは美幸だ。ヒステリックな物言いは、いつにも増して高飛車だった。だが、その剣幕に対して、戸村が浮かべたのは怒りとか怖れではなく、疑問の表情であった。なにが美幸をこんなに怒らせるのか理解できない、といった表情だ。

「それは承知しております」

感情を抑えて、戸村はいった。「考え直されてはいかがですかと、そういう私からの提案です」

「それはできません。もう決まったことですから」

美幸はいうと、「他にありませんか」、と一方的に議論を打ち切ろうとした。

「これは大事なことですよ、副社長」

その美幸に、戸村が慌てていった。「電脳雑伎集団の将来を大きく左右することになりかねない、そういう問題だと思います。決まったこととおっしゃいましたけど、こういうことは、密室で決めないで役員会に諮《はか》っていただけませんか」

美幸の表情が険しくなり、昏《くら》い怒りの眼差しが戸村に向けられた。

「やり方に不満があると、そういうこと？」

険のある声できいた美幸に、

「不満とかじゃなく、手続きのことをいってるんです」

戸村は、理知的な男らしく、あくまで冷静な口調だ。「電脳雑伎集団はいま難しい時期にさしかかっている。攻勢一辺倒《いっぺんとう》で急成長してきた時代はもう過去のものです。本業で守りを固めつつ不毛な過当競争も勝ち抜かなきゃならない。それなのに、いつまでも会社が小さかった頃のやり方を踏襲して、大事なことを役員会抜きで決めてしまう。もうそういう密室経営から脱却しなければならないし、その時期にきています」

「密室とおっしゃいますけどね。役員会は開いてきたじゃない」

美幸が反論した。「反対意見があれば、その場でいえばよかっただけのことです。戸村さん、あなただって、役員会の場で反対意見を述べたことはなかった。そういうことが何度かあったのならともかく、いまになって、やり方がどうこうというのはおかしいんじゃない？」

「私の場合、役員会の前に参考意見として述べる機会が多かったからです。ところが、今回はまったくの事後報告でした。役員会という正式な場でなくてもいいから、こういう話こそ、相談していただきたかったと思います」

「それであなたは反対だと？」美幸がきいた。

「反対です」

戸村は、はっきりといった。「東京スパイラルの買収は撤回して、本業に回帰したほうがいい」

「あ、そう。でもこれは決定事項なのよ」

堅い口調でいった美幸を、そのとき社長の平山が手で制した。ひと呼吸置き、真正面から営業部長を見据える。

「この買収案件は、是非、進めたい」

重々しくいうと、会議テーブルを囲んでいる部長以上の役員たちをぐるりと見回した。

「他に反対意見があるのなら、いまここでいってくれ」

だが、意見はなかった。

「では、この買収事案を承認する方は、挙手をお願いします」

進行役のひと言でみんなの手が挙がるのを、ひとり腕組みしながら戸村は見ていた。

挙手しない戸村を、いまいましげに美幸が睨み付けている。

「残念ながら全会一致とはいかなかったが、賛成多数で承認だ。――他になければ、この辺で」

そうして、形だけの会議は跳ねた。

「あのスキームには、バックに東京中央銀行が付いていた。オレの出番はない」

いま玉置はいった。「オレが知ったときには、すでに銀行がファイナンスを付けてがんじがらめにしてた」

「カネなら返せばよかったんだ」

戸村は悔しげだ。「アドバイザー契約の違約金を払ったところで、ウチのリスクを考えれば安いものだ。君の考えも同じじゃないのか」

「オレの考えなんか無意味なんだよ」

玉置にしては珍しく語気を荒らげる。「結局のところ、社長にしても副社長にしても、オレたちのことを大切なブレーンだとは思ってはいない。あくまで、自分たちが決めたことを承認してお墨付きを与える認印みたいなもんだ。オレは正直、そんな立場にもううんざりなんだ」

戸村がさっと玉置を見たのは、その口調に特別なものを感じ取ったからだ。

「玉置、大丈夫か」

戸村が声をかけると、玉置は手にしたグラスを再び置き、改まった態度になった。

「オレはもう、辞める」

思いがけないひと言に、戸村は息を呑んだ。

「辞めるって——玉置、本気か」

「ああ、本気だとも」玉置はいった。

「ヘッドハンティングか」

「まさか」玉置は否定したが、それ以上はいわなかった。

「もう、決めたのか」

戸村はまじまじと玉置を見つめながらきく。

「ああ、決めた」

きっぱりとした口調で、玉置はこたえる。「今週中にも、社長には話すつもりだ」

「なんでだよ」

戸村は、胸に湧き上がってきた理不尽な思いをそのまま口にした。「いま、君がいなくなっちまったら、電脳はどうなる？」

「さあ、どうなるかな」

玉置は、戸村の肩越しに視線を投げる。「たとえどうなろうと、それは平山夫婦の自己責任ってことでいいんじゃないのか」

「おい、玉置、君はウチの会社を見捨てるつもりか」

戸村がいうと、玉置はグラスに口を付けようとしたまま、上目遣いになった。

「そうかもな」

そして、無理に酔っぱらおうとでもするかのようにグラスを傾ける。「いや、きっとそうだ。オレは見捨てたんだよ。この会社は、もうダメだ」

6

「お忙しい中、時間をいただいて申し訳なかったね」

そういいながら、東京スパイラルの社長室に最初に入ってきたのはフォックスの郷田だった。その後に、太洋証券の営業部長の広重と二村が続く。

「お忙しいところ、すみません。例の件、その後、社内での調整はどのようになったかと思いましてね」広重が口火を切る。

「まだ検討中です」

硬い表情で瀬名がこたえると、広重の表情が曇った。

「それは、どのような点で？」

「法律面でのチェックで、異論が出てる」

瀬名はいった。「お宅のスキームでは商法違反になるんじゃないかという見方があるんだ」

広重は表情を消した。

「商法違反？」

「それはどういうことかね、瀬名さん」郷田の問いかけには、驚きが滲んでいた。

「商法に、支配権の維持を目的とした新株発行は認められないという条項があるんです。いままでの判例でいっても、今回のような新株予約権が認められるかどうかは疑問らしい」

「そうなのか」

郷田の問いは、太洋証券のふたりに向けられていた。すぐに返事はない。痛いところを突かれたからだ。太洋証券のスキーム——いや、実際には東京中央銀行のスキームの、それは弱点だった。

瀬名は続ける。

「つまり、このままいくと、商法上の規定によって電脳雑伎集団から新株予約権の発行を差し止められる可能性が高い。それでは、ウチの防衛策として不十分ということになるわけだ」

「どうなんだ」

郷田に問われ、ようやく広重がこたえた。

「可能性はなきにしもあらずですが、電脳が差し止めを請求してくるかは、やってみないとわかりませんよ」

「やってみないとわからないでは困るんだよ」

瀬名は、広重を冷ややかに見据えた。この連中は全員、自分を騙そうとしてここにいる。そのことを考えると腸《はらわた》が煮えくり返る思いだった。

「商法の規定には例外があります」

そのとき広重が反論してきた。「たとえば、電脳の買収意図が、東京スパイラルの焦土的経営にある場合には、支配権の維持を目的とした新株発行も認められます」

「焦土的経営？」

郷田がきいた。「なんだね、それは」

「具体的にいうと、東京スパイラルが経営に必要としているノウハウや知的財産、取引先などを、電脳に移してしまい、後にはめぼしいものがなにも残らない——そんな状態にしてしまうことを買収の目的としているということですよ」

「今回の電脳がそれに当たるとでも？」

瀬名がきいた。

「該当する可能性は高いと思います」

こいつ、よくいうよ——。瀬名は怒りをひた隠して、広重を見た。

「できればそんな抗弁はしたくないんだよね。裁判になれば、それはそれで事態の泥沼化を招く。オレとしてはそれは避けて、早期に解決したい」

「それは無理です、社長」

広重は断言した。「こうなってしまった以上、どうやったところでそんな簡単な話では済まされませんから。腰を据えてかかる必要があるかと思います」

「もっと他に手段はないのかよ」

瀬名はいってみた。「たとえばさ、こちらから電脳を逆買収するとか、ウチの主要な経営資源を別会社に移してしまって、東京スパイラルをカラ箱同然にしてしまうとか。そういうスキームだってあると思うんだよね。そういうのは検討してみた？」

太洋証券のふたりに浮かんだのは、瀬名がいつのまにか買収防衛策の知識を得ていることに対する、かすかな驚きに違いなかった。

「もちろん、そういうやり方も検討したんですが、いろいろ問題がありまして」

広重はこたえた。「逆買収するにしても、巨額の資金が必要となります。そもそも瀬名社長は、電脳を買収したところでメリットはないとお考えでしょうし、そんなことのために巨額資金を投入するのは馬鹿げています。次に、東京スパイラルをカラ箱にしてしまう案ですが、これには本業の運営に支障を来すような制約的な事項が発生する他、別会社の資金源をどうするかといった問題が出てきます。結局のところ、信頼できる郷田社長率いるフォックスにホワイトナイトをお願いする案が最も有効だと判断いたしました」

「いろいろ検討したんだけどさ、正直いって――」

瀬名は砕けた調子でいい、目の前の三人をちらりと見た。「オレには全然そうは思えないんだよね。これはフォックスにとってもあまりいい案じゃないと思う。過剰な負担をかけるだけだ。どうですか、郷田さん」

郷田に問うた。「ウチを助ける前に、郷田さんにはもっとやるべきことがあるんじゃないかと思うんですよね」

元来、遠慮のない性格である。さらに東京スパイラルという会社を成長させていく過程で会得した帝王学が、瀬名のこうした気性をさらに増長させてきた。

「それは、どういう意味かな、瀬名さん」

郷田は、紳士らしく温厚な態度で尋ねた。「私が、他にやるべきことがあるというのは」

「本業、あんまり調子よくないじゃないですか」

瀬名は、いいにくいことをはっきりといった。「白水銀行が融資してくれたとおっしゃいましたが、そのとき、連中、なんていいました」

「いやまあ――」

郷田は返事を濁す。「今回のスキームを理解していただいていますから」

「そうかな」

瀬名は疑問を呈した。「このスキームを理解していても、御社の経営を理解しているとはいえないんじゃないんですか？」

郷田が言葉を呑み込んだ。

「瀬名社長は随分、心配されているようですが、フォックスさんの業績にはなんら問題がありませんから」

口を挟んだのは、広重だ。

「そうか？」

瀬名は疑問を呈した。「ウチに来る銀行の連中は、証券投資にはなにかにつけて煩《うるさ》いことをいうんだけどな。白水銀行は違うのか」

「失礼ですが、御社とフォックスさんとでは社歴の差もあります」

広重は愛想笑いを浮かべた。「郷田社長の場合は、経営スタンスも明らかです。それに対して、瀬名社長はまだお若いですから、銀行としても手の内がわからないといった事情があるのではないでしょうか。そんなことより、社長——」

広重は、ぐいとソファから体を乗り出した。「手続き的なことは、アドバイザーの我々を信用してください。我々としては電脳の公開買い付けが進まないうちに、早急に新株予約権の発行手続きに入りたいと存じます」

「それについてはいま、社内で検討中だ」

首を縦に振らない瀬名に、「なにが問題なんです」、と広重は焦《じ》れた。

「問題はいまオレがいったようなことさ」

「だからそれは――」

「これだけのディールだぜ。慎重になってなにが悪い」

いい加減、広重の態度にうんざりして、瀬名は遮《さえぎ》った。

「時間との勝負だから申し上げているんです、社長」二村も食い下がる。

「そんなことはわかってる」

瀬名はいった。「それより、焦った挙げ句、抜かりのあるスキームを採用するほうが問題じゃないか。そもそも、あんたが最初からこういう法律面の話をしていれば、こんなことにはならなかったんだよ」

「私どもとしては必要な情報とスキームだけを厳選してお届けしていますので」

「必要かどうかはこっちで判断する」広重の発言を、瀬名はさらりと受け流した。

「とりあえず、いまここでオレが結論を出すことはないから、それを期待してるんなら諦めてくれ」

広重の表情に落胆が広がっていく。その隣で、郷田は黙考したままだ。

「では、いつ頃までに決定されますか、社長。せめてスケジュールの目途だけでも教えてください」

重苦しい沈黙の後で、広重がきいた。

「具体的にいつという返事はできないな」

瀬名は、はぐらかした。「そのときがきたら、こっちから連絡をする。それでよろしいですね、郷田さん」

郷田は、思案に沈んでいた面を上げた。

「瀬名さんがそうおっしゃるのなら、仕方がありません。私もできる限りお手伝いをさせていただくと決めた以上はお待ちしましょう」

「寛大なお言葉、ありがとうございます」

そういって頭を下げたのは、瀬名ではなく、広重であった。それから瀬名に向き直ると、まるで道理のわかっていない子供に諭すような口調で続けた。「今回の件、郷田社長のご厚意でホワイトナイトを引き受けていただいております。なにとぞ、そのあたりをご理解の上、よろしくお願いします」

「話はそれだけ？」

瀬名の拍子抜けするような反応に、広重は閉口して口をへの字に曲げたが、面談はそれで終わりであった。

「ふざけた話だ」

瀬名の秘書に見送られて乗り込んだエレベーターの扉が閉まると、真っ先に吐き捨てたのは二村だ。「いったいなにを考えてるんですかね、瀬名社長は！」

「彼はなにか特殊な嗅覚でも持っているのかもな」

郷田が、ぽつりといった。

「嗅覚とは？」広重がきいた。

「我々の本当の目的を知らないまでも、我々の話に潜んでいる嘘を見抜く嗅覚ですよ」

郷田はこたえる。「彼は、普通の人にはないなにかがあるような気がする」

「そんな大層なものですかねえ」

広重は、吐息混じりだ。「それにしても郷田社長へのあの言い方はないですよ。先輩経営者に対して失礼だ。嫌な思いをさせてしまって申し訳ありません」

広重は深々と頭を下げたが、その気遣いのある言葉とは裏腹に、表情はどこかあっけらかんとしている。広重もまた、こうするしかない郷田の都合を承知しているからである。

「いやいや、今回の訪問は私のほうからお願いしたことだからね。まあ、彼も若い」

郷田は鷹揚《おうよう》にいってみせた。

「向こう気が強いのはわかりますが、ここから先が見物ですね」

広重が意地悪くいった。「いまに、早く新株予約権を引き受けてくれって、泣き付いてくるんじゃないんですか？　結局、我々のスキームに巻かれるしかない運命なんですよ」

「その日が楽しみだなあ」

傍《かたわ》らで話をきいていた二村も追従し、「郷田社長もそのとき同席されたらどうですか。瀬名社長にも謝罪の機会が必要でしょうからね」とこちらも人の悪そうな笑いを浮かべる。

「私は気にしてませんよ」

郷田は、つと厳しい顔になり、真正面を見据えた。「なにしろ、スキームに巻かれたのは、私も同じだからね」

「これは、鉄壁のスキームですから」

広重は余裕の表情で断言した。「今回のところは、東京中央銀行もいい働きをしたといっていいでしょう。銀行の証券部門も随分成長したもんです」


取引先を訪問していた広重のケータイに二村から緊急の電話がかかってきたのは翌日の午後二時過ぎのことであった。

「部長、すみません。ちょっと問題が起きまして、大至急、お戻りいただけませんか」

新橋にある取引先のビルを出たばかりの広重は、「問題ってなんだ」、と歩きながらきいた。

「実は――フォックスの財務情報が漏洩しました」

「なに？」

駅に向かう道を歩いていた広重は、思わず立ち止まった。「どういうことだ」

「例のファンドの巨額損失を、東京経済新聞がスクープしたんです」

目にしている街の色彩が一気に吹き飛び、頭の中がふつふつと煮立つのがわかった。

「いま戻る」

慌てて帰社すると、青ざめた二村が待ち構えていた。

「どういうことだ」

部長室に入り、問うた広重に二村が滑らせて寄越したのは、インターネットで流れたニュース速報の記事である。一瞥した広重は思わず言葉を失った。フォックスの運用失敗と巨額損失隠蔽《いんぺい》の詳細がそこに書かれていたからだ。

「誰がこんな情報を？　郷田社長には連絡が取れたのか」

「連絡はしてみましたが、ほとんど話せませんでした。対応に追われているらしくて」

〝自主再建は極めて困難〟――速報のその部分に目をやった広重は、ちっと鋭い舌打ちをした。「巨額損失を公表する前に、すっぱ抜かれたのはマズかったですね」二村が絞り出すようにいう。

「リークだ。それしか考えられない」

広重が決め付け、唇を嚙んだ。「瀬名社長には、連絡したのか」

「まだです。部長がお戻りになってからと思いまして」

「アポを入れてくれ」

広重は命じた。「私が行ってくる」

7

至急会いたいといってきた広重は、約束の時間より十分程早く来た。

「本日は、今回の事態について、ご説明に上がりました。最初に申し上げますが、この様な事態になりましても、特に今回進めておりますスキーム上の支障にはなりませんのでご安心ください」

その言葉に、

「へえ。マジかよ」

瀬名は呆れた声を出す。「フォックスは自主再建できないぐらいの財務状態なんだろう。それなのに、ウチに一千億円も投資して大丈夫なのか。まったく意味がわかんねえよ」

「資金は調達済みですから、郷田社長も本件については計画通り実行するとおっしゃっています」

広重がいったとき、秘書が顔を出し、来客を告げた。

「通してくれ」

瀬名がいうのと、半沢と森山のふたりが入室してきたのは同時だ。

「こちらは、東京セントラル証券の半沢さんと森山君。森山は、オレの友達でさ」

瀬名の紹介で、広重の表情に警戒感が広がった。事態が呑み込めないまま、名刺の交換は済ませたものの、「東京セントラル証券？　どういうことですか」、と眉をひそめる。

「セカンドオピニオンをもらおうと思ってさ」

瀬名がいうと、広重の表情がみるみる強張っていった。

「最初に確認したいんですが」

半沢が口を開いた。「白水銀行が、フォックスに巨額の融資をするというのは本当ですか。フォックスのメーンバンクは東京中央銀行でしょう。準主力行の白水が、こんな買収資金を支援するとは思えないんですけどね」

「そんなことを私にいわれても困りますよ」

広重は、不愉快そうに鼻に皺を寄せた。「現に郷田社長本人がそうおっしゃってるんですから。社長――」

広重は瀬名を振り向いた。「セカンドオピニオンはわかりますが、我々を信用していただけないということでしょうか。勝手にこういうことをされると困惑してしまうんですよ」

発言には、広重の怒りが透けて見えた。

「困惑しているのは瀬名さんのほうですよ」

代わりにこたえたのは半沢だ。「業績不振が明らかになってもなおフォックスに新株を引き受けさせてホワイトナイトに仕立てるなんて、そんなバカげたスキームはない」

「あんたにいってるんじゃない」

激昂《げきこう》した広重は、嚙み付かんばかりの勢いでいった。「瀬名社長に申し上げているんだ！」

「オレは半沢さんと同意見なんだけど」

瀬名がすかさずいって、広重を冷ややかに見た。

「白水銀行はそんな融資を約束してないはずだ」

再び半沢が割って入った。「デタラメをいってもらっては困るな、太洋証券さん」

「なんの根拠があってそんなことをいうんだ」

広重はもの凄い剣幕で睨み付けた。

しかし、半沢は顔色ひとつ変えず、広重がひた隠しにしている真相を口にする。

「その融資をしたのは東京中央銀行だからさ。白水銀行じゃない」

「社長、この男がいってることは根拠がないですよ。だいたい、東京セントラル証券は東京中央銀行の系列証券でしょう。この連中の目的は、ウチの防衛策を妨害することに決まってますよ」

半沢に反論するのではなく、広重は瀬名の説得を試みる。「こんな意見をきいていたら、スキームが本当にダメになってしまいますよ。それでいいんですか」

「よくいうよ」

半沢が笑った。「だいたい、このインチキなスキーム、どこが考えたんだ」

「ウチに決まってるだろう」

広重が食ってかかった。「インチキとはなんだ。発言を撤回しろ」

「フォックスみたいなオンボロ会社をホワイトナイトにして、電脳の敵対的買収を防衛する――こんなお粗末なスキームなら、お宅が考えたというのもうなずけるな」

半沢は、蔑《さげす》むような視線を広重に向ける。

「なんなんだ、あんたたちは」

広重は声を荒らげた。「根拠のないことをいって瀬名社長を混乱させるのはよしてくれないか」

「それ、本気でいってるんですか」

そういったのは、いままで沈黙していた森山だ。「あなたがいってることは、どれもこれも嘘ばっかりじゃないですか」

「なんだと」

広重は色をなしたが、森山は一歩も引かなかった。

「白水銀行が投資資金を出してくれたとか、スキームはお宅が考えたとか、アドバイザーがそんなデタラメを並べていいんですか」

「いい加減にしろ」

広重は、憤然とした態度で瀬名に向き直った。「瀬名社長、我々は、御社を電脳の敵対的買収から防衛するために全力を尽くしています。それなのに、一方的に嘘吐《つ》き呼ばわりだ。このふたりの目的は明らかですよ。そうやってウチのスキームをこき下ろして、アドバイザーの座に就きたい、ただそれだけです」

「本当にそうだと言い切れるのか、あんた」

ふいに、半沢の言葉に怒りが滲んだ。「嘘はないと、ここで証言できるのか」

「当たり前だろ」

すると、半沢はスーツの内側からなにかを取り出してテーブルの上に置いた。ＩＣレコーダーだ。

「いままでのやりとりは録音させてもらった」

半沢はいった。「さて、もう一度きくが、広重さん、あんたや太洋証券が瀬名社長に説明していることに一切、嘘はないと、断言できるんだな」

「何度——何度同じことをいわせるんだ」

言葉とは裏腹に、広重の唇は震えた。その目は、レコーダーと半沢とを忙《せわ》しなく往復している。

「いったいどういうつもりなんだ、こんなことをして」

「フォックスをホワイトナイトとすることで、最終的に東京スパイラルが不利益を被ることを知りながらそれを進めているとすれば、これは犯罪だ。アドバイザーの地位を利用して、騙しているわけだからな。裏はないかときいてるんだ」

「あるわけないだろう」

広重は強気に打ち消す。

「絶対だな」

半沢は念を押した。「場合によっては訴訟を検討してもいいんだぞ。それは承知の上でいってるのか」

「そ、訴訟？　なんのことといってるんだ、あんた」

明らかな動揺が、広重の表情をよぎっていくのがわかった。

「そうか、もういい」

そういって半沢は、広重の前に一通の書類を差し出した。

それを目にした途端、広重の表情がバラバラになり、ジグソーパズルのピースが落下するように感情の欠片がこぼれ落ちていく。

「これは、あるルートから入手した、東京中央銀行の書類だ」

半沢はいった。「書類のタイトルは、東京スパイラル買収計画。電脳、銀行、そして買収相手としての東京スパイラル。それだけじゃない。フォックス、そして太洋証券——。カネの動きと役割が全てここに書いてある。あんたは自分のいってることに嘘はないといったよな。ならば、この書類がどういうことか説明してもらえないだろうか。いま、ここで警察を呼んでもいいんだぞ」

広重の唇が開き、何事かつぶやいたかのように見えたが、聞き取れる言葉は出てこなかった。

虚勢を張っていた男の表情が揺らぎ、やがて細い呼吸の音とともに視線が足元に落ちると、東京スパイラルの社長室に、長い沈黙が訪れた。

「なんとかいったらどうなんだ」

「なんで、こんな資料がここに」

動顚《どうてん》して尋ねた広重は、「ウチに、銀行の人間からの内部告発があったんだよ」という半沢の説明に驚愕した。

いまや、広重の顔は切羽詰まっていた。必死で反論の言葉を探す目が、落ち着きなく左右に振れている。やがて、もはや逃げ道がないと悟った広重は青ざめ、絶望をその瞳に浮かべた。

「申し訳、ありませんでした」

ついに出てきた言葉は、紛《まぎ》れもない敗北宣言だった。

瀬名はゆっくりとタバコを取り出して点火し、森山は穴の開くほど広重の横顔を睨み付けている。

「ききたいのは謝罪じゃない。説明だ」

冷静な半沢の問いに、広重はいまや怯えたような顔を上げた。

「ですからその——全ては東京中央銀行が仕組んだことで、私はただいわれるままにこうして説明に上がっているわけでして」

「お宅はその企画に乗ったんだろうが。他社のせいにするな」

半沢に指摘され、「ち、違う」、と広重は必死の形相で否定した。

「私じゃないです。これは会社の上層部に話がきて——」

「あんたたちがやったことはれっきとした犯罪だ」

半沢は、広重を遮っていった。「弁護士と相談するが、背任か詐欺で被害届を出すことを検討することになると思う」

「ちょっと待ってください」

いまやプライドをかなぐり捨てた広重は、泣き出さんばかりだ。「こんなこと、やりたくてやっているわけじゃないんですから。本当ですって、信じてください」

懇願する広重に、半沢はいった。

「だったら、この話がどんな形で持ち込まれ、どういう裏取引があるのか、全て洗いざらい話してもらおうか。時間と場所、そして誰がどんな発言をしたか、全てだ」

観念した広重はがっくりと肩を落とす。

どれだけ沈黙が続いたか、やがてぽつぽつと広重は語りはじめた。

それは東京中央銀行のスキームが崩壊した、まさにその瞬間であった。

8

「東京セントラル証券が？　まさか――！」

憔悴《しょうすい》し切った広重の報告に、野崎は顔を上げたまま動かなくなった。

野崎の顔に浮かんでいるのは紛れもない驚愕であったが、それは瞬く間に疑問に代わり、さらに怒りへと変じていく。

「どういうことなんだ！」

声を荒らげたのは野崎ではなく、伊佐山であった。「なんで、セントラル証券がスパイラルに関わってる。なんで、ウチのスキームのことが向こうに知られることになった。なんで、対外厳秘のはずの資料が流出した。なんで――」

「内部告発だ」

広重のこたえに、伊佐山はぴたりと口を閉ざした。野崎が警戒した目を向けてくる。

「そんなはずはない」

そういって、野崎は、銀縁メガネの奥からエリート意識を剝き出しにした目で広重を睨み付けた。「ウチの情報管理は完璧だ。チームのメンバーについては知り尽くしている。告発などする連中じゃないんだよ。あんた、塡《は》められたんじゃないのか」

「しかし、スキーム図まで――」

「そんなことはあり得ない」

野崎は間髪を入れずに断言し、「情報の入手先ぐらい、なんで聞き出してこなかったんだ」、と逆に広重を詰《なじ》った。

「責任転嫁しないでくれ」

いまになってプライドを思い出したかのように、広重の口調にも怒りが滲む。だが、それが誰に対する怒りなのか、実のところ広重本人にもわからなくなっていた。自分を下に見ている野崎に対してか、あるいは自分に対してか。それとも、突如もたらされたこの状況に対してか。

「お言葉ですがね、訴訟を検討すると相手はいってるんだよ。そんなときに、どこから情報を聞き出したのかとか、そんな悠長な話ができるわけがないだろう」

「訴訟？」

伊佐山が濁った目を向けてきた。「そういったのか、東京セントラル証券が」

「そうですよ。詐欺か背任か、訴訟を検討すると。ウチだけじゃない、お宅らだって同罪でしょう。どうしてくれるんですか」

広重は喚いた。「責任取ってくださいよ」

「東京セントラル証券の、なんて担当者だ」

そのとき、伊佐山がきいた。「名前はきいたか」

広重は、スーツの内ポケットから名刺入れを出し、テーブルに出す。それを見た途端、

「半沢か」

舌打ちとともに顔を上げた伊佐山の顔付きが変わっていた。野崎が不機嫌極まりない表情で、じっとテーブルの一点を睨み付ける。

「知ってるんですか」

「ウチから証券に出向している男だ」

「お宅から？」

広重は目を丸くした。「だったら行員じゃないか。同じ銀行の人間が、相手方のアドバイザーに就くはずがないだろう」

「そんな常識が通用する相手じゃないんだよ」

いまいましげに伊佐山はいった。

「一体、何者なんだ、その半沢という男は」

銀行員ふたりがお互い顔を見合わせ、返事があるまで、しばしの沈黙が挟まった。

「最悪の相手だ」

やがて伊佐山が認めた。「トラブルメーカーとでもいうか。挙げ句、〝証券〟に出向になった、いわば札付きってやつさ」

「たしかに、強引な男ではあった」

やりとりを思い出しながら、広重はこたえた。「そんな問題行員だったのか。どうあれ、銀行サイドから強く申し入れれば、少なくとも訴訟云々の話は収まりがつくだろう」

「いわれなくても、そうするつもりだ。ただ――」

悔し紛れに伊佐山はいい、野崎を振り返った。「これでスキームを維持することは不可能になったぞ」

負けず嫌いの野崎の視線が、悔しげな光を放って真正面に投げられている。険しいまの横顔が事態の難しさを物語っていた。

やがて、野崎から細く長い息が吐き出された。

「このスキームの続行は諦めるしかないようです」

「じゃあどうする」鋭い舌打ちとともに伊佐山はきいた。

「公開買い付けでいくしかありません。ただ、このスキームが破綻したことによって、東京スパイラルもまた買収防衛策の練り直しを迫られているはずです」

「向こうの防衛策が白紙なら、資金調達済みのウチのほうが有利だな」

即座に伊佐山が断じた。

「東京スパイラルがどんな手に出るか防衛策に関する情報は？」野崎がきいた。

「残念ながら、なにも」

広重は、少しバツの悪そうな顔で答える。野崎は、使えない奴だといわんばかりの顔をしたが、気にしたのは電脳への対応だった。

「平山社長に、説明する必要があります、部長」

伊佐山が顔をしかめた。平山はそう簡単に納得する相手ではないからだ。

「電脳の平山さんには、諸田から話をさせよう。それと問題は――」

いいかけた伊佐山は、続きを呑み込んだ。このスキームを評価していた副頭取の三笠《みかさ》の反応も問題だ――そういいたかったのだが、部外者である広重の前でいうことではない。その代わり、広重と向き合った伊佐山は、ビジネスライクに言い放った。

「ともかく、このスキームはこれで手じまいにしよう」

「仕方がない」

広重も渋々いい、「ただ、失敗に終わったのはウチの過失じゃなかったんだし、手数料の一部は請求させてもらいますよ」、と商売人の一面を見せる。

「冗談じゃない」

伊佐山は突っぱねた。「成功報酬ですよ、そんなものは。お宅は東京スパイラルからアドバイザー契約の手数料をもらったわけだから、それでいいだろう」

「それでは約束が違う」

広重は食い下がった。「背任だ詐欺だといわれたのはそもそもお宅のスキームに問題があったからだ。利用するだけして、あとは知らんぷりはないだろう」

「いまそんな話をするのは止めよう」

伊佐山は余裕の表情で立ち上がりながらいった。「訴訟が気になるのはウチも同じだ。東京スパイラルと信頼関係を築くことができず、よりによって半沢の介入を許してしまったのは御社だということをお忘れなく。お宅がしっかりコントロールしてくれていれば、こんなことにはならなかったはずだ」

反論しかけた広重を、さらに遮って続ける。「とりあえず、こちらからセントラル証券には圧力をかけてみる。それでいいな」

「それは是非、お願いしたい」

広重がこたえると、伊佐山はぱんと手を打って話を打ち切った。「じゃあ、スキームに協力した手数料は、その揉み消し手数料でチャラということで頼む」

豪腕で鳴る東京中央銀行の証券営業部長は、そういうと相手の反応も見ずにさっさと部屋から姿を消した。

9

「いい気分でした。だけど、本当に訴えるんですか」

その日の夜、営業企画部の若手とともに居酒屋へ繰り出した半沢に、森山がにやりとしてきいた。

「いや」

半沢もそのときのことを思い出したか笑いを噛みしめ、「腹いせに訴えたところで、面倒なだけだ。それは瀬名さんもわかってるさ。脅かしてやっただけだよ。銀行の連中もいま頃、青ざめてるはずだ」

「あの広重っていう男の慌てようは見物でした」

森山はにんまりした。「嘘がバレたときのあいつの顔、いま思い出しても胸がすっとします」

「あいつは小物だ」

半沢は涼しい顔でいった。

「もっと大物がいると？」

森山は、生ビールのジョッキを片手に考えを巡らせる。「銀行の証券営業部とかですか」

「まあな」

半沢はうなずいた。

「ひとつ気になるんですが」

森山は飲みかけたジョッキをテーブルに戻してきいた。「このスキーム、東京中央銀行が正式に承認したものだと思いますか」

「もちろん」

半沢はこたえた。「ただ、中野渡頭取の好みとも思えないし、最終的にスキームについては三笠副頭取や証券営業部に一任されたらしい。副頭取の三笠さんは、証券部門の出身で、しかも旧Tの旗頭だ。たとえスキームに疑問符は付いても、行内バランスを考えたとき、やらせてみるのもひとつの判断だからな。そうして結果を見守る。戦略家の中野渡さんなら、そのぐらいのことはやりかねない。清濁《せいだく》併せ呑むタイプだ」

半沢は腕組みをすると、居酒屋の壁を睨み付けた。「いま頃、奴らは奴らでこの問題の対策を練ってるだろうよ。このまま黙っているような奴らじゃない。なにか仕掛けてくるはずだ」

「たとえば？」

「一番考えられるのは、銀行サイドからウチの上層部に対する圧力だろうな」

「汚いな」

森山は吐き捨てた。「こっちの案件を持ち逃げしたのは向こうなのに」

「そんな理屈が通る相手じゃない。自分たちを正当化するのは銀行員の特技だからな」

「また組織の論理ですか」、と森山は鼻に皺を寄せた。

「お前は嫌いなんだよな、そういうのが」

そういった半沢に、「嫌いです」、と森山ははっきりこたえた。

「いつもそんなもんばっかりに振り回されてる世代ですから、オレら」

「まあ、そうかもな。組織とか、世の中とか」

半沢はこたえた。「だけど、それと戦わなきゃならないときもある。長いものに巻かれてばかりじゃつまらんだろ。組織の論理、大いに結構じゃないか。プレッシャーのない仕事なんかない。仕事に限らず、なんでもそうだ。嵐もあれば日照りもある。それを乗り越える力があってこそ、仕事は成立する。世の中の矛盾や理不尽と戦え、森山。オレもそうしてきた」

飲みかけのジョッキを握りしめたまま、森山はしばらくの間、呆《ほう》けたように半沢を見ていた。

やがて、

「わかりました」

そういうと、握りしめていたジョッキを、どんとテーブルに置く。「部長がそうおっしゃるんならオレも戦いますよ」

「とりあえずは、明日だ」

そういった半沢に、「なにかあるんですか」、と尋ねたのはふたりのやりとりをきいていた尾西だった。

「勝負に出るんですよ」

森山がこたえた。

「勝負？」

きょとんとした尾西に、「明日になればわかりますから」、森山はいうと毅然とした顔で空《くう》を睨んだ。

10

「スキームが継続できなくなった？　どういうことですか、それは」

副頭取の三笠洋一郎《よういちろう》は、丁寧な言葉とは裏腹に鋭い眼差しで伊佐山を射た。

証券営業部から三笠へメモを回したのは、朝一番のことであった。終日所用で埋まっていたはずの三笠のリアクションは夕方になるだろうと予想していた伊佐山だが、午後早い時間に呼び出しの電話がかかってきたのには驚いた。どうやら予定を変更して時間を割いたらしい。それだけ三笠の関心が高いことの表れだ。

「申し訳ありません。実は、東京スパイラルが買収スキームを察知したようで。フォックスをホワイトナイトにする当初案が継続できない状況に陥りました」

話の続きを促す三笠は無言だ。物静かな男だが、三笠が決して温厚な男ではないことを、長く部下として仕えてきた伊佐山は骨の髄まで理解していた。

「買収スキームを察知された？　どうやって」案の定、三笠はきいてきた。

「東京スパイラルが新たなアドバイザーを任命しまして。そのアドバイザーに見破られました。こちらとしても、まったく寝耳に水の話でして――」

「どこですか、そのアドバイザーというのは」

尋ねられ、さすがの伊佐山も口ごもった。そのことは直接会って話したほうがよかろうと、回付したメモには書いていない。予想はしていたことだが、三笠の慍色《おんしょく》に触れては、いささかこたえにくかった。

「東京セントラル証券です」

返事は、ない。

三笠は、本物そっくりに作られたマネキンのように見えた。デスクの前で直立不動の姿勢を取っている伊佐山に向けられている平板な目は、背中がひやりとするほど怖ろしい。

「どうやら、東京セントラル証券が、アドバイザーとしての食い込み工作をしていたようです」

「いつから」

ようやく三笠は問うた。

「わかりません。昨日、太洋証券の担当者が東京スパイラルの瀬名社長と面談したとき、初めて知らされたとのことでして。太洋証券担当者の話では、新たなアドバイザー契約を締結するような話は、それ以前にはまったくなかったそうです」

「そんな話が突然、湧いて出てくるはずはないでしょう」

三笠の指摘は、いつも正論だ。そして、大概《たいがい》の場合、反論する余地もない。伊佐山は、指で冷や汗の滲む額をこすった。

「太洋証券には、瀬名社長をしっかりフォローするよう指示しておりましたが、担当者に甘さがあったかと」

スキームの失敗が太洋証券にあることを、伊佐山はそれとなく示唆した。だが、完璧主義者である三笠の怒りがそれで収まるはずもない。

この買収案件を成功させるため、役員会を説いて回ったのは、他ならぬ三笠であった。渋る頭取の中野渡を説き伏せ、本件が東京中央銀行の証券業務に多大な寄与をもたらすと副頭取自ら主張したことは、電脳に対する巨額支援を大きく前進させる原動力となった。

仮に電脳が東京スパイラル買収に失敗するようなことになれば、巨額支援がふいになるばかりか、三笠の顔に泥を塗ることになる。さらにアドバイザーたる東京中央銀行の沽券《こけん》にも関わる。

「東京セントラル証券はどうやってウチのスキームを見破ったんですか」

伊佐山は幾分表情を歪め渋い表情を作った。

「太洋証券の話では、内部告発だと」

「内部告発？」

怪訝《けげん》な眼差しを、三笠は向けてきた。「馬鹿な。東京セントラル証券に告発してどうするんです。犯人は誰ですか」

「アドバイザーチームのメンバーについてはわかっています。そんなことをする者はいません」

「チーム以外にスキームが洩れたということですか」

三笠の問いに、伊佐山は渋い表情を浮かべた。

「可能性はあります。ただ、情報管理は徹底しておりまして、アドバイザーチーム以外に洩れるとは思えません。それについては、これから調査していきたいと思っています」

「ぶざまな話ですね」

三笠の反応は冷ややかだ。

「ただ、太洋証券の話では、相手は訴訟も辞さない強硬な態度だそうでして」

想定される事態に、伊佐山は額の汗を拭った。

「そんなことはさせませんよ」

即座に、期待した答えがあった。「私から岡君に申し入れておきましょう。そんなことをいった担当者の名前はわかりますか」

「それがその——ウチからの出向者でして」

いいにくそうに、伊佐山はいった。

「出向者？」

三笠がじろりと睨んだ。「誰ですか？」

「半沢です。営業第二部の次長だった――」

三笠の眉間に深い皺が寄せられ、嫌悪感が滲み出てくる。

「由々《ゆゆ》しき問題ですね、それは」

三笠にしては珍しく、感情を露《あらわ》にした。「証券子会社が、親会社である東京中央銀行の案件を邪魔した挙げ句、訴訟を口にするなど、言語道断だ」

「おっしゃる通りです。ただ、こちらとしてはあまり大事《おおごと》にして、頭取の耳に入るのもマズイかと」

「わかっています」

難しい顔で、三笠はいった。

「賢明なるご処置を、何卒《なにとぞ》、お願いいたします」

伊佐山が深々と頭を下げたとき、ドアがノックされた。

顔を出したのは、諸田だ。どういうわけか、表情が引きつっているように見える。

「す、すみません、お話し中」

諸田はひと言詫びると、慌ただしく部屋に入ってきた。「実はいま、情報が入ってきました。東京スパイラルがフォックス買収を決め、公開買い付けを実施するそうです」

なに、と思わず伊佐山は素《す》っ頓狂《とんきょう》な声を出した。

「相手の出方がわかりません。なにを考えているのか……」諸田は、戸惑いを隠し切れぬ表情で首を傾げる。

「フォックスの郷田社長には話を伺ったんですか」

冷静な声で三笠がきいた。

「連絡を取ろうとしていますが、まだつかまりません」

諸田は困惑していった。なにがどうなっているのかわからない。だが、得体の知れないなにかが近づいてくる足音を、伊佐山はきいた気がした。

「平山社長との面談、これからだったな。私も行く」

伊佐山は、血走った目を部下に向けた。

「かしこまりました」

諸田とともに三笠の前を辞去した伊佐山は、部屋のドアを閉めた途端、吐き捨てた。

「なにを企んでいるんだ、半沢は！」

第六章　電脳人間の憂鬱

1

「御行を信用していたのに、どういうことですか」

電脳雑伎集団の平山は、いつもながらのサラリーマン然とした風貌から、厳しい眼差しを向けてきた。

「まことに申し訳ございません」

伊佐山とふたりで詫び、「東京スパイラルのアドバイザーだった太洋証券の不手際で──」

諸田が用意してきた言い訳を口にしたとき、

「そうじゃないでしょ」

ヒステリックに制したのは、平山ではなく、隣にいる副社長の美幸であった。「太洋証券を仲間に入れたのはお宅じゃないですか。それをいまさら、なにいってるんです。

無責任ですよ」

「申し訳ありません」

返す言葉もなく諸田がまた詫びた。「ただ、こうなった以上、フォックスを利用したスキームは断念せざるを得ません。オーソドックスなやり方になりますが、公開買い付けという形で進めさせていただくことになると思います」

「そのフォックスの件ですが、平山社長――」

伊佐山が話を継いだ。「先程、東京スパイラルが買収の意向を発表したという情報が入ってきました。公開買い付けで過半数の取得を目指すという話ですが、お耳に入っていますか」

「さっきネット速報で見ました」

平山は、驚いた様子もなく淡々と構えている。「どういうつもりか理解に苦しむね。買収成功の可能性はあるんですか」

「フォックスの株価は、例の巨額損失が報道されて以来、暴落を続けております」

伊佐山はいった。「買い付け価格次第では過半数を獲得してしまう可能性が高い。フォックスを支援していただくのであれば、いまこのタイミングがよろしいかと思いますが、いかがでしょうか」

すると、平山はなにか珍しいものでも眺める目で、伊佐山を見た。

「それはどういう意味ですか？」

その質問に、伊佐山は当惑を隠せなかった。かねてフォックスの支援先を探している最中、電脳雑伎集団のほうから手を挙げてきたはずであった。

「お約束通り救済していただくのであれば、このタイミングで発表していただきたいと、そういうことです。フォックスは電脳さんに救済を求めています」

「状況が違うでしょう」

伊佐山の期待に反して平山は冷たく言い放った。見かけこそ生真面目なサラリーマンだが、ひと皮剝けば海千山千のベンチャー経営者だ。いまその合理主義者の本質が、仮面の下から覗いている。

「買収スキームに利用できるのであればまだしも、そのスキームは破綻したわけでしょう。であれば、ウチとしても買収には慎重にならざるを得ませんね」

その変わり身の早さに、伊佐山はじわりと腋《わき》に汗が滲み出てくるのを感じた。見れば諸田も啞然とした表情を、平山に向けている。

「ご存知のように、ウチらの業界は厳しいんですよ。郷田社長とは親しくさせていただいていますがね、温情で救済できるほど甘くはない」

「しかし、社長――」

伊佐山は慌てた。「郷田社長は、電脳傘下に入るつもりでいらっしゃいます。そのようにお考えになっていることは、先方に伝えられましたか」

「いいえ」

平山は、平然といった。「しかし、郷田さんも納得されるはずだ」

マズイことになった。

東京中央銀行からフォックスへの既存与信は三百億円ほどある。電脳が同社を傘下に収めれば、その与信は無事回収できるという思惑があったのに、それがいま脆くも崩れようとしているのだ。

「東京スパイラルの買収支援も、フォックスの救済をしていただくという前提ありきです。そこのところを、よくご理解ください」

「逆ですよ、伊佐山部長」

平山は、冷徹な眼差しを向けてきた。「私たちがフォックス救済を正式に申し出たのは、東京スパイラルのスキームに利用できるという説明に魅力を感じたからです。それ以外の何物でもありません。スキームそのものがご破算になったいま、フォックスを傘下に収めるメリットが果たしてどこにあるのか、私は理解に苦しみますね」

「社長、それでは我々としてもちょっと――」

諸田が眉間《みけん》に深い困惑の皺《しわ》を立てたが、平山は動ずる気配すらない。

「ちょっとなんです?」

とがった口調で尋ねたのは、平山ではなく、美幸のほうだ。

「我々としては、御社の買収資金とフォックス救済は抱き合わせで考えております」

伊佐山が話を継ぎ、苦言を呈した。「当初からそういう〝握り〟で買収資金の支援をさせていただいているという理解ですから、ここはひとつ計画通り進めさせていただきたい」

支援条件を逸脱すれば、再度、稟議《りんぎ》を役員会に上げて判断を仰《あお》がなければならないという内部事情も抱えていた。条件変更は稟議を上げた証券営業部の見通しの甘さと表裏一体だ。そう簡単に譲るわけにいかなかった。

「我々としても抱き合わせであったことは承知してますよ、それは」

平山は認めた。「しかし、フォックスを利用した買収スキームが崩壊したんだから、履行する義務もないでしょう」

「買収支援によって、すでに動き出しております」

伊佐山は、低頭しつつ上目遣いで平山を見た。「ご配慮をお願いできませんか。フォックスは、そう高い買い物ではありません」

だが、平山夫婦は、眉ひとつ動かすことなくその言葉を黙殺した。

「どうしてそうこだわるんです？」

そうきいたのは美幸だ。「東京スパイラルが買うんでしょう。であれば郷田さんも救われる。お宅の債権だって守られるんじゃないの？」

「銀行取引とは、そういうものではありません、副社長」

辛抱強く、伊佐山はいった。「カネに色は付いていないといいますが、その無色透明なカネに色を付けるのが銀行の仕事なのです。千五百億円を支援し、それは買収資金であるとともにフォックスの救済資金でもある――そういう色付けをした以上、そのようにお願いしたい」

「お断りします」

平山がいった。「そんなことをおっしゃるのなら、アドバイザーの座を降りていただいても構わないんですよ、伊佐山さん。別にこちらからお願いしたわけではないんだし」

話の成り行きを窺《うかが》っていた諸田の顔色が変わった。

伊佐山は静かに息を呑み、平山を見つめている。

アドバイザーの座を失えば、東京中央銀行の評価はガタ落ちだ。それは同時に、このふたりの行内評価にも、取り返しようのないバッテンが付くことを意味する。

「上場来、いやそれ以前からのお付き合いじゃないですか、社長。支援は今回だけではありません。将来のこともある。いつもいい時ばかりではありませんよ」

伊佐山の面差《おもざ》しに影が差し、眼光が鋭くなった。言葉遣いは丁寧でも、その態度には「貸してやっているんだ」という傲慢さが滲み出ていた。

「この案件だけを見るのではなく、トータルでお考えいただけませんか」

伊佐山の説得は続く。「お互い、持ちつ持たれつ、困ったときに手を差し伸べられるのも、それまでの親密な取引があってこそではありませんか」

ききようによっては脅しとも取れる言葉に、平山は黙って耳を傾けている。

「まだ買収は緒《ちょ》に就いたばかりだ、平山さん。東京スパイラルを傘下に入れれば、それはそれで運転資金が必要になるでしょう。こんなことで揉めるのは御社としても得策じゃないと思いますよ」

「まあ、そうおっしゃるのなら、検討してみましょう」

平山の返事に銀行員ふたりは、かすかな安堵《あんど》を浮かべた。

「ご英断を期待しております」

慇懃な態度になってそういった伊佐山に、「それにしても、東京セントラル証券はなにを考えているんですか」と平山は話題を変え、不満を表明した。

「ウチとの関係を反故《ほご》にするどころか、親会社である銀行の意向まで無視するとは。これは子会社の暴走でしょう。お宅のガバナンスの問題ですよ、これは」

平山は、東京セントラル証券が東京スパイラルのアドバイザーになったことが、余程、腹に据えかねると見える。

「その点については誠に申し訳ない」

伊佐山は手を両膝について形ばかりの頭を下げた。「おっしゃる通り、実にけしからん話で、当行としても事態を重く受け止め、しかるべき措置は取っていくつもりでおります。グループ全体を考えて利益相反になるようなことは決して許さない覚悟でございます」

「まったく、あまりちぐはぐなことにならないようにお願いしますよ」

いまいましげな平山の舌打ちとともに、その面談は終わりになった。

2

東京セントラル証券社長の岡の元に、副頭取の三笠から「至急、話をしたい」と申し入れがあったのは、東京スパイラルがフォックス買収計画をぶち上げた翌週のことであった。

銀行の副頭取が証券子会社社長を直接呼び出すのは異例のことだが、その用件はきくまでもない。随行するように、と半沢が命じられたのも当然であった。

いま、デスクで書類に目を通していた三笠がゆっくりと立ち上がり、身振りでソファを勧めると、自分は反対側の肘掛け椅子に収まった。

敵対する派閥の領袖として、銀行員時代からよく知っている男である。

感情を爆発させるタイプではないが、口数が少ない男でもない。ところが、いま岡と半沢が入室してから三笠は、ひと言も発することがなかった。不機嫌そのものである。

ドアがノックされ、新たに入ってきたのは案の定、証券営業部長の伊佐山だ。

伊佐山は半沢に苛立《いらだ》ちの視線を送ってから、空いている向かいの席に腰を下ろした。

「東京スパイラルのアドバイザーに就任するとはどういう意図なのか、説明してくれたまえ」

ようやく発せられた三笠の言葉は、たったいま製氷室から転がり出た氷のように硬く、冷たかった。

「私どもの正常な営業活動の一環として、行なっております」

こたえた岡の横顔は緊張で強張っている。普段、銀行に強い対抗意識を燃やしている岡だが、副頭取の三笠となると相手が悪い。

「君たちの営業活動はグループ全体の利益にかなうことが前提ではないんですか」三笠がいった。

「もちろんです」頬のあたりを硬くしたまま、岡はこたえた。

「だったら、君たちがやっていることは矛盾してますね」

三笠の目が、隣に控えている半沢に向けられた。「撤退していただけませんか。どうです、半沢さん」

「お言葉ですが――」

半沢は口を開いた。「資本グループであっても、同じ業務を行なう証券部門を双方が抱えている以上、こういう事態は想定内であると考えております」

「それがグループの利益にかなうとでも？」

「目先の利益のことをいっているわけではありません」

半沢はこたえた。「我々もこうした大型買収事案に携わり、経験を積むことで、長期的には証券部門の強化につながると考えています。それが将来的にグループ全体の利益に寄与することはいうまでもありません」

「君は、妙なことをいいますね」

三笠は、感情の読めない目で半沢を見据えた。「君のいう長期的利益とは、果たしてどのくらいのスパンをいっているんですか。五年？　それとも、十年？　スピード経営の時代に、その考えはそぐわないと思いますよ」

「ウチの会社はまだ若く実績もない。こういう会社が成長するためには目先の利益を追ってばかりではなく、長期的な視野でノウハウを獲得していく必要があります」

半沢は落ち着き払った口調で反論した。「またグループの利益とおっしゃいますが、電脳雑伎集団と当初、アドバイザー契約を締結していたのは弊社です。御行はそれを破棄させ、新たに契約を締結しました。それがどうグループの利益に結び付くのか、ご意見をおきかせ願えないでしょうか」

三笠は憮然とした表情を浮かべたものの、反論の言葉はない。

「副頭取に失礼だろう、半沢」すかさず伊佐山が反発したが、半沢はそれを無視して答えを待つ。隣で、岡が息を詰めていた。

「君、証券部門は、銀行にとって重要セクションのひとつなんですよ。これほどの案件なら、証券子会社でやるより銀行本体でやったほうがいい。そうは思いませんか。ビジネス効率の問題です」

三笠の返答に、

「私は東京セントラル証券の人間です、副頭取」

半沢はきっぱりといった。「私の仕事は、東京セントラル証券を成長させ、利益を確保していくことです。そのために、電脳のディールは欠かせないものでした。もし、そのような判断が銀行にあるのであれば、アドバイザーの座を代わりたいと事前に申し入れていただくべきではないでしょうか。御行がされたことは、スジが通っていません」

「電脳のアドバイザーとしてふさわしいのは、〝証券〟ではなくウチだろう」

伊佐山が鼻息も荒く、言い放った。「実力も我が証券部門のほうが格段に上で、だからこそ充実したサービスが提供できる。それがわかっているから、平山社長の判断で我々がアドバイザーに就いたんだ。つまり顧客判断なんだよ。これ以上スジの通った話がどこにある。そんなことをいちいちそっちに報告して、申し入れる必要はない」

「ならばウチも立場は同じです」

半沢は言い返した。「東京スパイラルからアドバイザー就任の依頼があり、それを受けたまで。それのどこが問題なのか、教えていただけませんか、伊佐山部長」

「だから、いっただろう」

伊佐山は苛立ちを露《あらわ》にした。「グループの利益に反すると」

「いま、部長は銀行のほうが実力が上だとおっしゃったじゃないですか。であれば、ウチが相手でも問題ないのではありませんか」

伊佐山は顎を引いて反論の言葉を探す。

「私はお宅のことを心配してるんだ。そちらのやり方次第では、東京セントラル証券の市場評価が毀損《きそん》する。そうなれば当行の証券戦略にも影響しかねない」

「大事なことをお忘れのようですが、伊佐山部長」

半沢はいった。「中野渡頭取のスローガンは顧客第一主義です。それぞれの顧客がベストと信じる相手にアドバイザーになってくれと依頼してきた。それに応えるのが我々の使命ではないでしょうか。同じグループであっても顧客は違う。グループの論理を優先して顧客のニーズに応えないのは、頭取のお考えに反すると思いますが。それに頭取は普段から、東京中央銀行と東京セントラル証券は、同業のライバル同士だと発言されています。頭取が本件についてどうお考えになっているか教えていただけませんか」

伊佐山が言葉を呑み込んだ。三笠は腹の上で指を組んだまま、じっと半沢を見据えている。こたえられないのは、証券本部がアドバイザーの座を東京セントラル証券から横取りしたことを頭取に報告していないからだ。

「スジを通しませんか、伊佐山部長」

半沢はたたみかけた。「グループ会社だから手を引けとおっしゃるなら、子会社のディールを無断で横取りするようなことはすべきではなかった。違いますか？」

「わかりました」

何事か反論しかけた伊佐山を遮り、三笠が両手を合わせてぽんと音を立てた。「要するに君は、これは銀行と証券がそれぞれ独自の営業努力で獲得したディールだといいたいわけですね」

「その通りです」半沢はこたえた。

「であれば、伊佐山君——君も手加減することはない」

三笠は、脇で憮然としている伊佐山にいった。「双方の顧客がそれで納得しているのであれば、それぞれが与えられた役割をきちんと果たせばいい。そうですね、岡社長——」

副頭取の前で、普段の勢いは半減し、すっかり大人しくやりとりを窺っていた岡は、

「は」、と短い返事をする。

「忙しいところ、お呼び立てして申し訳なかったね」

三笠は、腰を上げながらいった。「そういうことでしたら、せいぜい恥を掻かないように頑張ってください。我々も容赦はしませんよ。それに、失敗しても、言い訳は聞く

耳持ちません。半沢さん、あなたもそれは覚悟の上だとは思いますが」

「もちろん。望むところです」

半沢はきっぱりとこたえると、岡とともに副頭取の執務室から外に出た。

3

「大丈夫なんですか、部長」

銀行でのやりとりをきいた森山は気後《きおく》れした顔を見せた。「そんなことをして、将来、銀行に戻りにくくなりませんか」

「そんなことは考える必要がない」

半沢は笑い飛ばした。「オレが考えるべきことは東京セントラル証券の利益をどう上げるか、ということだけだ。戻るとか、戻らないとか、そんなつまらんことは人事部が判断すればいい。与えられた仕事に全力を尽くす。それがサラリーマンだろ。なにかヘンか?」

浮かない表情の部下に、半沢はきいた。

「まあ、そうかも知れませんけど」

森山は戸惑いを見せた。「銀行から出向してきたひとは、銀行に帰ることしか考えていないみたいなんで。諸田次長や三木さんも、そうじゃないですか」

「銀行に戻ったほうがいいなんてのは、錯覚なんだよ」

森山は、黙って半沢を見ている。「サラリーマンは——いや、サラリーマンだけじゃなくて全ての働く人は、自分を必要とされる場所にいて、そこで活躍するのが一番幸せなんだ。会社の大小なんて関係がない。知名度も。オレたちが追求すべきは看板じゃなく、中味だ」

「中味、ですか」

つぶやいた森山に、

「君にもそのうちわかるさ。ところで——」

半沢は話を本題に戻した。「瀬名社長にも同席してもらって郷田社長に面談を申し入れようと思う」

「郷田さん、会ってくれますかね」

「どうかな。しかし、買収したら一緒に仕事をすることになるかも知れないんだ。とりあえず挨拶ぐらいしておかないとな」

デスクの電話を手にした半沢は、直接、瀬名に連絡を取りはじめた。

是非、直接挨拶をしたいし、そうすべきだ——というのが、瀬名の意見だった。

無論、そこには郷田に対して、いうべきことをいいたいという思いもあったろう。

つい先日までホワイトナイトとして東京スパイラルの救済役を買って出た男の化けの皮が剝がれたのだ。

銀行や証券会社とグルになって詐欺まがいの役割を演じてきた男に、真っ向、挑戦状を叩き付けてやる——瀬名には、そんな思惑もあったかも知れない。

　郷田から、面談に応ずる旨の連絡があったのは、その日の午後のことだった。

「それにしても、郷田社長が面談の申し出を了承したのは、意外でしたね」

　その日、フォックスに向かう道中、森山が感想を口にした。

「いや、オレは可能性はあると思ってた。逃げ続けてもはじまらないからな。謝罪すべきは謝罪するほうがいいと、郷田さんも思ったんじゃないか。それは正しいね」

　瀬名と品川にあるフォックス本社前で待ち合わせ、応接室に通されると、すぐに緊張した面持ちの郷田が入室してきた。

「お忙しいところ、貴重な時間をいただきましてすみませんね、郷田さん」

　瀬名の口調は皮肉混じりだ。目には、怒りが浮かんでいる。

「いえ、本来なら私から謝罪にお伺いすべきでした」

　郷田は深々と瀬名に頭を下げ、「今回の件、本当に申し訳なかった」、そう詫びた。

「なんでですか」

　謝罪を繰り返す郷田に、瀬名がきいた。「なんであんな嘘を吐《つ》いたのか、理由をきかせてくださいよ」

　東京中央銀行のスキームが破綻した後、郷田からの連絡はしばらく途絶えていた。からくりがバレたことはすぐさま郷田の耳に入っていたに違いない。一方、瀬名からも郷田に連絡を入れることはしなかったが、それはフォックス買収という新たなスキームが提示されたことが大きい。

郷田の表情が歪んだ。

「私が弱かった。全てはそれに尽きます」

「意味、わかんないんですけど」

鼻に皺を寄せ、瀬名は、嫌悪感を剝き出しにする。

「投資失敗による巨額損失で、ウチは資金繰りに窮していました」

郷田はいった。「自主再建は遠く、身売り先を探すしかなかった。電脳の平山さんがそれを引き受けてくれなければ、行き詰まる。その平山さんからの頼みとあっては、とても断れなくて」

「言い訳ですよ、そんなのは」

瀬名の非難を、郷田はただ受け止め、俯《うつむ》くしかない。「郷田さん、あんたがやったことは、はっきりいって詐欺ですよ。カネのためならなんでもやるんですか。あんた経済ヤクザか」

「私は臆病でした」

郷田のひと言には、追い詰められた経営者の心情が滲み出ていた。「倒産して、路頭に迷うことが怖かった。平山さんから見放されたら、もうウチを助けてくれるところはない。そう思ってしまった」

「自分可愛さに人を騙すかな、フツー」

瀬名の言葉には内面の怒りが滲んでいる。「ブレてるよ、郷田さん。人としても経営者としても。本業に専心するとかいいつつ、少し業績が悪化すると、運用に手を出す。

だから失敗するんだ。いろいろ言い訳してるけどさ、結局、地位や名声を手放すことが惜しかっただけじゃないですか」

「そういわれれば、その通りかも知れない」

「かも知れないじゃなくて、その通りなんですよ」

瀬名は決め付け、体を乗り出した。「今回の件、オレは絶対に許せない。それだけはいっておきますよ」

郷田が返したのはまた、「申し訳ない」、という小声の謝罪だ。

「ところで、本日お伺いしたのは、謝罪していただくためではありません」

頃合いを見計らって、半沢が口火を切った。「今回、東京スパイラルは、公開買い付けによるフォックス買収を決定しました。それについて、郷田社長のご意見をお伺いし、可能であればそれに賛同していただけないかと考えております」

じっと考えている郷田の視線は、テーブルの一点に結び付いたままだった。ようやくそれが上がったかと思うと、「それはできません」、という返事がある。

「申し上げた通り、平山さんからすでに救済の約束をいただいてます。たしかに、ホワイトナイトを騙《かた》ったのは申し訳なく思いますが、御社による公開買い付けに賛同するわけにはいきません。先に声をかけていただいたのは平山さんですので」

「早い遅いの問題でしょうか、郷田社長」

半沢が疑問を呈した。「あなたにとって、いやフォックスにとってどこが本当に相応《ふさわ》しい相手かという視点で検討されたのでしょうか。電脳の傘下になって、うまくいくとお考えですか」

「私は正直、困り果てていました」

郷田は、いった。「平山さんはその私に救いの手を差し伸べてくれた。どうあれ、そのご恩は裏切るわけにはいきません」

「お言葉ですが」

半沢は反論する。「平山社長ほどの合理主義者はいらっしゃいませんよ。情で救済するような人じゃない。電脳にあるのはソロバン勘定だけだ。救済買収した後のことは話し合われましたか。経営陣はどうなるのか、経営方針は、社員の雇用は――？　電脳が買収すれば、いまあるフォックスのカルチャーは、全て塗り替えられるでしょう。完膚《かんぷ》なきまでにです。あなたが育てた会社は、看板だけ遺して電脳に呑み込まれると思ったほうがいい。いや、もしかしたら欲しいものだけを奪い取り、後は捨てられるかも知れない。御社の顧客やサービスのノウハウ。それだけが狙いかも知れない。だとすれば救済とは名ばかりだ」

返事はない。郷田は俯き加減になりながら指を組み、黙考している。やがて出てきたのは、

「私は、平山さんを信用しています」

というひと言だ。「パソコンとその周辺機器を販売してるウチと、同業周辺ではあるがウチにはない顧客を有する電脳雑伎集団とが組めば、なんらかのシナジーが見込めるでしょう。再生のチャンスはあります」

「御社がパソコンや周辺機器を製造している会社であれば、そうかも知れない」

半沢はいった。「しかし、製造元から仕入れるという点で、電脳も御社も実は同じ場所に立っているんですよ。現状でも安く仕入れている電脳にとって、敢えて御社から仕入れるメリットはほとんどない。この話には、電脳側のメリットがないんです。失礼ですが、平山さんにとって、御社は東京スパイラル買収の道具立てに過ぎません。しかも、いまとなってはその意味もない」

傍《かたわ》らできいていた森山が顔を上げた。半沢の指摘で、森山自身、電脳の真意に気付かされた——そんな顔だ。

「平山さんがどうお考えになっているか、ここで推測してもはじまらないでしょう」

郷田の言葉に、微かな苛立ちが滲んだ。「とにかく、平山さんから声をかけていただいた以上、私の考えは変わりません。公開買い付けをされるのならどうぞ。それは瀬名さん、あなたの判断だ。だが、ウチがそれに賛同することはありません。あなたには申し訳ないことをしてしまったが、これはこれでスジを通させてもらいます」

「いまさら、スジですか。わかりました」

瀬名はぽんと膝を叩いてから、郷田にいった。「では、ウチは、御社の買収を進めますから、そのつもりでいてください。これ以上お話ししても進展がありそうにないんで、引き揚げます」

郷田との面談は、なんら実りのないまま幕を閉じた。

4

「かくして、公開買い付けへ突入か」

半沢の話をきいた渡真利は、そういって、ヒラメの薄造りを口に放り込んだ。銀座コリドー街の地下にある、渡真利行きつけの寿司屋だった。

「郷田さんが頑《かたく》なでな。しょうがない。まあ、最初から簡単にいくとは思ってなかったが」

「同世代の平山さんならともかく、三十そこそこの若造の軍門に降《くだ》りたくないとでも思ってるんじゃないか」

「それもあるかもな」

半沢は切り身をつまみながら、いった。「ただ問題なのは、経営者として、いま郷田さんの目が曇ってるってことだ。判断ミスが目立つ。巨額損失を生んだ運用に手を出したのもしかり。今回の件も、電脳側にさしたるメリットがないことは一目瞭然なのに、誤ったスジ論にこだわってそれをスルーしようとしている。ある種の現実逃避だ」

「一方、スパイラルが買収すればメリットはありそうだな」

渡真利は認めた。「郷田さんがそういう態度ならガンガンやってやれ。そういいたいところだが、ウチも絡んでいるだけに複雑だ」

渡真利はそっと眉を顰《ひそ》めると、話を変えた。「ところで、副頭取に呼び出されたんだってな」

さすが、銀行きっての情報通だけのことはあって耳が早い。「お前にいうのも釈迦《しゃか》に説法だが、あんまり刺激しないほうがいいんじゃないのか。本当に片道キップになっちまうぞ」

「証券はなかなか居心地がいい」

「アホか」

渡真利は、コワい顔をしてみせた。「お前がそんなことにでもなったら、ガッカリする奴は大勢いるんだぜ。伊佐山さんともやり合ったらしいじゃないか」

「あんまりスジの通らないことをいうもんで」

半沢は鼻で笑ってこたえた。「大した話じゃないさ」

「そう思ってるのはお前だけだ」

すでにビールのジョッキを空にして熱燗《あつかん》に切り替えた渡真利は、頬のあたりを赤くしている。「三笠副頭取は、兵藤《ひょうどう》部長にそれとなく根回ししてるらしいぞ。お前の話をして、困ったひとですね、だとさ。その場に居合わせた奴がオレにそういってた」

兵藤裕人《ひろと》は、人事部長だ。「兵藤さんは適当に聞き流したという話だが、実際問題、東京セントラル証券が東京スパイラルのアドバイザーに就任した件については眉を顰める向きも多い」

「そいつらに、銀行がしたことを話してやったらどうだ」

半沢は皮肉っぽく返した。「そうすれば全員納得するだろう」

「盗人猛々《ぬすっとたけだけ》しいといわれそうだが、知っていながらお前が悪いと言い張ってる一派もいるわけだよ。誰とはいわないが」

副頭取の三笠に伊佐山、野崎あたりだろう。

「それで？」半沢はきいた。

「それでだ、そいつらは、お前が二度と銀行本体に戻れないように、あれこれと画策をはじめてるってこと」

深い嘆息とともに、渡真利は付け加えた。「それはそうと、いま証券本部内で、スキーム情報をリークした犯人捜しが進んでいるらしいぞ。誰かが、情報をお前に流したと疑われてる。お前、どこかから情報を入手したっていってたよな」

「さあな」半沢はとぼけた。「だいたい、情報を盗んだのはそっちが先だろ」

「そんな話、通用するわけないだろう」

呆れた渡真利は、真剣な眼差しになって続けた。「いま行内では半沢包囲網がじわじわと狭まってる。セントラルの居心地がいいか？　それは結構なことだ。だがな、半沢、お前は子会社にいるべき人間じゃない。東京中央銀行の中枢にいるべき人材なんだ。そのところ、お忘れなく」

5

「いやあ、このたびはご迷惑をおかけしまして申し訳ありませんでした」

頭を下げた郷田に、平山は、「いやいや大変でしたね」とはいったものの、その態度はどこか冷ややかであった。

フォックスを利用した東京スパイラル買収計画が頓挫したことに苛立っているのは明白で、平山自身、その責任の所在をどこに求めていいのか決めかねているふうにも見える。

ここに来る前、スキームが壊れたことは太洋証券の失態だと説明すればいい、と銀行からはいわれていた。とはいえ、フォックスの巨額損失が新聞にスッパ抜かれたのは郷田の責任だ。すべてを証券会社のせいにして知らぬ顔をするわけにいかない。

「東京スパイラルに東京セントラル証券を参入させてしまったのはたしかに太洋証券の失態かも知れませんが、それ以前にウチの運用失敗が新聞沙汰になったことは遺憾に思っております。私の至らなさが招いた事態だ。いま、どうして情報が洩れたのか突き止めようと——」

「もういいですよ、郷田さん」

平山は不機嫌そうに遮った。「いまさら原因を突き止めたところで、意味がない。東京スパイラルのアドバイザーがどこであったとしても、あの報道に接すればおかしいと思うでしょう。その時点でこのスキームは破綻したということです。あえていえば、絶対に漏洩してはいけない情報だった」

「ごもっともです」郷田は消沈して認めた。「申し訳ない」

「それにしても、奇策だな」

東京スパイラルによるフォックス買収を指し、平山はそういった。「正直、こうくるとは予想もしていなかった」

「その件ですが」

郷田は、神妙な顔のままいった。「昨日、瀬名社長が訪ねて来まして、正式な申し入れがありました」

「いま頃ですか。どうせ申し入れをするのなら、発表する前が礼儀だろうに。順序が逆だ」

平山は、自分のことは棚に上げて指摘した。「まず、郷田さんに話をし、もし合意がなされないようであれば公開買い付けなりの手続きに進むべきだったと思いますね。最近の若い者はなにを考えているのか、理解に苦しみますよ」

「瀬名さんからすれば、平山さんと私の関係を知ってしまった以上、怒りに任せて行動した部分も大きかったかも知れません」

「それで、郷田さんはなんとおこたえになったんですか」尋ねたのは、副社長の美幸だ。

「もちろん、お断りしました」

郷田がいうと、平山は左手をこめかみあたりに当てた格好のまま、目だけを動かして郷田を見た。美幸は真っ直ぐに前を見つめたまま黙っている。

微妙な空気が流れる中、郷田は続ける。

「お話をいただいたのは電脳さんが先ですし、ウチもそのつもりで社内調整を済ませています。今日はその件についても具体的なスケジュールを打ち合わせしたいと思って参りました」

だが、平山から返ってきたのは、意外な言葉だった。

「そうですか。まあお気持ちはわかりますが、こうなった以上、ウチじゃなくて東京スパイラルさんでもいいんじゃないですか」

郷田は平山の顔を見たまましばし言葉を失い、戸惑いがちにきく。

「どういうことでしょうか」

「こんなことを申し上げるのは心苦しいんですが、御社の買収については、東京スパイラル買収スキームにも寄与する部分を、ウチでは大きく評価しておりまして。それがないとなれば、これは話が違うかなと。もし、東京スパイラルに御社買収の意思があるのであれば、それで進めていただいてもいいんじゃないかと思うんですよ」

「ちょっと待ってください、平山さん」

郷田は慌てた。「ウチとしては電脳さんにお世話になるつもりで準備も進めていますし、それは御社も同じはずです」

お互いの企画部社員による合同チームがすでに立ち上がり、今後のビジネスプランを模索している状況だ。

「それはわかってますけどね、私どもも少々困惑しているんですよ。状況がここまで変わってしまうと」

平山がいった。「それに、ここが肝心なところですが、仮に御社が東京スパイラルに買収されても、その東京スパイラルはウチが買収する。つまり、巡り巡って結局は同じことじゃないですか」

平山は乱暴な理屈を口にした。「そのほうがウチにとって経済的でもある」

「経済的？」

思いがけない発言に、驚きで目を皿のようにしつつ、郷田はきいた。

「面倒な企業売買の事務手続きが一度に済むという意味です。安上がりですよね」

継いだ美幸の発言は、どこか主婦感覚だ。

「じゃあ、私に東京スパイラルに買収されろと、そうおっしゃるんですか」

郷田は表情を歪めた。「平山さん、企業売買って、おっしゃるような簡単なものじゃないでしょう。東京スパイラルを御社が買収するといってもいつになるかはわからないし、成功するかどうかもわからない。それなら、当初の計画通りウチとの関係を構築していくほうが確実にメリットがあるはずだ」

「メリット、ですか」

平山は、うんざりした口調でいった。「ですから、現時点でウチが御社に投資するだけのメリットがあるとは思えないと申し上げているわけです。申し訳ないけれども」

「それでは話が違います」

郷田は青ざめ、身を乗り出した。「この前までウチを傘下に収めることでシナジーが生まれるとそうおっしゃっていたじゃないですか。東京スパイラル買収の話が暗礁に乗り上げた途端にメリットがないなんて。私は、あなたの言葉を信じていたんですよ」

「それは申し訳ありませんでした」

平山は平然といった。「ただ、これはビジネスだ。たしかに御社を手に入れた場合、なんらかのシナジーが生まれるだろうし、正確にいえば、メリットだってなくはない。だけど、それだけでは魅力に乏しいんですよ。御社単体なら、わざわざ買うほどのことはないと」

「銀行はそうは考えていないはずです。伊佐山さんからはなにもきいてませんよ」

郷田は、理不尽な思いに翻弄されながらいった。だが、いま平山が浮かべたのは、憐《れん》憫《びん》にも似た笑いである。

「銀行からは、当初の計画通り御社を救済してくれといわれました、たしかに。連中にしてみれば、御社の先行きが不透明になることを避けたいという思惑があるだろうから当然です。だけど、カネを出すのはウチだ。非情といわれようと、会社のためにはビジネスに徹するべきだし、それこそが私の仕事です」

平山の態度は決然として、説得の余地すら感じさせない厳しさがあった。

「それは、正式な結論ですか、平山さん」

思いがけない展開に動揺しながら、郷田は声を絞り出した。

「もちろんです」

「役員の皆さんのご意見はどうなってるんです？」

それは、郷田にしてみれば最後の望みを託した質問であった。「財務の玉置さんは」

玉置は、この話が決まってからずっと郷田が親しく付き合ってきた男でもある。カリスマの平山の陰に隠れて目立たないが、信頼できる男だ。

ところが、

「あれは関係ありませんから」

美幸のあっけらかんとした返答に、郷田は啞然となった。

「関係、ない？」

「まだ発表はしてませんが、玉置はもう辞任します」

寝耳に水の話である。

「どうしてですか」

驚いて郷田はきいた。玉置ほどの人物になると、そう簡単に代わりは見つからないはずだ。そんな男が辞任するというのは、電脳にとって重大事以外の何物でもない。

「なにかと考えるところがあるんでしょう。去る者は追わず、です。社員など代わりはいくらでもいますから」

美幸の口調は、あまりに平然としていた。郷田は、思わずその顔をまじまじと見てしまったが、それが本心からなのか、それとも外見を取り繕った言葉なのかはわからない。

だが、代わりはいくらでもいる、という言葉は郷田の胸にぐさりと突き刺さった。

この夫婦にしてみれば、玉置のことだけでなく、郷田もまた同じことではないか。全ては、使い捨ての駒だ。

「それは残念です」

不穏に波立つ内面を押し隠し、改めて平山と向き合う。「私は、救済をいただくのなら、最初に声をかけていただいた御社以外にはないと考えてきました。もう一度、お伺いします。考え直していただくわけにはいかないでしょうか」

平山から出てきたのは、ため息だ。

「考え直すだけの材料があればそうしますがね。いまそんなものは、どこにもありませんな」

救世主になるはずだった男が向けたのは、赤の他人の横顔であった。

平山との会見から品川本社へ戻る車中、郷田は絶望に打ち拉《ひし》がれていた。

四十歳で起業してから十五年。正直、ピンチに瀕したことは幾度とあるが、いまほど絶望的な状況になったことはない。

会社の業績が右肩上がりの中で起きた危機には、どこかに解決策がある。業績が伸び、利益が上がれば、会社の危機はたいてい解決できるものだからである。

だが、いまは違う。

創業十五年を迎えたフォックスは、完全にピークアウトし、明らかな衰退局面に入っていた。他社との競争で傷付き、体力は衰え、かつて繁栄をもたらしたビジネスモデルは疲弊し、綻《ほころ》びが目立つ。

なにか新しいビジネスを考案しない限り新たな成長を見込むことは難しいが、それを成し遂げるための時間もカネもない。かつてIT企業家の雄ともてはやされ、コンピュータと称された郷田だが、ふと気付くと、そのCPUはさび付き、時代遅れになっている。

電脳雑伎集団による救済は、閉塞感漂う郷田に残された唯一の希望だった。

「オレはいったい、なにをやってるんだ」

移ろいゆく車窓の光景にぼんやりと視線を投げながら、郷田は自嘲した。

起業して間もない頃、郷田の心配はもっぱら月末の決済をどう乗り切るかであった。銀行からは相手にされず、取引先からの信用も乏しい状況の中で、どう資金繰りを付けていくか。会社が大きくなれば、そんな悩みとも訣別できると信じていたのに、いまや売上千七百億円もの会社に成長しながら、また同じことを考えている。

それどころか、いま郷田が抱えている悩みはかつてなく深刻だ。

ただ手を拱《こまぬ》いているだけでは打開することはできない。いま郷田に求められているのは、つまらぬ感傷に浸ることではなく、行動を起こすことのはずだ。

「銀行に行ってくれるか」

品川近くまで来たとき郷田は運転手に告げた。クルマは右折するはずだった次の交差点を直進し、丸の内に向かって国道をひた走りはじめた。

6

「電脳が断っただと？」

諸田からの報告を受けた伊佐山は、鋭い舌打ちをして声を荒らげた。「こっちになんの断りもなしにか」

「先程郷田社長がいらっしゃいまして、平山社長からそういう話があったと」

伊佐山の執務室である。執務用デスクの前に立っている諸田は、不穏な成り行きに表情を曇らせ、汗の浮いた額をてからせている。

「そんな勝手な話が認められると思うのか。どういうつもりなんだ、平山さんは。話はしたのか」

「先程、急遽《きゆうきよ》訪問してお話をさせていただきました」

諸田はこたえた。「当行の立場を説明しつつ説得を試みたのですが、経済合理性のない判断は下しかねるという一点張りでして」

伊佐山の額で血管が脈打つのが見えている。

「ふざけるな！」

伊佐山は吐き捨てた。「経済合理性がないだと？　これから当行と長く付き合っていくことを考えれば、合理性はないどころか大ありじゃないか。業績がいいときばかりじゃないんだぞ。カネが要るときだけ頼りにされても困ると、そういってやれ」

青ざめた諸田は、苦しそうに顔を歪めた。

「もちろん、そのように説明したんですが、それはそれで副社長の怒りを買いまして」

伊佐山はむっとした顔になる。

「そんなことをいうのなら、取引銀行を代えると」

「何様だと思ってるんだ！」

怒りを爆発させ、伊佐山は手にしていたボールペンをデスクに叩き付けた。「電脳がいまの成長を遂げるまで我慢して支援したのはウチだぞ。それを忘れたのか」

まるで自分が叱られているかのように、諸田は神妙な表情になる。

「そのあたりのところをどうも平山社長は、いまひとつ理解されていないようでして。聞く耳を持たないといいますか……。これは最終判断なので、部長にそう伝えてほしいと」

「なにが最終判断だ、撤回させろ！」

〝上から目線〟で、伊佐山は声を荒らげた。

「私も粘り強く交渉したのですが――」

諸田はいいにくそうにして言葉を選んだ。「申し訳ありません」

「話にならんな」

怒りながらも、伊佐山が一方で感じていたのは、焦りだった。証券営業部長に就任して以来、これは最大の危機といっていい。

電脳雑伎集団のアドバイザーに就任したまではよかった。強引なやり方に対する異論は、三笠副頭取の根回しもあって収益重視の論調で押し切った。

時間外取引で一気に株を大量取得して世間をあっといわせ、業界の注目を浴びたところまではまさに計算通り。公開買い付けをやると見せかけ、東京スパイラルのホワイトナイトであるフォックスを買収して過半数を獲得するウルトラCは、強烈な印象を業界に与えるはずであった。

ところが、いまやそのスキームは無惨に打ち砕かれ、残骸を晒《さら》すのみだ。

買収を成功させると同時にフォックスも救済し、さらに企業買収分野で東京中央銀行の地位を向上させる——まさに一粒で三度美味しい果実のはずだった。それがどうだ、東京スパイラル買収は公開買い付けに頼らざるを得なくなり、フォックス救済も宙に浮いた。さらに電脳との関係もぎくしゃくしはじめている。

それもこれも、半沢のせいだ。

いま伊佐山は、憎たらしい相手の顔を思い浮かべて鋭い舌打ちをした。

苦り切った顔になった伊佐山は、デスクの電話で、人事部次長の室岡和人《むろおかかずと》にかけた。ちょうど在席していた室岡は、折り入って話があると切り出した伊佐山に、

「そちらに参りますので」

と察しよくいって飛んできた。数年前まで証券本部に在籍しており、伊佐山の部下だった男である。

「先日まで営業第二部で次長をやっていた半沢のことは、君、知ってるか」

「もちろんです。たまに次長会で一緒でしたし」

それだけいって室岡は黙って先を促す。

「ここだけの話だが、証券本部で極秘裏に進めていた案件があってな」

「電脳絡みですか」

即座に言い当てた室岡の勘は、相変わらず鋭い。うなずいた伊佐山は続けた。

「東京セントラル証券が、あろうことか東京スパイラルのアドバイザーに就任して、ウチのスキームをぶち壊してくれた。本当に困ったものだ。見かねて三笠副頭取が呼び付けたら、平然と屁理屈をこねていく始末だ。まったく、ああいう手合いはなんとかなら

んもんかと思ってね」

「実は、三笠副頭取も水面下で同じことをウチの部長におっしゃっているようです」

「本当か」

意外な室岡の情報に、思わず伊佐山は膝を乗り出した。「副頭取はなんと?」

「ここだけの話ですが、半沢を証券から外して他の子会社へ回したほうがいいのではないかと、そんな話をされたそうです」

「それで部長は——?」

「一応、お話はきいておきます、と」

伊佐山の期待がしぼむのを見て、室岡は言い添えた。「兵藤部長は半沢を評価しているところがありますから」

理由はわかっている。かつて半沢は、兵藤の下にいたことがあるからだ。

「旧Sの馴れ合いか」

決め付けた伊佐山に、「違うと思います。理由がないのは事実ですから」、と室岡は説明した。「兵藤部長としても、三笠副頭取の意向に背きたいわけはありません。とはいえ半沢は、〝証券〟に出向してまだ間がありませんからね。さすがに、すぐに動かすというわけにもいかない」

「そんなことをいっている場合か」

伊佐山は不機嫌にいった。「あんなのを放っておいたら、社益を損なうことになるぞ。いや、もう十分、損なっている」

「ただ、向こうも大義名分で動いているところもありますから」

室岡の発言は微妙な意味合いを含み、伊佐山は憮然とした。その発言の裏には、電脳とのアドバイザー契約を横取りしたやり口への負い目も感じられたからだ。バランス感覚に長じた男である。

ただ、伊佐山には、それが気にくわなかった。

「考えてもみろ、室岡。たしかに、電脳と最初にアドバイザー契約をしたのは証券だ。しかしな、証券になんか、こんな大口案件を取り仕切るノウハウがあるわけがない。失敗して大恥をかく前にウチがそれを引き継ぐ。それが最も現実的な選択だったんだ」

「同感です」

室岡は合わせた。「証券は、まだまだ弱小のプレーヤーに過ぎません。どういう経緯かは知りませんが、東京スパイラル側のアドバイザーも務まらないでしょう。つまり、部長が進めておられる買収が決着したとき、半沢の件についてもまた決着を見ることになる気がします。副頭取に大見得《おおみえ》を切った以上、半沢の将来はありません」

「そのときは容赦するなよ、室岡」

強い眼光で伊佐山がいうと、「もちろんです」、と室岡は真顔でこたえた。

「そうなったら、もう誰も半沢を庇《かば》えません。部長は、安心して買収案件を進めていただければと存じます」

室岡のその言葉で、ようやく伊佐山の機嫌も直ってきた。

7

その頃、郷田は、ひとり自室にいて窓から夜景をぼんやりと見ていた。

夜に予定されていた会食は秘書にいって断らせた。下請け業者の接待だったが、巨額損失が明るみに出る前にした約束だから、断られて業者のほうもほっとしているに違いない。

いま郷田がやるべきことは、最大の懸案をじっくりと検討することだけだ。

どうすれば生き残れるか――。

頼みの電脳には断られた。銀行には面談の内容を伝えて二日が経つが、なんの連絡もない。つまりは、銀行もまた平山の説得に失敗したか、難渋しているかのどちらかである。

いずれにせよ、そこまで渋る相手の救済を受けてうまくいくはずはない。電脳という選択肢は捨てるべきだ。

過当競争、ダンピング合戦による収益力の低下、そして――本業赤字。いまフォックスが抱えている問題は構造的なものだ。仮に融資を受けられたとしても、それだけで将来が開けるわけではない。

これを打開するためには、新たな戦略が必要だ。だが、若い頃であれば泉のごとくあふれ出したアイデアも、いまはさっぱり出てはこなかった。いつの間にか発想の柔軟性が失われ、郷田の脳みそはまるでひからびたチーズのように固まってしまっている。

「ヤキが回ったな」

ひと言つぶやいた声は、ひび割れてかすれていた。

いったい、いつの間にこんなに歳を取ってしまったのか。しかも、脇目も振らず走り続けた挙げ句、ふと気付くと目指したところとはまるで違った場所にいる自分を発見した気分だ。

郷田は自分の社長室をぐるりと眺めた。

広々とした空間に豪勢な調度品のそろった部屋。資産を上回る負債を抱えているいまの郷田には、それが全て借金の塊に見える。

郷田には、もうなにも残ってはいない。

「裸一貫、昔に戻っただけじゃないか」

そう思おうとした郷田の唇から、吐息だけが力なく洩れていった。

いや、違う。昔は若かった。しかし、いまは——。

どうすれば生き残れるか。再びその命題に戻った郷田は、自分に残された選択肢が、たったひとつを残して全て消去されたことを認めるしかなかった。

ケータイを取り出し、ある番号にかけるのに、もう躊躇《ちゅうちょ》はなかった。窓ガラスに映る老いた自分を見つめながら、郷田は相手が出るのを待った。

「はい」聞き覚えのある声が出た。

「先日は失礼しました。あなたの買収提案、お受けしたい」

瀬名が返事をするまで、郷田は自らの心臓の鼓動をきいていた。

第七章　ガチンコ対決

1

郷田が東京スパイラル本社に瀬名を訪ねてきたのは、電脳による公開買い付けがはじまって一カ月近くになる土曜日のことであった。

「本日はお忙しいところ、お時間をいただき申し訳ない」

入室してきた郷田は、そうひと言いって、深々と頭を下げた。

「いえ、こちらこそ」

瀬名はそっけなくいい、どうぞ、と会議室の奥の席を勧め、自分はその反対側にかける。十人ほどがかけられる役員会用の円卓である。瀬名から連絡を受けた半沢と森山のふたりは下座の椅子にかけ、これからはじまる話し合いの行方に息を詰めた。

「先日は大変失礼を申しました。まずそのことを瀬名さんにお詫びしたい」

椅子にかけると、開口一番、郷田は詫びた。「本日は改めて、御社の買収提案についいてお話をさせていただきたいと思って参りました」

「それはどうも」

瀬名は軽い調子でいった。「心境の変化でも？」

「いまはなにを申し上げても、言い訳のようになってしまう」

郷田は、俯《うつむ》き加減になって声を絞り出した。「瀬名さんのことを騙そうとした挙げ句、買収提案についても断った私が、いまさらこんなことを申し上げるのは心苦しいばかりです。あの後、平山社長と会って、御社の買収提案について話をしました。私としては、計画通りに弊社を救済していただけるものと信じていましたが、平山社長のお考えは少々違っていたようです。――結局、あなたのいった通りだった、半沢さん」

郷田は、悔しさを奥歯で嚙みしめ、瀬名に視線を戻した。「正直に申し上げて、いまの私に残された選択肢はひとつしかない。東京中央銀行からの支援も期待できないし、電脳に代わって救済してくれそうな会社もない。いろいろ検討してみましたが、残された唯一の方法は御社の買収提案を受けることではないかと思う」

森山が、半沢を一瞥《いちべつ》した。こちらの思惑通りだ。半沢は小さくうなずいて応えたが、瀬名は横顔を強張らせた。

「お話はわかりました。だけども、あなたはわかってないですよ、郷田さん」

瀬名の口調は思いのほか冷ややかだ。「自力再建が不可能で、いろいろ選択肢を探ったのはわかる。自分を見失って平山さんの口車に乗ってしまったというのも、まあいいでしょう。しかし、いまのお話では、電脳に代わる救済先がないから買収提案をしているウチで手を打とうというようにきこえる。ちょっと甘くないですか」

瀬名の静かな怒りに、郷田は言葉がない。

「だいたい」

と瀬名は続けた。「他に選択肢がないから買収に賛同するなんて、そんな言い草《ぐさ》があるんですか。いったい、郷田さんの攻めの経営はどこへいったんですか。あなたの信条は積極経営じゃなかったんですか」

郷田は固い表情を浮かべたまま言葉を失っている。瀬名は続けた。「あなたはどう思っているか知りませんけど、オレはフォックスを買収すれば、ウチのポータルサイトの強力なシナジーが必ず生まれると信じてるわけですよ。別にフォックスをなにかに利用しようとか、そんなんじゃない。買収によって、ウチも、そして御社も新たな成長を遂げることができる——だから買収に踏み切ったんだ。その意味で平山さんと同様、オレだって損得勘定で動いていますよ。消去法で仕方がなく買収に合意するぐらいなら、いっそ合意してくれないほうがマシだ」

瀬名は言い切った。「オレは、なにがあっても、公開買い付けで御社の株式を過半数まで買い占める。その際、あなたにもう戦う意思がないというのなら、会社から去ってもらうことになるでしょう」

「教えてくれないか、瀬名さん」

膝を詰めると、郷田はきいた。「御社がウチを買収する意味とはなんです。御社にとって、ウチにはわざわざ買収するほどの価値が本当にあるんだろうか」

「あります」

郷田を見据えたまま、瀬名は断言した。

「どんな価値ですか、それは」

「いえるわけないでしょ。企業秘密だ」

瀬名の態度はそっけなかった。「それに、あなたのことを全面的に信用するほど、オレもお人好しじゃない」

「いままでのことは本当に申し訳なかった」

郷田は詫びた。「だが、フォックスの社長として、ウチのどこが御社にとって魅力的なのか、それぐらいは知っておきたい。役員会で、この買収に対して賛成決議をするにせよ、そういうことを知らないままでは格好が付かない」

「ウチの戦略に関わることです。知りたければ、NDAで」

Non-disclosure Agreementの略で、秘密保持契約のことだ。

「もちろん、かまいません」

郷田のひと言で、すぐに契約書が運ばれてきた。迷わずサインした郷田は、「教えてもらえませんか」と、改めて向き直った。

「いいでしょう。基本的にフォックスさんの取扱商品をウチのポータルサイトを通して優先的に販売することだけでも、買収効果は十分あると思いますが、それよりウチがおもしろいと思っているのは、お宅の子会社ですよ。具体的にいうと――コペルニクスです」

「なに」

瀬名の説明に、一瞬、郷田はぽかんとした顔をした。「コペルニクスって、あのサンフランシスコの？」

「そう、あのコペルニクスです」

「たしかに、あれはウチの子会社ですが、学生がやってるような小さな通販会社で――」

「すごく伸びてる」

瀬名はいい、森山と目を合わせた。コペルニクスの成長性に最初に目を付けたのは、森山である。「ウチのポータルサイトでの販売ノウハウを加えることによって格段に飛躍する可能性がある。この通販サイトと連携することでアメリカ市場への足がかりになると見込んでいるわけです」

「そうだったのか」

郷田は、気抜けしたように椅子の背にもたれかかった。

「本題に入りませんか」

そのとき半沢がいった。

「御社の株価は、買い手である我々にとって都合のいいことに例の巨額損失報道で値崩れしている。我々としては、早期に買収したいと考えています」

半沢がいうと、森山が一枚の資料をテーブルに出した。「公開買い付け一週間で、東京スパイラルは、すでに三十五パーセント相当の御社株式を取得しております。御社の役員会で東京スパイラル買収に賛成決議をしていただけませんか。この動きをさらに加速させたい」

「もし、郷田さんにウチとやる気があるんなら頼みますよ」

瀬名は、窓のほうに向けていた椅子を回転させ、郷田と対峙した。「電脳と東京中央銀行の買収計画をぶっ潰すのを手伝ってほしい」

2

株主の皆さま
株式会社フォックス
代表取締役　郷田　行成
弊社は、去る十一月二十九日開催の取締役会において、株式会社東京スパイラルによる買収提案に賛同し、弊社株主の皆さまに対して同社による公開買い付けに応募することを推奨する旨を決議いたしましたので、お知らせいたします。
この買収により弊社は東京スパイラルの傘下企業となり、同社の商業資源との相乗効果を得、今後さらなる発展を遂げて参る所存であります。
何卒、弊社決議にご賛同いただきますよう、よろしくお願い申し上げます。

3

「なんだこれは」

伊佐山は、フォックスから送付されてきた案内をテーブルに叩き付けると、不愉快そうに鼻に皺《しわ》を寄せた。

「黙って買収されればいいものを、こっちが少し冷たい顔をすれば、舌の根も乾かないうちに敵に鞍替えするとはな。郷田社長ともあろうものが、なにを考えているんだ」

「正常な判断ができなくなっているんでしょう」

感情的な伊佐山とは裏腹に、野崎は冷淡に分析してみせた。「自分を助けてくれる相手なら、誰とでも組もうという腹ですよ。カネの切れ目が縁の切れ目ってやつです」

「あさましいな。挙げ句に取締役会決議か」

「こちらの思うツボですね」

野崎は余裕を見せていた。「いま東京スパイラルの株価がなんとか保たれているのは、この買収になんらかの意味があるのではないかという根拠のない期待に支えられているからです。瀬名がなにかマジックを見せてくれるのではないかと。だけどそんなものはありはしない。まやかしだ――。そのことがわかれば、株価は急落しますよ」

電脳の公開買い付けの価格を市場の株価が上回る状況で、注目される進捗具合はいまひとつであったが、気にしている様子はない。

「そのとき、奴らの顔を見てみたいもんだな」

伊佐山はせせら笑った。「すぐ目の前に滝壺が近付いているというのに、呑気に買収ごっこか。いい気なもんだ。平山社長はなにかいっていたか」

それは、野崎にではなく、諸田に向けた質問であった。

「様子見といったところでしょうか。冷静に対応されているように見えましたが」

奥歯に物が挟まったような言い方に、伊佐山が眉を上げた。諸田は続ける。「いや、実は、これとは無関係なんですが、役員に異動があるという話をされまして。財務部長の玉置さんが退職されると」

「なんでだ」

さすがに、伊佐山は関心を抱いたらしかった。財務部長は、銀行取引の窓口であると同時に、経営の要でもある。退職となると、穏やかではない。

「平山社長も詳しいことはお話しされませんでしたが、玉置さんのほうから身を引きたいと申し出られたとか」

諸田はいった。「意見の食い違いがあったかも知れません」

「意見の食い違いなんかあるもんか」

伊佐山は、ほんの僅かうんざりした表情を見せた。「平山さんはそもそも部下の意見などに聞く耳持たない。ついでにいうと、銀行の意見もだ」

フォックス救済の約束を反故《ほご》にされたことを、伊佐山は根に持っている。

「見かけはサラリーマンですが、平山さんの本性は超ワンマンですからね」

諸田は諦め口調だが、腹の虫の納まらない伊佐山は苛立《いらだ》っていた。

「だからって、財務担当が辞任するのなら辞任するで、ひと言ぐらいこっちにも相談があってよさそうなもんだ。正式発表はいつだ」

「来週開かれる取締役会での正式決定後に発表するそうです。後任は、多田《ただ》副部長が昇格する人事でほぼ固まっています。多田さんのことは――」

諸田は、伊佐山に目で問うた。

「ああ、知ってる。ただの能なしだ」

伊佐山は歯に衣《きぬ》着せぬ評価を口にする。「財務マンとしての経験はないし、玉置さんほどのキレもない。ごまをするのはうまそうだから、社長の取り巻きがひとり増えるだけのことだろう」

もとより、それがこの人事の目的かも知れないと、伊佐山は考えた。「それにしても、玉置さんも余程、腹に据えかねたと見えるな。こんな大型買収案件が進んでいる最中に辞任するとは」

「玉置部長が退職されたところで、なにが変わるわけでもありません」

野崎は平静そのものの口調だ。「そのために、我々アドバイザーがいる。玉置さんというご意見番が去って、平山さんには銀行の価値を再認識してもらうチャンスだ。買収は必ず成功します」

野崎は、自信満々に言い放った。

4

東京セントラル証券の応接室に半沢が入ると、そこで待っていた男が立ち上がった。青白い顔の、眼光鋭い若い男だった。

「ご無沙汰しております。どうですか、こっちの飯は」

「なかなかのもんだよ。まあ、どうぞ」

ソファにかけた男は、メガネの奥から愛嬌のあるぎょろりとした目を向けてきた。

「こちらから連絡しようと思っていたんですが、ちょっと遠慮してまして」

半沢とは旧知の男である。

「出向者なんか相手にする雑誌じゃないからな、お宅は」

半沢がいうと、相手は、「なにをおっしゃいます」、と顔の前で右手をひらひらさせる。男の名前は、田中紀夫《たなかのりお》。「週刊プラチナ」の敏腕記者だ。茨城出身ののんびりした雰囲気の男だが、頭は切れる。

「お忙しいんじゃないかと遠慮したんですよ。なにしろ、大変なお仕事の真っ最中ですからね」

東京スパイラルの件だ。「仕掛け人は半沢さんでしょう？」

「なんでわかる」

「証券子会社が親の銀行に真っ向から戦いを挑む。そんなおもしろいことを考える人間は、私の知る限り半沢さんしかいません。今日はその件ですか」

察しよく、田中はきいた。

「知ってると思うが、ウチがアドバイザーを務めている東京スパイラルが、郷田行成率いるフォックスを買収することにした。君だから話すが、目的は、傘下にあるコペルニクスだ」

「コペルニクス？」

田中は、怪訝《けげん》な顔になった。「なんですか、それは」

「サンフランシスコに拠点を置くネット通販の会社でね。これを見てくれ」

コペルニクスに関する詳細な資料を広げた。所在地や代表者名、資本金といった基本データからはじまり、創業から先月までの顧客獲得数推移と売上、そして収益がわかる。

「なるほど、急成長を遂げているIT子会社というわけですか」

問うような眼差しを向けてきた田中の前に、半沢は黙ってふたつ目の資料を滑らせる。

ページを捲《めく》る田中の表情が変わっていく様子を、半沢は静かに見守った。驚愕に見開かれた目が半沢に向けられるまで、時間はかからなかった。

「すごいですね、この戦略」

田中が手にしているのは東京スパイラルの事業計画書であった。右肩に、対外厳秘の赤い文字が四角で囲まれている極秘文書だ。中には、このコペルニクスと東京スパイラルが新たに展開するビジネスの詳細が記されていた。

東京スパイラルの検索エンジン「スパイラル」のアメリカ版を全面刷新し、新開発の検索技術を導入する。これとコペルニクスを連動させ、全米最大の通販サイトに成長させる壮大な絵がそこに描かれている。ともすれば絵空事ともとられかねないこの計画に信憑性《しんぴょうせい》を与えているのは、世界最大のソフト会社マイクロデバイスによる三億ドルの出資、提携だ。瀬名と同社の創業者ジョン・ハワードとの間の個人的なつながりが生んだ、国際的なビジネススキームである。

「半沢さん、この話、他には――」

ズボンの尻ポケットから出したハンカチで額の汗を拭いた田中は、興奮に震える声を出した。この事業計画が動き出せば、ＩＴ業界に新たな巨人が誕生する可能性がある。コペルニクス、という名の巨人だ。

「誰にも話していない」

半沢はこたえた。「この書類そのものが、第三者の目に触れるのは初めてだ」

「いいんですか、ウチにいただいて」

「もちろん」

スクープだ。「週刊プラチナ」の記事には定評がある。週刊誌という媒体は新聞ほどの速報性はないが、誌面をたっぷり割いて詳細で正確な情報を提供するのに最適だ。

「ちょっと失礼します。編集部の了解を得ちゃいますから」

慌てた様子でポケットからケータイを取り出した田中は、電話に出た相手にいまの話の概略を伝えた。話の内容から、電話の相手は編集長の池田《いけだ》尚史《なおふみ》だとわかる。池田は業界一との呼び声高い辣腕《らつわん》編集長で、ニュースバリューを一瞬にして見抜く的確な判断力には定評がある。

「いま池田と話しました」

通話を終えた田中は緊張した面持ちで半沢に向き直った。「来週発売号の誌面を一部差し替えるそうです。そのためには、明日中に入稿しないと間に合いません。戦略の詳細については半沢さんにお伺いするとして、瀬名社長にもお話を伺えますか。他のメディアが追随できない情報を入れたいので」

「瀬名さんに話は通してある」

田中に声をかける前に打ち合わせは済ませてあった。「田中さんの都合のいい時間をいってくれれば、優先的に時間を空けてもらえることになっている」

「素晴らしい」

田中は手帳を広げると、その日の午後四時以降の時間を指定してきた。すぐに瀬名と連絡を取り、午後四時半からのアポを入れる。校了間際のスクープはスピード勝負だ。

よろしいでしょうか、とひと言断り、田中はカバンから出したICレコーダをテーブルに置く。

録音中の赤ランプが点灯するのを見届けた半沢は、その壮大なビジネスプランについて徐《おもむろ》に語り出した。

5

伊佐山と野崎とのミーティングを終えた諸田は、真っ直ぐに自席に戻ると「今日の東京スパイラル株は」ときいた。

「前日比百円高の二万四千三百円です」

毛塚の返事に、表情を曇らせる。それは電脳雑伎集団による買い付け価格を三百円上回った価格であった。フォックス買収が発表された後、世間でいうところの〝瀬名マジック〟を期待して株価は一気に数百円跳ね上がったままだ。まだ、下落する様子はない。

難しい顔で嘆息した諸田に、「買い付け価格の引き上げは検討されましたか」、と毛塚がきいた。

「いや。野崎君は、株価はまもなく下がると見ている」

毛塚はすぐには返事を寄越さなかった。評価していないのは、その表情でわかる。案の定、慎重な意見が出てきた。

「野崎次長の考えは考えとして、いろんな可能性を事前に検討しておく必要はあると思います。最低でも電脳に対する支援がどこまで可能か詰めておかなくて大丈夫ですか。平山社長も、低調な滑り出しを少し心配されていましたし」

たしかに、毛塚のいう通りだった。いくら野崎が理詰めの見解を展開したところで、相手のあることだ。平山にも平山の考えがあり、買い付け価格を引き上げたいといわれれば、それを検討しないわけにいかない。とはいえそれは、検討して簡単に結論が出る話でもない。頭の痛いところだった。

「スキームが頓挫したことに、かなり不信感を募らせてもいらっしゃいますから」

胃がキリリと痛んだ。半沢が余計なことさえしなければ、いま頃、東京スパイラルは電脳の軍門に降《くだ》っていたかも知れないのに。それにしても、第三者にスキームが洩れたことは不可解な思いのまま頭の隅にひっかかっていた。チームの誰かではあり得ない。それだけは自信があった。

「その件で、お耳に入れておきたいことがあるんですが」

ふと、毛塚が声を潜めた。「ウチの内部情報が相手方に洩れた件なんですが、少々怪しい人物が浮かび上がりまして――」

諸田は眉を上げ、言葉の先を促す。

「三木です」

「三木が？」

意外な名前に諸田は思わず聞き返した。「しかし、あいつはチームのメンバーでもないじゃないか。どうして洩れる？」

「コピーです」

毛塚は意外なことをいった。

「どういうことだ、それは」

「三木に資料のコピーを取らせた者がいたんです。その資料に、今回のスキーム図が含まれていたようです」

舌打ちとともに諸田は顔をしかめた。

総務グループで三木が冷遇されていることは、見て見ぬふりをしてきた。諸田自身、三木の実力に疑問符を付けていたこともある。だが、まさかそんなところで足を掬《すく》われ

ると は。

「三木は不満を持っています」

はっきりと毛塚はいった。「いまの仕事に満足していません」

「銀行員が辞令に不満をいってどうする」

諸田は建前を口にした。「オレたちは、やれといわれたことをやるしかないんだ」

「おっしゃる通りです」

毛塚は神妙な表情だ。「しかし、三木は少なくともそう思っていません。三木を問い詰めるべきです」

気が進まなかった。三木が情報をリークした犯人だとしても、それを明らかにすれば伊佐山との裏取引まで明るみに出る可能性が高い。なんとしても、それは回避したい。

だが、このとき諸田は、つと顔を上げた。

ある考えが頭に浮かんだからだ。

三木が半沢と裏で結び付いているのなら、逆にそれを利用することはできないだろうか？

6

その電話は、一日の終わりを見計らうようにしてかかってきた。

午後十時、五反田にあるオフィスを出ようとした郷田は、液晶画面に表示された着信相手の名前を見て立ち止まった。電脳の財務部長をしていた玉置だ。

「やあ、ご無沙汰。その後どうだい」

「ご報告が遅くなって申し訳ありません。きいていらっしゃると思うのですが、会社を辞めることになりまして」

遠慮がちな声である。

「驚いたよ」

ケータイを耳に当てたまま部屋を横切った郷田は、執務用デスクにもたれかかり、そこから見える夜景に視線を投げる。

その日までに後任への引き継ぎを終えたという玉置は、「いままでありがとうございました」、と丁重に礼をいった。

電脳との合併チームで非凡な力を発揮していた玉置は、郷田が一目置く存在であった。

「そうか。いいにくいこともあるだろうが、君の意見がききたいね。時間はあるか。飯でも食わないか」

「明日以後、時間ならいくらでもあります」

電話の向こうから自嘲するような返事がある。「郷田社長のご都合のよろしいときに」

郷田は、机上のスケジュールノートを覗き込んだ。

「明後日の夜はどうだい。八時スタートで。場所は秘書から連絡させるよ」

「楽しみにしてます」

通話ボタンを押したままのケータイをしばし眺め、どこかほっとした気分で郷田はそれをズボンのポケットに突っ込んだ。

予約したのは、たまに使う銀座の寿司屋だった。郷田が時間の五分前に約束の店に行くと、玉置は先に来てお茶を飲みながら待っていた。

「本日は、ありがとうございます」

椅子から立ち上がって挨拶した玉置に、「堅苦しいことは抜きでいこうや」、と郷田はざっくばらんな調子でいい、準備されたカウンターの席に着く。

「それにしても驚いた。前から考えていたのか」

乾杯のあと尋ねた郷田に、「ご迷惑をおかけしました」、と玉置は改めて詫びた。

「途中で仕事を投げ出すようなことになってしまい申し訳ありません。ただ、私としてはこれでも一杯一杯のところだったんです」

郷田は胸の痛みを感じた。玉置のいう仕事とは、フォックスとの合併を視野に入れた経営戦略の策定である。だが、電脳との合併話そのものが反故《ほご》にされ、それはすでに立ち消えになっている。

「なにがいけなかった。辞める原因はなんだ」

手酌でコップにビールを注ぎながら郷田は尋ねた。

「そうですね。いろいろいいたいことはありますが、一番納得いかなかったのは、東京スパイラルの買収を決断したことです」

意外な答えである。

長いL字形のカウンター席には、他にふた組の客がいたが、席が離れていて話をきかれる心配はない。板前は二十年来の付き合いで、外聞を憚《はばか》ることもなかった。

「そんなことに巨額のカネを遣うより、本業に投資すべきでした。ところが、平山さんはそういう考えにまるで耳を貸さず、短絡的に買収に突き進んでしまった」

「なるほど。しかし、なんでダメなんだ」

郷田は、改まってきいた。「東京スパイラルを買収するという考えは、そんなにマズイか」

「買収するには大き過ぎると思うんですよ」

玉置は率直な意見を述べた。「いや、大きいだけならまだいい。一番の問題は、平山さんに買収後の明確な絵が描けてないことです。電脳が展開している各事業とどう組み合わせていくかということすら曖昧なまま、突き進んでいる。いまのあのひとには焦りがあります」

「なんで、そんなに焦る」郷田はきいた。

「本業での危機感がありますから。郷田さんだからいうわけではありませんが、私は逆にフォックスの買収は悪くないと思っていました。たしかに本業での過当競争で厳しいものがありますが、子会社まで含めて考えれば相乗効果が生まれそうな資産はたくさんある」

「相乗効果か。東京スパイラルの買収にはそれがない、と」

玉置はうなずいた。

「いや、あるかないかがわからないんです。そんな曖昧な状況で巨額の資金を突っ込むのは間違っています。会社にとって重大な岐路に立っているというのに、私の意見はまったく聞き入れられませんでした。あの会社に私がこのまま居続けたところで、なんの意味もないと思い知らされましたよ」

「なるほど、そういう事情か」

合点がいったらしい郷田は、「後先になったが、実は東京スパイラルの傘下に入ることにしたんだ」、といった。

「小耳に挟みました」

玉置は前を向いたまま、ビールの入ったコップを傾ける。

「裏切り者だと思うだろう」郷田は自嘲気味にいった。

だが、

「そうは思いません」

郷田の目を見て、玉置はきっぱりとこたえる。「正しい決断です。東京スパイラルなら、御社グループのいいところをうまく育てていくでしょう。たとえば——コペルニクスとか」

郷田は、目を見開いた。

「君もそう思うか」

「合併委員会では本業絡みのことばかりに全員の目が向いていましたが、私個人としては秘かに注目していました。小さいながらも急成長を遂げていた。おもしろいなと」

さすが玉置だと、郷田は感心した。「実は平山さんにそのことも話したんですよ。この子会社をうまく利用すれば、おもしろいビジネスができるんじゃないかと。ところが、平山さんはまったく聞く耳を持ちませんでした。アメリカでのネットビジネスに〝土地鑑〟がないんです」

苦々しい思いとともに郷田はうなずいた。平山は、フォックスの価値をまったく認めていない。それは先日の買収話を反故にされた時点でわかっている。

「もし、電脳と一緒になっても、郷田さんにとって決して幸せな結果にはならなかったでしょう」

玉置の発言に、郷田は淋しげな表情を浮かべた。

「君にそういってもらえて、少しは胸のつかえが取れた気がする。それで、君はこれからどうするんだ。もう次の行き先は決めてるのか」

「いえ」

玉置は、首を横に振った。「いい機会だと思って、しばらくは今後の人生について考えてみようと思います」

「そうか。それもいいかも知れないな。ただ、もし行き先に困ったんなら、ウチに来ないか」

郷田の誘いに、玉置は思わず顔を上げた。

「お誘いはうれしいんですが、まだ辞めたばかりで考えがまとまらないというか。少しお時間をいただけませんか」

「自力再建が難しいウチのような会社に来るのは気が進まないか」

「いえ、そういうわけでは――」

慌てて玉置は否定した。「ただ、私も財務担当としていままで電脳に仕えてきた経緯があります。立場上、他社に話せないことも知っていますし、辞めてもなお財務マンとしての道義的責任はあると思うんですよ」

「真っ当な意見だな。君らしい」

郷田は認めた上で、さらにいった。「それはそうと、一度瀬名さんにも会ってみないか。どんな男か、その目で確かめてみるのもいいと思う」

「私のような者を気にかけていただきましてありがとうございます」

玉置は恐縮した表情になる。「しばらくは浪人をしておりますので、ぜひお声をかけてください」

「必ずな。それはそうと、今日はそんな堅苦しい話をしたいわけじゃないんだ。まあ仕事のことは措《お》いて楽しくやろうじゃないか」

郷田と玉置の話題は、経済全般という巨視的な話題から、どこそこの会社の誰がどうしたといった業界の噂まで広範に亘った。もとより気の合う者同士、それはそれで大いに盛り上がったが、握りの寿司も終わりかけた頃、巡り巡って電脳の話に戻ってきた。

「ここだけの話、平山さんは最初、東京セントラル証券をアドバイザーの座に据えたらしい。きいてるかい」

ビールから焼酎《しょうちゅう》のお湯割りに進んでいた玉置は、口に運びかけたグラスを途中で戻し、

「初耳ですね」、と驚きの表情を見せた。「平山さんはその件について極端な秘密主義なんですよ。我々の耳に入ったときには、すでに東京中央銀行がアドバイザーに就いていて、東京スパイラルの買収を発表する直前でした」

「平山夫妻の独断か」

呆れ顔の郷田に、酔いが回ったか玉置は、「だからダメなんですよ」、と口を滑らせた。腹ではこころよく思っていなくとも、それまで玉置は平山を非難したことがなかった。ついうっかり本音が出た格好だ。

「東京中央銀行が横槍を入れてアドバイザーの座を奪ったということらしい」

郷田はいった。「だが、東京セントラル証券の担当部長はそれについて、疑問を抱いていてね、おもしろいことをいうんだ」

玉置は、興味を持ったらしい。「どんな疑問なんです？」

「なぜ、平山さんは、東京セントラル証券に声をかけたんだろうと」

虚を衝《つ》かれた、そのとき玉置が浮かべたのは、まさにそんな表情だった。

「君が一番よく知っていると思うが、電脳はそれまで東京セントラル証券のことなど歯牙にもかけなかったらしいじゃないか。それなのに、この大事な案件を同社に任せようとしたことを、その担当部長——半沢さんというんだけど、その彼がずっと気にしていてね」

「なかなかおもしろい発想ですね」

玉置は郷田から、寿司ネタが並ぶガラスケースへと視線を移した。だが、その焦点はまるでそこには合っておらず、数秒の間、玉置の意識はどこか別のところへ飛んでしまったかのようだった。

いまその変化に気付いた郷田は、浮かべていた笑みを消し、真面目くさった顔できいた。

「なにか心当たりがあるのかい」

「いまの時点で私から申し上げられることはありません。ただ――」

ようやく意識を戻した玉置は、硬い表情になっていった。「半沢さん、とおっしゃいましたっけ。なかなかいい着眼点だと、そう申し上げておきます」

7

平山から呼び出しを受けたとき、嫌な予感がした。公開買い付けは、進捗状況も低調なまま、買い付け期間だけが徒《いたずら》に過ぎている。

「買い付け価格を引き上げたほうがいいんじゃないですか」

案の定、平山は単刀直入に切り出した。「このまま手を拱《こまね》いていても進むとは思えない」

「お気持ちはわかりますが、時間はまだ十分あります。もう少しお待ちになったほうがよろしいと思います。買い付け価格を引き上げれば、それだけコストアップになりますし」

諸田の顔を、値踏みするように平山はじっと見た。そして、「今日の東京スパイラルの株価、知ってますよね」、と念を押す。

二万四千三百円だ。

電脳の買い付け価格が二万四千円だから、それより三百円高い。ついには電脳雑伎集団による東京スパイラル買収が苦戦していると今朝の経済紙に書かれる始末だ。平山の焦りも、そうした世間の評判を気にしてのことに違いない。

「株価は変動します」

諸田は辛抱強く説得にかかった。「フォックス買収への期待感から上げていますが、この相場はそう長続きしません。フォックスは必ず東京スパイラルの重荷になります。御社への当て付けで買収したところで、結局、ダメなものはダメなんです。株価も間もなく妥当なところまで下がりますから、いまが我慢のしどころです」

平山はすぐにこたえず、腕組みをしたまま肘掛け椅子の背にもたれかかった。

諸田は腋《わき》のあたりに染み出してきた冷や汗の感触に、顔をしかめたくなるのをなんとか我慢している。買い付け価格の引き上げか、現状維持か。サラリーマン然とした外見のこのカリスマ経営者が果たして次にどんなことを口にするのか、それをきくのが正直、怖ろしかった。

買い付け価格を引き上げるのなら追加支援が要る。だが、その稟議《りんぎ》は難航必至だ。銀行にとって、一旦見定めた投資額の上限を変更するのは決して好ましいことではない。この世に無尽蔵な資金などありはしない。

だが、果たしてこの男がそのことに気付いているかとなると、疑わしかった。

「私はスピードが勝負だと思ってるんですよ、諸田さん。多少コストが嵩《かさ》んでも、ずるずると遅れるより一気に勝負したい。早いからこそチャンスが生まれる。この買収もそうだと思っています。買い付け価格を千円引き上げたい」

「千円、ですか……」

さすがに堪え切れず、諸田は渋い顔をしてしまった。案の定、平山がむっとしたのがわかったが、行内の事情を背負っているだけに、はいそうですか、と応ずるわけにもいかない。千円引き上げれば、数十億円の追加支援が必要になる。電脳雑伎集団という企業にとって、ただでさえ不相応な融資額が、さらに膨らむのは避けたほうがいい。

「東京スパイラル買収を成功させたいのは、ウチも同じです、社長。いやむしろ、社長以上に、ウチはこの案件に賭けています」

諸田はいった。「当行の証券部門には、相場のプロが大勢います。その連中が、買い付け価格の引き上げはまだ早いと、そう判断しているんですよ。待ちましょう」

「プロの判断が正しければ、自己売買でいつも大儲けできるはずでしょう」

平山は反論してきた。「ところがそうなってはいない。要するに、そんな連中のいうことなんか当てにならないってことじゃないですか」

「それでもやはり、引き上げのタイミングとしては早過ぎます。慌ててコストを上げることはありません」

諸田は我慢強く説得を試みた。「買い付け期間は三週間以上あるんです。せめてあと一週間は、様子を見るとか」

顔を上げた諸田が見たのは、自分の言葉など微塵も響いていない平山の眼差しであった。胃の下辺にじりっとした痛みを感じる。

「待つ？　それになんの意味があるというんです」

平山はいった。「すぐに戻って、検討してもらえませんかね。返事は今日明日のうちにお願いしたい。すぐに出なければいけないので、失礼」

諸田に反論の機会を与えず、平山は一方的に面談を打ち切った。

「それで、いくらになる」

諸田の報告を聞き終えたあとの息苦しい沈黙をやり過ごし、伊佐山がきいた。買い付け価格変更に伴う必要資金のことである。

「過半数まで買い進めることを考えると、あと四十億円ほど必要になります」

諸田が金額を口にした途端、伊佐山は腕組みをして天井を見上げた。眉間《みけん》に刻まれた縦皺が、容易ならざる事態を物語っている。

東京スパイラル買収資金として準備した資金が総額で千五百億円。これに四十億円の追加支援など軽微ではないかと考えたいところだが、先の稟議承認までの難航ぶりを考えると、事はそう簡単ではない。金額の多少ではないのだ。

「自己資金で賄《まかな》ったっていいじゃないか」

伊佐山は鼻の穴を膨らませ、憮然とした口調で疑問を呈した。「ウチがアドバイザーだからって、一から十まで銀行支援でやりくりするというのはどうなんだ」

「平山社長にそのお考えはないようです」

諸田がいうと、「説得したか」、とすかさず伊佐山がきいた。

「いえ」

その答えに小さく舌打ちした伊佐山は、「ウチの都合はわかってるんだから、ちゃんと交渉してもらわなければ困る」、と苦言を呈した。

いってきくような方ですか、という反論をすんでのところで呑み込み、「申し訳ありません」、ととりあえず諸田は頭を下げた。そして、

「ただ、ご存知のようにこうと決めたら聞く耳を持たないといった態度でして」

やんわりと言い訳をすると、「浮き足立たずに、もう少し待つ頭はないのかな」、とぶっきらぼうに言い放ったのは野崎だ。

「東京スパイラルの株価はすぐに下がりはじめますよ」

「そう説明したんだが、信用してもらえなかった」

「あの社長は、バカだ」

野崎は決め付けた。「企業買収を思い付いたところで、結局のところ、市場での駆け引きのことなどまるでわかっちゃいない。ウチをアドバイザーに据えたんなら、黙って従っていればいいものを、シロウト考えで余計なことをしようとするから話がややこしくなる」

「平山社長からは返事を今日明日中にくれといわれている」諸田がいうと、

「何様だと思ってるんだ」

そう吐き捨て、野崎は伊佐山を向いた。「どうします、部長」

ボールペンの頭で神経質に資料を叩いている伊佐山は、「私から平山さんに電話しよう」、と渋々いい、「それで、買い付け状況は」、と尋ねる。

胸の前で広げたファイルで本日の買い取り分を読み上げた野崎は、

「いま、三十三パーセントまで取得しています。過半数まで、一旦、株価が下がりはじめればあっという間ですよ」、と強気だ。

「東京セントラル証券の小細工など、はっきりいってなんの意味もない。証券がやっていることで果たしてアドバイスといえるものがどれだけあるか」

野崎は、憎々しげな笑みを浮かべた。「奴らの鍍金《めっき》が剝がれるのは時間の問題です」

だが――。

週明け、朝八時半からはじまった簡単な連絡会議を終えてフロアに戻った野崎は、いつものように登録した株銘柄のフラッシュボードが浮かび上がったモニタを覗き込んだ。

ここ数週間、朝一番で東京スパイラル株の寄り付き価格を確認するのが日課になっている。

ちょうど午前九時を数分過ぎたところで、そこに寄り付きの株価が表示されている

――はずであった。

だが、そのとき野崎は自分が眺めているものの意味がわからなかった。

最初に浮かんだのは、「まだ値が付いていないのか」、という思いだ。取引開始直後で

は、そういうことはよくある。

だが、次に野崎の目に飛び込んできたのは、驚くべき状況であった。五百円近くも切り上げている気配値だ。

一瞬、野崎は我が目を疑った。

「なんだ、これは」

東京スパイラル株になにかが、起きている。

8

「諸田さん、ちょっといいですか」

画面の気配値を睨み付けたまま、野崎は、近くにいた諸田に声をかけた。部内の打ち合わせに参加するために立ち上がっていた諸田も、野崎が指差した画面を覗き込むなり、短い声を発して瞠目《どうもく》する。

「なんでだ」

オンライン端末を操作した野崎がニュース画面を呼び出した。最新ニュースの一覧を目で追う。

「これか」

十分ほど前に更新されたフラッシュニュースを野崎が指した。

——東京スパイラル、フォックス買収に隠された重要戦略。「週刊プラチナ」スクープ。

「おい、誰か今日発売の『週刊プラチナ』、持ってないか」

野崎が声を上げると、「あります」、と若手行員のひとりがこたえる。

「見せてくれ」

デスクの脇に置いたカバンから雑誌を引っ張り出した行員は、表紙に躍る文字に一瞬戸惑うような眼差しを向けてから、それを野崎に手渡した。

派手な表紙には大きく、〝瀬名マジック〟という活字が載っている。

「バカ野郎」

それを目にした途端、野崎は叱責した。「お前、ウチがいま、なにやってるかわかってるだろう。こういう情報があったら、真っ先に中味を確認して報告するんだよ。なに考えてるんだ、まったく」

短気な性格そのままに怒りを口にして相手を萎縮させた野崎は、荒々しい手つきで特集を読みはじめる。

その顔がみるみる真っ赤になっていき、最後のページまで目を通すと乱暴にデスクに叩き付けた。

「コペルニクス？」

続いて記事に目を通した諸田が、その社名に首を傾げる。「フォックスの子会社だ。知っていたか」、と野崎に問う。

「知りませんよ、そんな子会社」

吐き捨てた野崎の顔は、怒りか焦りか、どちらとも分からぬ感情に歪んでいた。

その記事の中で東京スパイラルは、野崎ら電脳のアドバイザー担当チームが看過した会社に注目し、アメリカでの経営戦略の核として位置付けていた。それが机上の空論ではないことは、あのマイクロデバイスが三億ドルもの大型出資をしていることからも明らかだ。

フォックス買収で東京スパイラルの株価は下がる——。

野崎の意見をそのまま証券営業部の意見として役員会に具申している以上、知らないでは済まされない事態だった。

プライドの高い野崎にとって、知らなかったと認めることは負けを認めることと同じだ。

リアルタイムの株価が表示されるフラッシュボードに切り替えたモニタに、すでに千円近くまで気配値を切り上げている東京スパイラルの株価が点滅を繰り返している。

「マズイな」

諸田が洩らした感想に、

「週刊誌が報じたからといって、正しいとは限らないんですよ!」

野崎は思わず声を荒らげた。「コペルニクス？　売上を伸ばしているといったって、小さな会社じゃないですか。そんなものが、ＩＴ戦略の核になるわけがない。『週刊プラチナ』は瀬名に騙されてるんだ。投資家の連中も、いま東京スパイラルの株なんか喜んで買ってる奴もみんな」

だが、野崎にはわかっているはずだ。ガセかどうかは、関係がない。現に株価が大幅な上昇に転じているその事実が重要なのだと。

刻々と気配値を切り上げていく東京スパイラルの株価をいまいましげに一瞥した野崎は、足早にフロア最奥のデスクに向かった。

「部長、電脳の件ですが」

言葉を選んでいる余裕もなく、いま見たままの状況を伊佐山に伝え、「週刊プラチナ」の該当ページを開いて見せた。眉間に深い縦皺を刻んだ伊佐山は、銀縁メガネの底から怒りと焦燥の入り混じった目を向けてくる。

「情報提供は、東京セントラル証券か」

「おそらく」

記事を読めばおおよその見当がつく。仕掛けたのは、もちろん半沢だろう。

伊佐山はデスクの端末に向き直ると、東京スパイラルのフラッシュボードを呼び出した。

ちょうど取引が成立し、前日比千円高の値段が表示されたところだ。値が付き、さらに買い気配の圧倒的優勢が続いている。

電脳が設定した買い付け価格を嘲笑《あざわら》うかのごとく高値で取引されている東京スパイラル株式にはいまや買い注文が殺到し、見る間に買い付け価格を千二百円以上、上回っていった。

「至急、三笠副頭取にメモを書いてくれ」

伊佐山が指示した。「この週刊誌の記事を添付して君の意見を添えろ。君はフォックスの買収で東京スパイラルの株価は下落するといったな。であれば、これは一時的なもので、近々株価は反転するはずだ。そうだな」

ねじ込むような伊佐山の問いに、さすがの野崎も思わず言葉に詰まった。

三笠からの呼び出しは、野崎が作成したメモを提出したわずか二十分後のことであった。

「まずきくが、野崎君、君の考察にこのコペルニクスという会社のことは含まれていたのか」

その質問は、問題の核心にズバリと切り込んできた。隣にかけている伊佐山は緊張した面持ちで押し黙っている。

ほんの数秒の——しかし、野崎にとっては随分長く感じられる逡巡の末、「いえ」、と野崎は短く返した。

伊佐山の息を呑む気配とともに、三笠は両腕を肘掛けに置いたまま天井を仰いだ。戻ってきた視線は野崎にではなく、伊佐山へと向けられた。

「随分話が違うじゃないですか、伊佐山君」

「申し訳ございません」

俯き加減のまま、伊佐山は頭を下げる。「ただ、『週刊プラチナ』がこう書いているからといって、これが正しいとは限りません。いまにも東京スパイラルが覇権を握るような書き方をしてありますが、いつ実現するかという時間軸については一切語られていない。買いを煽るだけの提灯記事です」

「だが、実際に株価は上がっている。我々はそれに対応しなければなりません」

三笠は事実のみを口にし、言い訳を封じた。「君の考えは」

「選択肢は、ふたつしかありません」

伊佐山はこたえた。「株価の下落局面を待つか、買い付け価格を引き上げるか、です」

「甘い」

三笠はひと言で切り捨てた。「ききたいんだが、一体株価はいつになったら下がるんですか」

伊佐山はちらりと隣を見やり、野崎に発言を促した。

「コペルニクスのことは株価予想に入れてませんでしたが、フォックス買収には、東京スパイラルの株価をこれほど押し上げるだけのものはありません。今後、一本調子で上がり続けるとは思えないんです」

三笠が野崎の説明に納得したようには見えなかった。

「君の発言をどれだけ信じていいのかわからなくなってきました」

出てきたのは、野崎のプライドを引き裂くに十分なひと言である。「もし、買い付け期間内に株価が下落しなかったら？　これだけの巨額投資で、そんな蓋然性《がいぜんせい》にすがるビジネスをしろと、君はいうのかね」

もっともな指摘に、野崎は真っ赤な顔になって押し黙った。

「買い付け価格の大幅引き上げで切り抜けようと思います」伊佐山はいった。やむを得ない。

「しかし、部長――」反論しかけた野崎を、

「もういい。君は黙っててくれないか」

ぞんざいに制して、伊佐山は続ける。「二万七千円で買い付け価格を再設定するよう、電脳に提案したいと思います」

野崎が目を見開いたのがわかったが、伊佐山は無視した。いま必要なのは理論じゃない。結果だ。

それは、電脳が提示している買い付け価格を三千円上回る価格だった。追加支援は、ざっと百二十億円。簡単な稟議ではない――だが、伊佐山は、さらに一歩踏み込んだ。

「稟議は、二百億円の追加支援で準備させてください。その代わり、これで決着を付けます」

三笠の細く長い指が、肘掛けを神経質に叩きはじめた。しばし考え、それからテーブルの上にある電脳雑伎集団のクレジットファイルを手に取ると、書類をめくりはじめる。

二百億円の追加支援が決まれば、この買収案件での支援合計は、千七百億円に上る。電脳の売上を考えれば、破格の支援だ。

「稟議してください」

やがて、三笠はいった。「それと、この記事の件、頭取に報告しないわけにはいきま

せん。黙っていても、中野渡さんの耳に入るでしょうしね。これがいかに姑息な手段であるか、我々の見識とともに頭取に納得していただく必要がある。話はそれからです」

9

「よっしゃ、いい感じだ」

東京スパイラルの社長室で、モニタに映し出された株価を見ていた森山がガッツポーズを決めた。瀬名と目を合わせ、サムアップでこたえてみせる。かつて同級生だったふたりの興奮した表情を眺めて、半沢も思わず笑みを浮かべた。

「出足は予想以上だ。ただ、あの記事だけではそう長続きしない。勝負はこれからだ」

電脳の公開買い付けが低調だとはいっても、すでに三十パーセントを超える株は買われている。過半数までの買い占めなど、ワンチャンスで成立してしまうことは瀬名もわかっているはずだ。

優勢に見えても、ひっくり返されるときはあっという間。気を抜くわけにはいかなかった。

腕時計を見た半沢は、「そろそろ行きますか」、と瀬名に声をかけた。

「週刊プラチナ」のスクープに合わせて半沢が仕掛けたのは、主要証券会社のアナリスト五十人を招いての買収説明会だ。

会場となる東京スパイラル大会議室には、招待したアナリスト以外にも、話を聞き付けて取材を申し込んできたマスコミ各社の経済担当記者たちがすでに多数、詰めかけているはずだ。

「いま頃、東京中央銀行の奴ら、泡食ってますよね」

にんまりした森山は、「そう簡単に買収されてたまるか」、と誰にともなくいう。

「知恵の勝利だな」

と瀬名は感想を洩らした。「資金に頼るでもなく、既存のスキームに頼るでもない。ただあるものをうまく使う。なにか経営のやり方に通じるところがあるっていうか。ありがとう、半沢さん」

「礼をいうのはまだ早い」

半沢は笑みを引っ込め、説明会で配布する資料を確認しながらいった。「これから、連中にここに書いてある買収計画が単なるフィクションではなく、実体を伴ったビジネスなんだということをわからせる必要があります。それは瀬名社長、あなたの仕事です」

「わかってます」

電脳対東京スパイラル。その勝敗を決するかも知れない重要な説明会の場だというのに、ジーンズとTシャツというもの格好をした瀬名は、余裕の表情だ。

いままで、幾度も修羅場をくぐり抜けてきた男だ。大方の予想を覆して成功を掴む逆転の企業経営でここまで生き延びてきた。

この男には運がある、と半沢は思う。

スター経営者としての華も。

一丁やりまっか、という気楽な言葉とともに、瀬名は先頭に立って部屋を出た。エレベーターで移動し、会場になっている大会議室のドアを押すと、すでに満員に近い人の視線が一斉に向けられてくる。

世間の注目を集めている企業買収合戦だけに、異様な熱気だった。

司会進行役の簡単な挨拶の後、瀬名が壇上に立つと室内の照明が落ちた。同時に、中央のスクリーンに映し出されたのは、群青色《ぐんじょう》の空を背景にしたオレンジ色の社屋だ。洒落たデザインのロゴとトレードマークの地球儀が大写しにされる。

「本日、我が東京スパイラルは、このコペルニクスという小さな会社とともに新たな冒険の旅に出ることを、皆さんにご報告いたします」

瀬名の第一声に、会場は声にならない興奮に包まれた。

10

部内の歓送迎会は午後八時に八重洲に近いビルの居酒屋ではじまり、疲れ切った空気の中、気のない酒盛りとおざなりの挨拶でお開きとなった。

「もう一軒行くか」

地上へ上がるエレベーターの中で、淀んだ空気を吹き払うようにいったのは諸田である。周りにいる数人が同意の視線を向け、まるで申し合わせていたかのように、次の店に向かって移動していく。

見れば、電脳のアドバイザーチームのメンバーが大半だ。自分は帰ろうと思っていた三木だったが、「三木も来いよ」、という予想外の諸田の誘いでその流れに合流することになった。行き先は諸田の行き付けだという銀座のバーだ。

テーブル席の最奥についた諸田は、至極不機嫌な顔をしてウィスキーの水割りを注文し、メガネを取るとポケットに忍ばせていたクロスで丁寧に拭きはじめた。その俯き加減の表情に、濃厚なストレスの色が滲んでいる。

「週刊プラチナ」のスクープが打たれたこの日、結局東京スパイラル株は年初来高値を更新し、利益確定売りに押される場面もあったものの、終わってみれば圧倒的な買い注文に引っ張られての高値引けとなった。同社買収を目論む電脳雑伎集団のアドバイザーチームにとっては、まさに悪夢を見ているかの如《ごと》き一日である。

さらに話をややこしくしているのは、株価の上限を見定めることのできない中、電脳に対する追加支援を検討しなければならない事情があるからだ。伊佐山が買い付け価格の引き上げを三笠副頭取に申し入れたという話は、証券本部内の噂になって三木の耳にも届いていた。

「部長はああいっておられるが、株価が落ち着かないことには、稟議もできない。そう簡単なことじゃない」

全員の前にグラスが運ばれ、それを上げて下ろすだけの虚ろな乾杯の後、諸田がいった。

「しかし、買収するためにはいくらになろうと買い付け価格を引き上げるしかないわけですからね。買収資金の追加支援が承認されなければ、我々の負けです」

そういったのは、チームリーダーの毛塚だ。

負け、という言葉が出た途端、バーの空気が一段と質量を増した気がした。

「それにしても東京セントラル証券はなり振り構わずだな」

テーブルを囲んでいるうちのひとりが吐き捨てるようにいうと、「半沢さんだからな」、と応じる別の声が上がった。「いまは〝証券〟イコール半沢さんって感じでしょう。あの人がいなきゃ、ここまで面倒なことにはならなかったと思いますよ」

黙ってはいたが、たしかにその通りだと三木も思う。

東京中央銀行が相手にしているのは東京セントラル証券という会社ではなく、実は半沢直樹というたったひとりの男なのかも知れない。

「あいつはもうダメだ」

そのとき、諸田が煮えたぎる憎悪に濡れた言葉を洩らし、三木はグラス越しに意図を探った。証券で半沢の下にいた諸田なのに、立場が変わったとたん、「あいつ」呼ばわりだ。諸田にとって半沢は、銀行に戻ってなお自分の前に立ちはだかる邪魔者以外の何者でもないのだろう。

「ダメって、どういうことですか」

毛塚がきくと、諸田はグラスの酒で唇を湿らせ、やおら椅子の背から体を起こした。

「ここだけの話、いま役員の間で半沢に対する批判が高まってる」

三木は、すっと息を呑んで諸田の話に聞き入った。「証券子会社でありながらウチに反旗を翻したのも論外だが、電脳やウチに対する当て付けとしか思えないフォックスの買収をアドバイスしただろ。挙げ句、週刊誌を焚き付けて株価をつり上げるというやり方に対して、中野渡頭取もいたくご立腹らしい。口にはされないが、証券にこの案件から降りてもらいたいのが本音だ。もし、このままウチの買収を邪魔し続ければ、その結果を待たず半沢を外せと兵藤人事部長に指示されたという話だ。半沢は、間もなく人事部付になる」

息を呑む気配とともに、全員の興味が一点に集中するのを、三木は感じた。

銀行員にとって最大の関心事は、人事である。

人事部付の意味するところは、証券子会社から別会社への、さらなる出向である。だが、その出向が片道キップになることは確実だ。

「場合によっては留まることもあるわけですか」と若手行員のひとりがきいた。

「半沢が態度を改めればな」

ちらりと三木を見て、諸田はいった。

「突っ張るばかりが能じゃない。何事にも、ほどほどが一番だ」

諸田は相変わらず苦い顔でグラスを口に運んだ。「調子にのるのはいいが、人事は我にあり、だ」

11

珍しく三木のほうから「会えませんか」といってきたのは、「週刊プラチナ」が発売された翌々日の水曜日のことだ。

スクープと、それに続く各社アナリストを招いての説明会が予想を上回る成功を遂げ、東京スパイラルの株価は一気に一万円以上、上げた。その段階で電脳雑伎集団が設定した買い付け価格を大幅に上回っており、電脳の目論見《もくろみ》を骨抜きにするに十分な成功である。三木とは、新宿駅西口の居酒屋で待ち合わせた。

「電脳のアドバイザーチームは、新たな買い付け価格を設定する資金を確保するために、必死になっていますよ」

部内の様子を、三木は語った。スクープ当初、三笠の前で伊佐山が提案した額すらも、稟議を準備する間もなく現実に呑み込まれた形である。

「いまの株価を前提に魅力的な買い付け価格を設定するとなると、追加支援で五百億円近く必要になりますから」

「その稟議は出たのか」

半沢がきいた。

「本日付で、証券営業部から出されたようです」

「見込みは」

どうせ難しいだろう、と思ってきいた半沢だったが、案の定、「わかりません」と三木はいった。

「とはいえ、買い付け期限のこともありますから、早期の決裁は目指していると思います。それと——」

三木はいい、ためらいがちに続けた。「こんなことを私が申し上げるのはスジ違いかも知れませんが、実は一昨日、部の歓送迎会がありまして、その二次会で諸田さんたちと飲んだんです。そのとき、半沢部長のことで気になることをききました」

「オレのことで？」

半沢は目だけを動かして三木を見た。

「今回の件、中野渡頭取がいたくご立腹で、これ以上やると人事部付になるとのことでした。一応、部長の耳に入れておこうと思いまして」

はっと振られた森山の視線が、半沢の顔の上で急ブレーキがかかったように止まった。

「東京スパイラルのアドバイザーになったことが、そんなに気にくわないか」

動揺するでもなく、半沢は淡々としている。

「無茶苦茶ですよ、そんなの」

森山は気色ばんだ。「だったら、どんな防衛策ならいいんですか。知恵でかなわなきゃ、人事権に物をいわせてポストから引きずり降ろす。それが銀行のやり方ですか」

「よせ、森山」

半沢は表情ひとつ変えず、ジョッキのビールを飲み干すとメニューを覗き込んだ。

「そういう組織なんだよ、銀行ってところは。いまさらいったところではじまらない」

「あまりに理不尽じゃないですか」

納得できない様子の森山は、半身を向けて抗議した。「酷過ぎますよ。だから、会社組織ってのは信用できないんだ」

「信用できないといいつつ、お前、信用してるじゃないか」

通りかかった店員に焼酎のロックを頼んでから、半沢はいった。

「してませんよ、オレは」

森山の返事は頑なだ。

「信用してないんなら怒ることもないだろ。そんなもんだと思ってればいいじゃないか」

落ち着き払った口調でいった半沢に、「じゃあ、部長は腹が立たないんですか」、と森山は食ってかかった。

「腹は立つ」

当たり前だろ、という顔で半沢はこたえた。「だけど、それをここでいったところでなんの解決にもならない」

「でも、このままでは左遷させられる危機なんですよ、部長」

「そのときはお前が仕事を引き継げ」

半沢にいわれ、森山は呼吸を止めた。あまりに予想外のことをいわれ、反論の言葉が一瞬吹き飛んだ、そんな表情だ。

「オレが、ですか」

「お前ならできる。瀬名さんと力を合わせて、お前のいうところの〝既得権益者〟をぎゃふんといわせてやれ」

半沢はいって、運ばれてきた焼酎のロックをひと口、飲んだ。

「部長はそれでいいんですか。いまのポストを外されて、関係のない場所に飛ばされてしまうかも知れないのに」

「だから？」

半沢は問うた。「そんなことは関係ない。いまオレたちがやるべきことは、東京中央銀行がいくら資金を積み上げようと、人事権を振りかざそうと、買収を阻止することじゃないのか。人事が怖くてサラリーマンが務まるか」

第八章　伏兵の一撃

1

営業第二部長の内藤寛《ないとうひろし》は、伊佐山の話をきいても頰の筋肉ひとつ動かさなかった。鉄仮面と渾名《あだな》されるだけのことはあるな、と関係のない思いが脳裏をよぎっていった直後、伊佐山の腋《わき》を冷たいものが流れた。取締役の中でも一目置かれる内藤の意見が、電脳雑伎集団に対する追加支援稟議《りんぎ》の成否を左右しかねないからだ。この日、伊佐山が内藤を訪れたのは、証券営業部が準備している追加支援の根回しのためだった。

額から噴き出した汗を尻ポケットから出したハンカチで軽く拭った伊佐山は、つかみどころのない相手に話の続きを語り出した。

「五百億円の追加資金といっても、実際にはフォックス買収でその分の付加価値が向上しているわけだから、高い買い物とはいえない。そこを理解してほしいんだよ」

内藤は考え込んだままだ。仕方なく、伊佐山は続けた。「いますでに千五百億円の買収資金を支援中だが、肝心なことはこれが当行の企業買収案件として業界の注目を浴びているということだ。格好の宣伝になるわけで、失敗するわけにはいかん。今後この分野でトップランナーになれるチャンスだ。取締役会での決議では、このあたりをぜひご理解いただきたい」

「五百億円の追加資金があったら買収が成功するという根拠はなんですか」

内藤は質問を口にし、視線を伊佐山と書類との間で往復させる。痛いところを突いた内藤は、さらに、「フォックス買収で東京スパイラル株は値を下げると見込んでいたはずですが、あれはどうなりました」、と続けた。

そういえば内藤は、あの半沢の元上司だったなと思い出した途端、胃がキリリと痛んだ。

「今回は特殊要因があったんで」

伊佐山は、言い訳を口にした。「それでも東京スパイラル株には材料出尽くし感がある。これ以上、株価が上昇することはないという見立てだ」

「もし、その見立てに反して上昇したらそのときはどうされるんです」

内藤はきいた。「相場に絶対はない。それは伊佐山さんが一番ご存知だと思いますが。もし株価が上がったらそのときにはまた追加支援するんですか」

「買収できるまで、ウチは支援を継続する覚悟だ」

伊佐山は強調した。

「天井知らずになる。それで与信判断といえるんですかね」

独り言でもいうような静かな口調だった。だが、そのさりげない批判は、与信管理の根幹ともいえる観点から発せられた重みと鋭さがある。伊佐山は刹那《せつな》言葉に詰まり、

「鋭意検討した上で支援するつもりだ」

と言い換えた。なにがなんでも内藤の合意を取り付けなければならない。

しかし、

「そもそも、電脳はそこまでの融資を許容し得るだけの相手ですか」

内藤は否定的な疑問を投げて寄越した。過剰与信ではないのかといいたいのだ。

「東京スパイラルを買収すれば、業容は二倍になる」

伊佐山はこたえた。「買収資金はたしかに電脳単体の負債としては大きいだろうが、東京スパイラルを傘下に収めたと仮定すればそんなことはない」

納得したふうには見えなかった。内藤は執務室の肘掛け椅子に収まったまま、唇をすぼめ、やおら、

「基本的な質問なんですが」

そう前置きしてきいた。「追加で五百億円を出さないと千五百億円の支援がフイになると考えていらっしゃいませんか」

その目が細められ、疑わしげな眼差しが伊佐山に注がれる。

「そんな経営学の基礎のような質問をしないでくれ」

伊佐山は作り笑いを浮かべた。「もし成功する可能性が低いのなら、無駄な支援を拡大させることなく、最初の支援だけに止めて回収に走るさ。可能性があるからやるんだ。

これは銀行のプライドを賭けた戦いだと思ってくれ」

「といっても戦う相手は東京セントラル証券だ。子会社に負けるわけにはいきませんなあ、それは」

拍子抜けしたような顔をして内藤はいい、愉快そうに目尻に皺《しわ》を寄せた。こいつ、おもしろがってやがる。腹が立ったが、それを口にするわけにはいかない。

「どこが相手でもやることは一緒だ」伊佐山はいった。「粛々と、いまその戦いを進めているわけで。ひとつご理解をいただけないか」

頭を下げた伊佐山だったが、内藤から返ってきたのは感情の読めない視線だけであった。

「まったく、なにを考えてるかわからん男だ、内藤という奴は」

営業本部から、資金債券部長の乾《いぬい》のところに回った伊佐山は、やれやれというため息とともに愚痴をこぼした。

乾は入行年次で伊佐山のひとつ下だが、旧東京第一銀行派閥のタカ派として存在感は抜群だ。合併前の旧銀行では同じ職場で働いたこともあって伊佐山とは親しい。

「あの土臭い連中に、証券絡みの洒落た話というのはそもそも向かないんですよ」

嫌悪感を剝き出しにした乾は、鼻に皺を寄せた。

「こちらが正しいとわかっていても、気にくわないというだけで反対するんだから始末が悪い」

いつもながら過激な言い分に、まったくだ、と伊佐山は大きくうなずいた。

「稟議を通すも通さないもない。これだけ世間の耳目《じもく》を集めている案件を成立させないで、当行の将来はないですよ。力ずくでも支援継続です」

乾は鼻息が荒かった。

銀行のプライドを賭《と》した戦いとはいったものの、ひと皮剝けば、実際にプライドを賭しているのは、伊佐山や乾の所属する証券部門だ。相手派閥が主流をなす与信部門にしてみればお手並み拝見、高見の見物といったところか。失敗すれば、それを理由に勢力図が塗り替えられるきっかけを与えることになりかねず、その意味でも後には退けない。

「それで、どうなんです。他の役員の趨勢は」

眉根を寄せた乾は、呼吸の音がきこえそうなほど前屈みになって声を潜めた。百キロ近い巨漢で、シャツの腹はいまにもはち切れそうだ。

「三笠さんの尽力もあって、旧Tの意見はほぼ固まった。問題は、中野渡頭取と、内藤のような連中だ。こっちは正直なところ、難航している。なにせ、こちらの失敗を虎視《こし》眈々《たんたん》と狙っているところがあるからな」

「社益より旧銀行派閥の利益を優先するなど、言語道断であります」

真っ赤な顔で体を起こした乾は、タカ派らしく軍隊口調で吐き捨てた。「そんな考えだから、いつまで経っても行内の融和が進まない」

「その通りだ。その意味でこれは融和を印象付けるいい機会にもなるんじゃないだろうか」

いいながら伊佐山は、なるほど説得するのにその切り口もあったなと、内心膝を打つ。

「そういうことでしたら、私も全力で協力させていただきますから」

乾から力強い賛同を得、伊佐山はようやく稟議承認への道筋を見た気がしたのであった。

「お疲れさまでした」

証券営業部の自室に戻った伊佐山を待ち構えていたかのように、諸田が顔を出した。

「内藤のほうは手こずったが、とりあえず乾君の協力は取り付けた。乾君のほうから行内融和を切り口に根回ししてくれれば、かなりの役員を切り崩すことができるんじゃないかと思う。ところで、そっちの件はどうだ」

「先日の歓送迎会の後、三木に話しておきました」

にんまりして諸田がいった。

「いま頃、半沢はさぞかし動揺していることだろうな」

伊佐山は底意地の悪い笑みを唇の端に浮かべた。

半沢の情報源は三木ではないかという諸田の推測で、半沢に揺さぶりをかける作戦だ。役員会のニセ情報を三木に話せば、それはやがて半沢に伝わる。

いくら半沢でも、自らの処遇がかかっているとなると、いままでのような好き勝手をするわけにもいかないはずだ。

「これでしばらく奴も大人しくしているだろう」

「半沢部長も自分は可愛いでしょうからね」

同意の言葉を告げた諸田も、元上司の窮地にほくそ笑んだ。「もはや牙を抜かれたも同然。恐るるに足りません」

2

「ここまでのところは、とりあえず順調です」

瀬名と開いた買収防衛の打ち合わせの席で森山はいった。半沢、そしてフォックスの郷田も一緒だ。「問題は、東京中央銀行で追加支援が承認されるかですが――」

そういって森山は、隣にいる半沢に目で問うた。

「難航はすると思う」

半沢はいい、電脳に関する財務情報を集めた書類を指し示した。「電脳雑伎集団の財務データをベースに考えれば、五百億円もの追加資金は簡単な話じゃない。それどころか、極めて厳しいとしかいいようがない。しかし、銀行には政治決着というのもある」

瀬名と森山が、真剣な眼差しを向けてきた。

「ひとつの与信として正しくなくても、銀行がすべき案件として認められれば目を瞑《つぶ》る。そういう判断は、中野渡頭取の得意とするところだ。それには、証券部門がどれぐらい説得力のある論陣を張るかによる。たとえば、三笠副頭取が、自分が全責任を取るからやらせてほしいといったとき、頭取がノーというか」

「追加支援が決裁されたら厳しいな」

森山が表情を曇らせた。「相手の情報を集めて、いま我々ができることをするしかない」

「その通りだ」

半沢がうなずいたとき、

「電脳のことをよく知っている人物がいますので紹介したいんですが」、そういったのは郷田だった。

「電脳の財務部長だった玉置克夫さんという方です。そこの有価証券報告書にも役員として名前が出ています」

電脳雑伎集団の有価証券報告書の最初のほうを開いて名前を確認したところで、「そういえば、新聞に人事の記事が出てましたね」、と半沢はようやく思い出した。「玉置さんとお知り合いなんですか」

「合併後のシナリオを決めるプロジェクトチームにいましてね。有能な男ですよ」

「そんな人がなぜ辞めたんです」

意外そうな口調できいたのは瀬名だ。

「ワンマンの平山夫妻のやり方についていけなくなったといったところでしょうか」

瀬名が、ふいにつまらなそうな顔になったのは、似たような理由で、瀬名の元からも、戦略担当と財務担当のふたりが去っていったからだろう。そのふたりの所有株式が、時間外取引という奇襲作戦で電脳に譲渡されたのが、そもそもこの買収劇のはじまりだった。

「それは是非、紹介していただきたいですね」

半沢はいった。「内部にいた方の話であれば、次の一手を打つ上でなにか参考になるかも知れない。我々、買収の相手方と話をしてもいいということであれば、ですが」

「もう辞任したんだから、それは問題ないでしょう」

郷田はこたえた。「瀬名社長もお会いになりますか」

「もちろん」

瀬名のひと言で、郷田が玉置と連絡を取る。

「電脳の内部事情がどうであれ、東京中央銀行が融資を決めたら、新たな株価対策が必要になるな。政治決着なら青天井なのかな」

少し不安そうにきいた瀬名に、はっきりとこたえられる者はいない。事態は流動的だ。

「とりあえず、コペルニクスの新戦略がついに動き出したということをアピールしましょう」、と半沢は提案した。「マイクロデバイスとの調印風景を演出して、瀬名さんとハワード会長の対談などのイベントを組みます。機関投資家に対するアピールにもなるでしょう」

「すぐに進めよう」

即座に内線電話で指示を飛ばしはじめた瀬名の傍《かたわ》らから、森山が遠慮がちな視線を半沢に向けていた。新たな買収防衛策は半沢の人事考課にとって不利だ。

「あと二十日か」森山はつぶやいた。電脳が仕掛けた公開買い付け期限までの日にちである。勝敗を決する奥の手はない。地道な努力を積み重ねた上で、株主を納得させたほうが勝つという、単純で熾烈《しれつ》な戦いになりつつある。

「今回の最大の脅威はやっぱり東京中央銀行だよね」

瀬名がいった。「電脳は、打ち出の小槌《こづち》を握ってるようなもんだ」

「そんなことはないですよ」

半沢はいった。「銀行の支援はそんな簡単なもんじゃない。それに、彼らは買い付け価格を引き上げればそれだけで株が買えると思っているところがある。我々は、フォックス買収で新たなビジネスの絵を描きましたが、電脳はなんら具体的なビジネスプランを東京スパイラルの株主に提示できていない。株主に納得してもらうために動員すべきは、カネではなく知恵だと思います。知恵は資金力に優る——そう信じることが重要です」

「まったく同感だね」

瀬名は真顔でうなずいた。「東京スパイラルか電脳か、どっちが株主にとって魅力的な経営をするか。問われているのはそこだ」

「おっしゃる通りです」

半沢はうなずいた。「銀行が政治決着しようと、我々は上っ面やご都合主義ではなく、本質を睨んだ戦略を選択したい。それこそが勝利の近道です」

3

諸田の話に耳を傾けていた平山は、感情の読めない顔で肘掛け椅子に体を沈めたまま尋ねた。

「それで、追加支援はいつ決定されるんですか」

「来週水曜日の取締役会でと考えております」

諸田がこたえると、

「それじゃあ、遅いわよ」

ぴしゃりといったのは、平山の隣にかけている副社長の美幸だった。「買い付け期限まで三週間を切ってるんですよ。できれば今週中にも、買い付け価格の引き上げを発表したいぐらいなのに」

無理だ。

瞬時に諸田は判断したが、かろうじてそれを口にする愚は犯さなかった。だが、感情的なところのある美幸は、怒りで蒼白になった顔で諸田を睨み付けている。ここで言い方を間違えれば、女帝の怒りの火に油を注ぐことになりかねない。

「当行としても、最速最善を尽くしております。来週頭は無理にしても、できるだけ早く、買い付け価格の引き上げを発表できるよう、行内を挙げて努力しておりますので、もう少々お待ちください、副社長」

「組織が大きいことは、決定までに時間がかかることの理由にはなりませんから」

美幸はけんもほろろに言い放った。

「お説、ごもっともです」

認めた諸田に美幸は続ける。

「一流企業であればあるほど、組織は大きくても意思決定までの時間は短くなるものでしょ。銀行の方《かた》はそういうことをちゃんと理解しているの？」

「申し訳ございません」

ヘタに反論すべき場面ではないので、諸田は詫びた。美幸は続ける。

「迅速な意思決定ができない組織は、世の中から淘汰《とうた》されていくんだという危機感を持っていただきたいですね。私がいってることわかりますか」

「もちろんでございます。まったく同感でして、私に権限があればすぐにでも決裁させていただくところです」

話を合わせた諸田に、

「あなたが？」

と美幸は小馬鹿にした笑みを浮かべた。「あなたがそんな権限を持つのはいつのことですかね。それより、このことを伊佐山さんにきちんと伝えていただきたいですね」

「かしこまりました」

諸田はいい、それから苦しげな表情を作って続ける。「ただ、今回はなにぶん五百億円という巨額の支援なものですから、対金融庁との問題も考慮すると、どうしても取締役会での決裁は来週に持ち越さざるを得ません。なにとぞ、ご理解のほど、お願い申し上げます」

「じゃあ、その決裁に合わせて買い付け価格引き上げを発表する段取りで準備しておきます。具体的に何曜日にすればいいのかしら」

美幸の意見に、「いや、それは……」、と諸田は言葉を渋った。

伊佐山からは、「当行の事情も説明して、できるだけ時間を稼いでこい」と命じられている。稟議がその場で満額承認されるという保証はないからである。いや、そもそも稟議そのものが承認されるかどうかわからない。

遅々として進まぬ公開買い付けに焦るのはわかるが、ここは組織の論理抜きには片付けられない。

「一応、稟議ですので、決裁されるまで次のアクションはお待ちいただいたほうがよろしいかと」

諸田はいった。

「一分たりとも時間を無駄にしたくないんです」

美幸は険のある目つきでいい、相づちを求めるように夫である社長を振り向いた。

「稟議が難航する理由はなんです」

平山の冷静な質問が後に続いた。

「なにかと手続き上の問題がありまして」

実際のところ、難航必至だが、そこは諸田の方便である。

「ひとつ確認したいんですがね。そもそも東京中央銀行さんは、この買収案件について積極方針なんですか、それとも消極方針なんですか」

平山の目に不信感が滲んでいた。「さっきからきいていると、腰が引けているように思えてならないんだが」

「もちろん、積極的に支援させていただきたいと考えております」

諸田はきっぱりといった。「当行としても、この案件には相当大きな意味がありまして。そのために最善の策を検討してご報告しているつもりです」

「だったら、早く支援を決めてもらいたい」

感情を奥底に押し込んだ目になって、平山はいった。

「重々承知しております」

頭を下げた諸田に、「アドバイザーを替えたほうがいいかしらね」、という、唐突な美幸の言葉が降ってきたのはそのときだ。

「そんな、副社長も冗談がきつい」

無理に愛想笑いを浮かべようとした諸田だが、真顔の美幸を見て、顔色を変えた。

「どこから、声がかかってるんですか」

慌てて問いつつ、諸田は、電脳雑伎集団の取引銀行の名前を思い浮かべてみる。主力である東京中央銀行が獲得したアドバイザーの座を狙うとすれば、ライバルの白水銀行あたりか。

生唾を飲み込んだ諸田は、震えそうな声で尋ねた。

「もしかして、白水銀行ですか。それとも、系列の白水証券?」

「さあ、どうなんでしょう」

美幸は、返事をぼかした。「どちらであっても、いまさら関係ないじゃないですか。あなた方がアドバイザーとしての役割をきちんと果たしていれば、そんな話は出てはこない。違います？」

「あのですね、副社長」

諸田は狼狽を隠せなかった。「私どもは、メーンバンクとして相応の支援をさせていただいています。ご不満な点があるかも知れませんが、長い付き合いじゃないですか。本件については、すでに千五百億円の支援も実行しているわけですし、いまさら他行に乗り換えるというのは勘弁していただけませんか。私の立場も考えてください」

「あなたの立場は関係ないでしょう」

美幸の返事には取り付く島もなかった。「保身を考える前に、顧客のことを考えていただけませんか。あなたがさっきから口にしているのは自分たちの都合ばかりじゃない。世の中の客商売で、自分たちの都合を言い訳にしているのは銀行だけですよ」

「来週早々には結論を出しますから、この通り」

諸田は両膝に手をついて、首を折った。「これからアドバイザーを入れ替えたところでいいことはなにもありません。結局のところ、資金がなければ買い付けは進まないんです、副社長。いまその資金を最短でお出しできるのは当行に他なりません」

「そんなことはないでしょ」

美幸の反論はライバル銀行の存在を仄《ほの》めかした。「お宅のライバルは、必要資金はいつでも支援するといってる。じゃあ、こうしませんか。もし来週早々にそちらの決裁が下りないなら、そのときはアドバイザー契約そのものを見直すことにします。こちらもそれ以上は待てないから。どう、それなら文句ないでしょう」

諸田は唇を嚙んだ。

「私が判断できることでもないので、一旦、持ち帰らせてください」

それだけいうと、重い足取りで電脳本社を後にしたのであった。

「他行の参入？　冗談じゃない！」

証券本部に戻った諸田が真っ先に向かったのは伊佐山の部屋だ。平山夫妻とのやりとりを報告すると、伊佐山は激怒した。

「ここまできてそんな馬鹿な話があるか。すでに千五百億円、突っ込んでるんだぞ。そのことをどう考えてるんだ。いまさら白水に乗り換えるなんて、馬鹿も休み休みいえ」

「申し訳ありません」

激昂《げきこう》する伊佐山に、諸田は詫びた。「説得は試みたんですが、美幸副社長もご存知のように、かなり強引でして」

深い嘆息とともに、さすがの伊佐山も両手で頭を抱えた。この日も役員の根回しに奔走したに違いないその表情には、はっきりと疲労の色が見て取れる。

「まったく、なんでそういう発想なんだ」

鋭い舌打ちとともに伊佐山はいった。

「メーンバンクだからとか、そういう意識の低い経営者ですから」

「そんなことはわかってる！」

諸田の説明に噛み付いた伊佐山は、「だから、そこを説得してこいといったんだよ」、と抑え切れない苛立《いらだ》ちを露《あらわ》にした。

「この期《ご》に及んで他行にアドバイザーの座を奪われてみろ。〝証券〟との勝負云々の話どころじゃないぞ」

伊佐山は血走った目を諸田に向ける。「そのときは、我々に明日はない」

「とりあえず、来週の取締役会でなんとしても支援決裁を取り付けないと」

諸田がいうと、伊佐山の表情に厳しさが増した。「そっちはどのような感触ですか、部長」

「なんとか過半数の理解は得られそうな見込みだ。これは電脳の状況云々ではなく、当行の証券部門への投資みたいなものだからな。三笠副頭取にも動いていただいているから、最終的に、取締役会の意見としては支援方向で固まる可能性が高いだろう」

吉報に、諸田は胸をなで下ろした。

「すると、問題は中野渡頭取ですか」

「頭取はおそらく賛成される」

伊佐山の言葉はいつになく自信に満ちていた。「この案件で失敗すれば、当行の証券部門の発展は数年遅れになる。そうなれば、中期経営計画の実現そのものが難しくなるからな。頭取は、機を見るに敏なお方だ」

故に、五百億円の追加支援に、頭取も賛成するというわけである。

「電脳への与信が正しいかどうかなどということはいまや問題ではない」

伊佐山は断じた。「力ずくでもこの話をまとめ上げることによって、今後証券部門の収益が約束される。となれば、目先の与信判断にとらわれて将来に亘《わた》る利益を失するほど愚かなことはないんだ。銀行収益の経済合理性を考えたら、決裁して当然だ。それともうひとつ――」

自説を展開した伊佐山は、唇の端に歪んだ笑いを浮かべた。「その取締役会で、半沢の処遇も話し合われることになるぞ」

「半沢部長の？」

驚いて諸田はきいた。「どういうことですか」

「あの男を野放しにしておけば、当行のみならず証券子会社にとっても、いいことはなにもない。組織の利益を損なわせる恐れのある芽は早急に摘み取るべし。小耳に挟んだ話だが、人事部でも、すでに検討に着手しているらしい。半沢とて銀行員だ。いくら威勢のいいことをいっても辞令には勝てない。いまに奴もそれを思い知ることになる」

「嘘から出た実《まこと》という奴ですな」

諸田はいった。半沢に関する嘘の人事情報を三木に流したのはつい先日のことである。組織の恐ろしさを目の当たりにしつつも、諸田は腹から込み上げてくる笑いを堪えることはできなかった。ざまあみろ。〝証券〟を去るとき、自分に向けられた半沢の怒りの眼差しを思い出しながら心の中でつぶやいてみる。

結局のところ、権力はうまく利用した者の勝ちだ。いまこの瞬間、諸田は勝者になり、半沢は敗者になったのである。

「そのためにも――」

伊佐山は、諸田を睨み付けるように見た。「平山夫妻に、他行に乗り換えるなどというふざけたことをいわせるな。わかったな」

4

玉置は、温厚な雰囲気を漂わせた長身の紳士だった。財務のプロとして信用に値する男であることは、紹介されてものの十分と経たないうちに、確信となって半沢の脳裏に刻み付けられた。

「皮肉な話だな」

玉置の簡単な自己紹介をきいた瀬名がいった。「ウチでは多角化を主張した役員が離れていき、電脳では多角化に否定的だった玉置さんのような役員が離れていくんだからな」

瀬名は顔をしかめた。「それにしても、ウチの元役員が電脳に株を売るとは思わなかったよ。もし差し支えなければ教えていただけませんか。どういう経緯で、あのふたりから株を買い取ることになったんですかね」

時間外取引での先制攻撃は、よほど瀬名に強烈な印象を残したに違いない。

玉置は僅かに逡巡《しゅんじゅん》したように見えたが、こたえる前、「本当に、ご存知ないんですか」、ときいた相手は、半沢のほうだ。

「どういうことですか」

半沢が問うと、玉置から思いがけない話が出てきた。

「あのふたりと電脳を繋いだのは、東京中央銀行の野崎氏ですよ」

顔を上げた森山が目を見開いた。玉置は続ける。「財務担当役員だった清田氏と、十月に起業セミナーの講師として一緒に講演したのが縁だったときいています」

玉置はこたえた。「その後、清田氏のビジネスプランに野崎氏がアドバイスして、信頼関係が生まれたとか」

「そういうことだったのか」瀬名は鼻に皺を寄せた。

「玉置さんが、東京スパイラル買収計画を知ったのはいつですか」

半沢はきいた。

「記者会見の三日前です」

玉置は、悔しげな表情で嘆息した。「もっと早くわかっていれば――」

「反対したと」

半沢は、玉置の目を覗き込んできいた。

「その通りです」

玉置はこたえる。「遅過ぎました。いや、仮に初期段階から私が知ったとしても、私の意見など平山夫妻は聞き入れもしなかったでしょうが。そういう会社なんですよ。私はただの置物でしかありませんでした」

「電脳の財務部長職なら待遇面は相当よかったでしょうに。よくお辞めになりましたね」

自身が就職に苦労した経験があるだけに、森山には、そういう理由で職を辞する玉置の考え方が理解できないのだ。

「仕事の質は、人生そのものの質に直結しますから」

玉置の返事は、森山をはっとさせた。瀬名が顔を上げ、「その通りだよな」、と独り言のようにつぶやく。

「ひとつ、お伺いしてもよろしいでしょうか」

半沢はきいた。「つまらないことかも知れませんが、もし差し支えなければ教えてください。なぜ、平山さんは、最初、東京セントラル証券に話を持ってこられたんでしょう？」

「気になりますか」玉置は、やけに真剣な顔できいた。

「スジが通らないので」

半沢は真っ直ぐに玉置を見た。「正直なところ、電脳雑伎集団にとってウチは重要な位置付けにはなかったはずです。なぜですか」

しばし沈黙した玉置から出てきたのは、

「平山社長は、理由もなく態度を変えるような人ではありません」

というひと言だ。「失礼ながら、それまで相手にしていなかった証券会社に重要な依頼をしたのは、それなりの理由があるからとお考えください」

「それなりの理由？」

半沢は繰り返した。「なんです、それは」

「一応、内部情報が絡むことですので、私の口からははっきり申し上げることはできません。ただ、ひとつヒントを申し上げると、社長は、銀行からアドバイザーの話が持ち込まれたとき、本当は気が進まなかったのではないかと思います。銀行とお宅の証券会社との差は、実は電脳に関する情報の差といっていいと思います」

玉置は謎めいたセリフを口にした。

「情報の差……」

半沢は繰り返し、すこし考えてから問うた。「それは、ウチには電脳に関する情報があるけれど、銀行にはなかったと。そういうことですか」

「いや──その逆です」

玉置の答えは意外で、含みをもっていた。

森山が真剣な顔で、考え込んでいる。

「要するに、この買収案件に関して知られてはマズイことを銀行には知られていたということですか」

森山がきいたが、「まあ、そんなところです」、と玉置は言葉を濁す。「申し訳ない。一応、内部情報になるので、私としてはこれ以上のことは申し上げられないんです。勘弁していただきたい」

「どんな情報ですか。具体的でなくてもいいから、なにかヒントになるようなものをください」

森山が食い下がる。「きっとそれ、重要なことなんですよね」

しばし逡巡した玉置だが、ふっと短い吐息を洩らすと、「じゃあ、ひとつだけ」、そう前置きしていった。

「電脳の子会社に関する情報を銀行は持っているはずです。ただし――」

ここが肝心なところとばかり、玉置は森山を見た。「東京中央銀行は、その情報を生かしていません」

「子会社の……？」

森山の表情になにかがよぎったのを半沢は見た。

ノックとともに、森山がドアから顔を出したとき、時刻は午前零時を過ぎていた。

どれぐらい書類に没頭していただろうか。半沢は疲れた目を指で押さえながら、顔を上げた。肩が凝って、首筋にかけてじんと痺れたような痛みがあった。

所狭しと書類が散らばったデスクは、「飛行場のように」デスクが片付いているのが常である半沢にしてみれば、たまにあるかないかの見慣れない光景だ。

「どうだった」

肩をぐるぐる回しながら、半沢は呻くようにきく。

その半沢の前に、森山が差し出したのは、一通の書類であった。

「ようやく、見つけました」

手に取った半沢は、「なんでこれが」、という単純な疑問を口にする。それもそのはず、書類の左上には、「東京中央銀行御中」という宛名があり、右上に対外厳秘と赤文字で入っていたからだ。

「以前、電脳の三杉係長からいただいたものです」

森山がこたえた。「新たな子会社を設立したという話をきいたんで、詳細がわかる資料をくださいといったら、それをこっそりコピーしてくれたんですよ。それで、玉置さんの話をきいてピンときたんです。ただ、これが本件と関係があるのかどうか——」

発見するのに苦労したらしく、冬だというのに森山の額には玉の汗が浮いていた。古い資料を保管している書庫で相当、奮闘したらしい。

その資料で説明している子会社の新設はいまから二年前。電脳電設という、社内ネットワーク構築の周辺業務を請け負う会社だった。

「例によって、新事業への参入か」

電脳にとって、それは珍しいものではない。

企業のネットワーク構築ビジネスで成長し上場を果たしたところまでの電脳雑伎集団は、まさに一本道を駆け上がってきた。ところが、そこから先は様々なビジネスに手を出し、あらゆる種類の子会社を設立していた。

そんな会社のひとつに見える。

「この会社になにか意味があるのか」

疑問を口にした半沢に、「この会社は、それまでの子会社と比べて格段に規模が大きいと思いませんか」、そう森山は指摘した。

「この電脳電設という会社は、他社の営業権を買って、社員もそのまま継続雇用して作った会社なんです」

森山は、書類のページをめくり、そこに記された元会社を半沢に示した。

ゼネラル電設。ゼネラル産業を中心とするゼネラルグループの一員という説明が欄外にあった。

「ゼネラル電設？」

一瞥《いちべつ》した半沢が怪訝《けげん》な表情を浮かべた。

「ご存知なんですか」森山がきいた。

「銀行にいたとき、ゼネラル産業絡みのプロジェクトに関わったことがある。直接の担当じゃなかったが、ゼネラル産業は業績不振で、コスト削減のために事業の集約化を図ろうとしていたはずだ」

「それで、ゼネラル産業が電脳に子会社を実質売却したというわけですか」

「ゼネラル産業と電脳との間には取引はあるのか？」

半沢がきくと、森山は電脳雑伎集団の主要販売先のリストを広げて見せた。

「あります。電脳雑伎集団は、ゼネラル産業に対して昨年一年間で七十億円の売上を計上しています。大口取引先といっていいんじゃないですか」

電脳雑伎集団の資料によると、電脳電設の設立費用は約三百億円となっていた。

「うち、二十億円は事業譲渡ののれん代だと思います」という森山の解説に、半沢は首を傾げた。「なんで、そんな面倒なことをしたんだろうな」

「面倒とは？」

「単純に買収すればよかったじゃないか。会社を作って、営業譲渡を受けるよりそっちのほうが簡単だと思わないか」

半沢の問いは、半ば自分自身に向けたもののようにもきこえる。

「デューデリが面倒だったとか。会社を新設すれば、隠れ債務を心配することもありません」

「なるほど、それもあるな」

半沢はいった。デューデリ、つまりデューデリジェンスとは、企業買収時に行なう精査のことで、相応のコストと時間がかかる。それを省略できるのは、たしかに大きな意味があるかも知れない。それに、新会社であれば、たとえば連帯保証債務などの、財務諸表に掲載されない債務の存在を心配することもない。

「他になにか考えられますか」

森山が尋ねると、半沢は椅子の背に体を投げ出し、少し考えてからいった。

「ゼネラル産業の子会社を買収したという事実をあまり世の中に出したくなかった、とか」

半沢を凝視したまま、森山はその意味を咀嚼《そしやく》し続ける。

「なぜですか」

森山は、興味を抱いたらしく、きいた。「なぜ、隠す必要があったと?」

「ゼネラル電設のことは知ってる」

半沢はこたえた。「売上はせいぜい百五十億程度。資産価値は、おそらく百億から百数十億というところだったはずだ。とても、三百億円の価値はない」

森山は静かに目を見開いた。

「玉置さんがいっていた子会社というのは、おそらくこの電脳電設だ」

半沢は、断じた。ここに何か、秘密がある。

5

「根回しご苦労でしたね、伊佐山君。これで、取締役会も乗り切れるでしょう」

取締役会を二日後に控えた夜、伊佐山を食事に誘ったのは三笠のほうだった。

「ありがとうございます」

さすがに疲労の色を浮かべながらも、伊佐山の笑みに安堵《あんど》が滲んでいるのは、ここのところ進めてきた根回しが成功したという実感があるからだ。

「本件を通じて、証券部門の地盤沈下に対する危機感がいかに根強いか、わかった気がします」

伊佐山は、率直な感想を口にした。「ひとつの与信にこだわって当行全体の利益を損なうような判断ミスは犯したくないというのは取締役の総意ではないかと。正義は我にありです」

「決を採れば過半数は取れるという事実があるだけでも心強いですね。味方が多ければ議論も有利に進められるメリットがある」

満足そうに三笠はいい、そのときのことを思って目を細めた。ふたりの間に流れる静けさがかえって、そこに横たわる決意のほどを物語っているように見える。

「反対意見を述べそうなのは、誰ですか」

「一番うるさいことをいいそうなのは、内藤ですな」

こたえた伊佐山は、面談時のことを思い出して顔をしかめた。

あのとき、冷ややかな内藤の対応はどんなに言葉を尽くしても変わることはなく、籠《ろう》絡《らく》しようと必死になればなるほどこちらが惨めな気分になっていった。思い出すだに不愉快になる。

「あれはなかなかの論客だが、所詮、数には勝てない」

同意してうなずいた伊佐山だが、「ただ、今後の手続きは抜かりのないよう、お願いしますよ」、という三笠のひと言で表情を引き締めた。

「承知しております」

取締役会決裁は明後日。買い付け価格を一気に引き上げれば、期間内に目標株数を買い取ることは十分可能だ。

勝算あり。

いまそのことをはっきりと確信した伊佐山は、気力が漲《みなぎ》ってくるのを感じた。

その感覚は伊佐山の脳内で化学反応を起こし、東京セントラル証券の――いや、半沢への歪んだ優越感へと変容していく。

にたりと笑った伊佐山の心を読んだか、「証券側の人事についても、人事部で調整しているが、半沢氏については再出向の形で収まりそうですね」、という三笠の言葉が続いた。

「再出向というと、どこですか」

伊佐山の問いに、三笠が口にしたのは銀行の資本関連ではなく、きいたこともない会社の名前であった。

「未上場企業ですか、それは」

「従業員三百人ほどの融資先でね。そこの財務部長として出向させる線でほぼ固まりつつある。将来性のある会社ですよ」

最後のひと言は皮肉混じりに添えられ、ふたりで笑い合った。

「目的のためなら手段を選ばない男です、あの半沢というのは。しかし、今回ばかりは少々調子に乗り過ぎましたねえ」

「いろいろありましたが、本当にありがとうございました、副頭取」

そういって、伊佐山は改まって頭を下げた。「電脳の東京スパイラル買収も、これでなんとか軌道に乗りそうです」

「礼をいわれるスジ合いではありません」

三笠は人格者然として、こたえる。「そもそも、この案件を見出したのは君の手腕だ。

物事というのは、時間はかかったとしても、最後には落ち着くところに落ち着く。私はそれにかかる時間を、多少短縮したに過ぎません」

「ありがたいお言葉です」

伊佐山は新たに酒を酌《く》むと、三笠と盃を合わせた。

6

「いろいろありがとうな、マサ」

瀬名が改まって礼をいったのは、二軒目のバーだった。「飯でも食わないか」と誘われて元麻布にあるイタリアンに行き、飯倉片町にある瀬名行きつけの店へ流れた。

「なんだよ。まだ終わってないじゃん」

「わかってるって。いままでやってくれたことに対して礼をいってるだけだ」

最初の店で我慢していた分、いま立て続けにタバコを吸いながら、瀬名は経営者らしい精悍《せいかん》な横顔を見せている。

週の初めとあってカウンターは閑散としている。瀬名と森山は妙にしんみりとした雰囲気でグラスを握りしめていた。

「これは現代の侵略戦争だ」

正面の棚にぎっしりと並ぶ酒瓶のほうを睨み付け、瀬名はいった。「合法的で、しかも衆人環視の下で行なわれる侵略戦争なんだ。あるいは証券市場っていう現代のコロセウムでの拳闘試合みたいなものかも知れない。どちらかが殺されるまで続く真剣勝負のような」

「お前には絶対に負けてほしくない」

森山の低い声に、瀬名は静かに顔の角度を変え、友人であり、いまやビジネスパートナーとなった男を見た。

「オレは負けねえよ」

グラスに向かっていった瀬名だが、

「オレがいってるのは別の意味もあるんだ」

森山のひと言で、瀬名は顔を向けた。

「別の意味？」

「オレたちって、いつも虐《しいた》げられてきた世代だろ。オレの周りには、いまだにフリーター、やり続けてる大学の友達だっているんだ。理不尽なことばかり押し付けられてきたけど、どこかでそれをやり返したいって、そう思ってきたんだ」

瀬名は黙っている。

グラスを口に運び、再び目の前の酒瓶に視線を結び付けたまま、静かに思考を巡らせている。

「なるほどね。ただ、オレの考えはちょっと違うな」

瀬名の意見に、森山は静かに耳を傾けた。「どんな時代にも勝ち組はいるし、いまの自分の境遇を世の中のせいにしたところで、結局虚しいだけなんだよ。ただし、オレがいう勝ち組は、大企業のサラリーマンのことじゃない。自分の仕事にプライドを持っている奴のことだけどさ」

森山は黙したまま瀬名の言葉を頭の中で反芻《はんすう》した。

「どんな小さな会社でも、あるいは自営業みたいな仕事であっても、自分の仕事にプライドを持てるかどうかが、一番重要なことだと思うんだ。結局のところ、好きな仕事に誇りを持ってやっていられれば、オレは幸せだと思う」

自分はどうだろうか、と森山は自問した。

ほんの少し前まで、森山の胸にあったのは、負け組の卑屈さだった。東京セントラル証券に就職してすでに八年近くが経っているというのに、学生のとき何十社と落ち続けた入社試験の経験を引きずっていた。

抜け切らない挫折感と、精神的な消化不良の中で、ずっと働いてきた気がする。

「礼をいわなきゃいけないのはオレのほうだ」

森山はいった。「この仕事させてくれて、本当にありがとな。いまさらこんなことをいうのは恥ずかしいんだけど、こんな充実した仕事をさせてもらって幸せだと思う。オレはこの仕事にいまの全てを賭けてるし、プライドを持ってやってるとはっきりいえる。ほんとに、うれしいよ」

瀬名は手元のグラスをそっと掲げた。森山もそれに倣《なら》うと、気分が満たされ、最終決戦ともいえる戦いを前に、気持ちが高ぶっていくのがわかった。

ドアがノックされ秘書が顔を出した。

「部長、東京セントラル証券の半沢さんがいらっしゃってますが」

東京中央銀行の内藤は、そのとき執務室で書類に目を通していた。

「半沢が？」

アポはない。壁の時計は、午後八時を過ぎている。「通してくれ」

そういうや否や、秘書と入れ替わるようにして、かつて部下だった男がずかずかと執務室に入ってきた。

「ご無沙汰しております」

一礼した半沢に、「随分派手な仕事ぶりだな」、と皮肉をいって、ソファを勧める。

「実は、明日、取締役会が開かれるときいたものですから」

肘掛け椅子にかけようとした内藤は一瞬動きを止めた。

「よく知ってるな」

そういうと、いつものように内藤は、少しだらしなく椅子にかけ、足を組んだ。お互い気心の知れた間柄で、気を遣うこともない。

「ついでにいうと、そこで君の人事についても議題になる予定だ。そのことか？」

半沢の来意を予測した内藤だったが、返ってきたのは、「いえ、違います」、というきっぱりとした言葉だった。

「電脳雑伎集団への追加支援の件です」

「なんだ根回しか」

内藤の表情が厳しくなった。「取締役会で反対してくれということであれば、いちいち私に根回しをする必要はない。どのみちそのつもりだからな。だが、私が見回したところ、取締役の過半数は追加支援を認めるだろう。私ひとりが頑張ったところで、動かせるような話ではない」

内藤は、突然訪ねてきた半沢の心中を推し量《お はか》るように、顔を覗き込んだ。「もし、追加支援が承認されれば、おそらく買収は成功するだろうな。まあ、東京スパイラルのアドバイザーである君が、それで困ったことになるのは無理もないが」

「いえ、困ったことになるのは私ではなく、御行のほうです」

思いがけない言葉に、内藤は思わずまじまじと半沢を見据えた。「先程、伊佐山さんにお話ししようと思いましたが、聞く耳を持たないと追い返されました」

「それで、わざわざ私のところにケンカを売りに来たのか、半沢」内藤は、呆れた。

「まさか。なぜ御行が困るのか、それを説明に来ただけです」

そういうと半沢は持っていた資料をテーブルに広げ、徐《おもむろ》に話しはじめた。

第九章　ロスジェネの逆襲

1

東京中央銀行の取締役会には、懸案は常に最後に議論するという暗黙のルールが存在する。午前九時からはじまった取締役会の議題は全部で六項目。順番に五つの議案について議論し、最後の議案に辿《たど》り着いたとき、すでに一時間半ほどの時間が経過していた。

伊佐山が立ち上がると、空気が一変し、緊張した雰囲気になった。

「証券営業部から提出させていただく議案は、かねてご承認をいただいた電脳雑伎集団に対する追加支援についてでございます」

伊佐山の表情には、自信が溢《あふ》れていた。根回しで、すでに過半数の賛成票をかき集めているという余裕があるからだ。

「同社より、IT業界の両雄と並び称されてきた東京スパイラル買収をもちかけられたのが、およそ二カ月前のことでありました。以後、我々証券営業部では、買収のための英知を集め、また他の追随を許さぬ情報収集能力を駆使して元東京スパイラル役員に接触、時間外取引により三分の一弱の株式を取得することに成功し、証券業界で高い評価を得てきた経緯があります。このような大型買収案件での成功は、今後の証券ビジネスを見据えたとき、将来に亘《わた》る収益機会を獲得するに十分な成果であったと自負するところであります」

自らの手柄を誇らしげにぶち上げた伊佐山は、話を本日の議案へと戻していく。

「その後、東京スパイラル買収事案は、公開買い付けに移行し、速やかな過半数株式の取得を目指してまいりました。しかしながら、ここに思いがけぬ問題が生じまして、このたび、再度、取締役会での決議を要する事態となったことをご報告しなければなりません」

言葉を切った伊佐山は、東京スパイラルのアドバイザーとして、東京セントラル証券が名乗りを上げるまでの経緯に言及していく。

「一般常識に鑑《かんが》みても、親会社である当行が仕掛けた買収案件の相手方のアドバイザーに、証券子会社が就くなどあり得ない事態です。利益相反《りえきそうはん》行為であると同時に、こうした行為が業界の信頼を損ない、秩序を乱していくことは確実でありまして、証券営業部としては、従前より申し上げてきました通り、東京セントラル証券の対応に強く遺憾の意を表するものであります。また、同資本系列であると知りつつ、アドバイザーに任じた東京スパイラルの見識にも強い疑念を抱かざるを得ません。さらに――」

伊佐山はここで一段と声を高めた。「さらに同証券は、電脳雑伎集団の親密企業であるフォックス買収を主導したばかりではなく、マスコミを動かし、実現可能性の低い事業計画を喧伝《けんでん》して株価つり上げを狙うなどの、およそ正当な証券業務とはいえない手管で、投資家の目先を惑わす戦略を展開するに至っております。その結果、東京スパイラル株価は実力から大きく乖離《かいり》して急上昇し、当初公開買い付けで設定していた株価では応募者が集まらないという事態に至りました。もとより、このような株価上昇は、時間の経過とともに沈静化していくと当部では見ておりますが、公開買い付けの期限までに確実な買収を実施するためには、それを待つのではなく、買い付け価格を現状の実勢価格に合わせて引き上げることで、速やかに買収を完了させたいと考えております。そのために、同社に対し今回、五百億円の追加融資を、買収支援として諮《はか》ることになりました。その稟議《りんぎ》の詳細については、すでにお手元に配付した通りで——」

誰もが伊佐山の話をききながら、いま分厚い稟議書のコピーのページを捲《めく》りはじめた。

「電脳雑伎集団という会社に対して総額二千億円もの支援は大げさに見えるかも知れませんが、大型の企業買収分野での地位を確かなものにすることを思えば、決して過剰な支援とはいえません。この案件は、証券部門の、いや当行全体の将来に亘る収益確保のための橋頭堡《きょうとうほ》になります。なにとぞ、ご理解の上、大局的な見地から、皆さんのご賛同をいただきますよう、お願い申し上げます」

演説に近い説明を終えた伊佐山が、小さく一礼して着席すると、会議室が俄《にわか》な熱気に包まれていくのがわかった。

「随分立派な趣旨説明をきかせていただいたが、ご意見は？」会議室を見回した中野渡

に、

「私からもひと言、よろしいでしょうか」

静かな声で発言を求めたのは、副頭取の三笠であった。「伊佐山君から発表のあった通りで、このような買収案件が、大きな手数料収入を稼ぐ願ってもない収益機会になることはいうまでもありません。今後企業買収を計画したいと思う顧客にとって、どんな銀行が、あるいは証券会社がパートナーとしてふさわしいか考えてもらいたい。小難しい理論を振りかざす頭でっかちの金融機関だろうか。おそらく、そうじゃないでしょう。やはり、こうした大型案件を、きっちりとまとめ上げた経験のある金融機関こそ、相談をもちかけるにふさわしい相手に映るはずです。今回の買収案件は、当行にとって絶好の宣伝になります。真の競争力を持つ総合金融機関を目指すために、これは絶対にやり遂げなければならない試金石といっていいのではないでしょうか」

三笠の意見に続いて、何人かの取締役たちが、支援賛成の論調で意見を述べはじめた。

「賛成意見については、おおよそわかった」

しばらく耳を傾けていた中野渡はいい、議場を見回す。「反対意見は？」

「よろしいでしょうか」

声が上がり、全員の視線がそちらに振られた。

営業第二部長の内藤が挙手しており、伊佐山が秘かに眉を顰《ひそ》めるのがわかった。

「銀行全体の収益機会とおっしゃいますが、本当にそうだと言い切れますか？」

賛成に傾きかけている取締役会に挑むように、内藤は疑問を呈した。

る。

「どういうことですか、内藤君」

三笠がきいた。穏やかな口調だが、内藤を見つめる目の奥には敵愾心《てきがいしん》が揺れ動いてい
「電脳雑伎集団による東京スパイラル買収を成功させることが、本当に当行の収益機会になるのかということです」

「成功するのと失敗するのと、どっちが収益に結び付くだろうか」

三笠は、問題を単純化して尋ねた。「企業売買のアドバイザー業務を推進していくつもりであれば、実績はあったほうがいいと思うが、君はそう思わないということですか」

「それについては、まったく同感です。評価される実績であれば」

内藤は落ち着き払っていった。

「評価される実績？」

三笠は眉間《みけん》に皺《しわ》を寄せた。「君は、この買収は評価されないと考えているんですか。理由はなんです」

「それについてこれから詳しく説明させていただこうと思います。ただ、私から申し上げるより、本件について詳しい者がおりますので、その者から説明させてください」

内藤がいうと、壁際の椅子で待機していた調査役が立ち上がり、背後のドアを開けた。

いま、そこから入室してきた男の姿を見て、三笠がはっとするのがわかった。伊佐山が目をまん丸にして驚愕の表情を見せている。

「少々異例であることは承知の上で、来てもらいました。東京セントラル証券営業企画部の半沢部長です」

「どういうことですか、内藤君」三笠が不機嫌な声を出した。「彼は部外者だし、そもそも利益相反している当事者じゃないか」

「お言葉ですが、利益相反はありません」

内藤に代わり、断言したのは半沢であった。「弊社は電脳雑伎集団の東京スパイラル買収を阻止する立場にあります。同時に、そのことは、東京中央銀行の利益にもなるからです」

「続けさせていただいてよろしいでしょうか、頭取」

内藤の言葉に、厳しい表情で成り行きを見守っていた中野渡は無表情のまま椅子の背にもたれた。

「時間の無駄にならなければいいがね」

「ありがとうございます」

内藤が平然とこたえたとき、「ちょっと待ってください」、と制したのは伊佐山であった。

「敵対する東京セントラル証券の人間をここに入れるということは、そもそも取締役会の議事を社外に洩らすのと同義です。それは電脳雑伎集団のアドバイザーである当行の立場として、いかがなものかと思いますが」

「彼は、私の代弁者だと考えていただきたい」

内藤はいった。「それに、彼は東京セントラル証券の人間であっても、籍はあくまで当行です。しかも、この後話し合われる人事次第で、それすらどうなるかわからない。つまり、彼がどんな情報をここで得たところで、我々の意思次第でそれを無力化することは極めてたやすい。であれば、なんら問題はないと思いますが」

「内藤さん、あんた、このことを電脳雑伎集団の平山社長に話せますか」伊佐山が挑戦的にきいてきた。「買収の相手方アドバイザーがどんな意図でここに来たか、知れたもんじゃないのに」

そういうと、ケンカ腰の眼差しを半沢に向けた。「それでなくても、この男がやってきたことについては、大いに問題がある。常識を疑うよ、私は」

「発言が許可されたようですので、続けさせていただきます」

構わず半沢はいうと、伊佐山に向かって、「バンカーにとっての常識とはなんでしょうか」、と問うた。

「買収成功ありきの、無闇な追加支援を決定することが果たして常識といえるでしょうか。伊佐山部長、あなたは、電脳雑伎集団という会社に対して総額で二千億円にもなる支援を稟議しておられますが、これが同社にとって果たして妥当な支援といえるでしょうか」

「妥当かどうかは、君が疑問を差し挟むことじゃないだろう」

伊佐山は声高に言い放った。

「もちろん、その通りです。しかし、同社財務状況に関する分析をおろそかにしたまま、ただ買収の成功ありきという態度は、収益機会を得るどころか逆に、御行の信用に傷を付け巨額の損失をもたらす原因になりかねない」

「分析をおろそかにしてるだって？　なにいってるんだ、君は」

咬みついた伊佐山だけではなく、その背後に並ぶ補助席から、部長代理の諸田が、半沢に対して挑むような眼差しを向けてきている。

半沢対証券営業部。さながら、これまで市場で戦いを続けてきた両者が、この会議室というリングに上がった、そんな印象だった。

「君がいいたいことは想像がつくから、先に申し上げておく」

伊佐山が続けた。「電脳雑伎集団に対する与信額については過剰気味であることは承知の上だ。しかしながらこれは、同社を発展させ、そして当行の証券ビジネスの将来を切り拓くための投資であり明確な経営戦略上の意味がある。君がいうような一般論は、まさに木を見て森を見ずとしかいいようがない。この案件は、そんなミクロ的な視点で論ずべきものでは決してない。それは、ここにお集まりの役員全員が承知していることだと私は理解している」

同意をして何人かの役員がうなずくのがわかった。どの顔も、この思わぬ展開に眉を顰め、証券子会社からの闖入者《ちんにゅう》に、怒りや苛立《いらだ》ちを浮かべている。

「電脳雑伎集団という会社について、証券営業部はきちんと理解した上でそうおっしゃっているんでしょうか」半沢はきいた。

「君は銀行をバカにしているのか！」

伊佐山の怒りの炎が燃え上がり、声高に叫んだ。副頭取の三笠が、半沢を冷たく見据えている。

「足元の議論をするつもりなら、それはもう結構」

その三笠が口を挟んだ。「いまここで話し合うことではないし、財務評価については皆さんのお手元にある稟議書の通りで、それ以上でも以下でもないでしょう。我々は、その認識の上に、支援の是非を議論しているのであって、取締役会はそうした各論を交わす場でもない。君はなにか勘違いしているんじゃありませんか」

「はっきり申し上げますが、証券営業部が上げている稟議書には重大な瑕疵《かし》がありま す」

半沢の発言に、会議室がどよめいた。「その稟議書を元に議論しても、誤った結論しか導き出すことはできないでしょう。ゴミ箱からはゴミしか出てきません」

「我々の稟議をゴミ扱いするのか、君は」

唾を飛ばして激昂《げきこう》した伊佐山を、半沢は平然と見返した。

「ゴミ扱いしているのではありません。ゴミだと申し上げているのです」

「なんだと！」

伊佐山は、いまにも椅子を蹴立《けた》てて飛びかかってくるのではないかという剣幕だ。その怒気は、三笠や伊佐山を支持する旧T人脈の役員全員に伝わり、いまや剣呑《けんのん》な空気が会議室に充満しはじめていた。

「こんな男を重要な会議に引き入れるとは、内藤さん、あんたはなにを考えているんだ」

伊佐山の怒りは内藤にも向けられたが、当の内藤は取り合わなかった。

「人の話は最後まできいたらどうなんです」

そういうと、半沢に話の続きを促す。「続けてくれ」

うなずいた半沢は、言葉を継いだ。

「証券営業部のこの稟議書は、買収成功ありきの予定調和で作成されており、与信所管部が本来行なうべき基本的な判断業務を怠《おこた》っています。結果的に、電脳雑伎集団に関する評価において、重大な見落としがあり、間違った結論を導き出している」

「それは穏やかではありませんね、半沢さん。でも、君は、証券営業部の稟議書を見ていないのではありませんか。なぜそんなことがいえるんです」

三笠は、丁寧ではあるが、ひやりと冷たい刃のような目を向けてきた。

「もし、気付いていれば、電脳に対する支援を主張するはずがないからです」

「説明してもらおうか」

伊佐山が挑戦的にいった。「君は自分の分析力を買っているようだが、電脳雑伎集団とは付き合い程度の関係で、直接深く関与しているわけではない。そんな君が、我々証券営業部が総力を挙げて分析作成した稟議書をゴミだという。ならば、本当にそうか、よくその目で見たらどうなんだ」

立ち上がった伊佐山は、わざわざ円卓を回ってくると、半沢の前に稟議書を叩き付けた。

半沢がそれを手に取り、内容をざっと見る間、会議室は息を呑んだように静まり返った。

やがて、稟議書をテーブルに置いた半沢は、血走った目で睨み付けている伊佐山に問うた。「これだけですか」、と。

「どういう意味だ」

伊佐山の表情は慍色《おんしょく》に歪んでいる。

「この稟議書には、ゼネラル電設からの営業譲渡と資金還流についてひと言も触れられていません。なぜですか」

半沢の問いかけに、伊佐山の表情に初めて戸惑いが浮かんだ。背後の諸田を振り返ったが、諸田もまた、怪訝《けげん》な表情で首を傾《かし》げただけだ。

「いったい、なんのことをいってるんだ、君は」

「おわかりになっていないようなので、説明させていただきます」、という半沢の発言を合図に、新たな資料が配付された。

「二年前、電脳雑伎集団は、電脳電設という新会社を設立し、ある会社から社員もろとも営業譲渡を受けています。それが、業績不振で再建中のゼネラル産業の子会社、ゼネラル電設という会社でした。当時の資料によると、ゼネラル電設の評価総額は百二十億円。一方、この会社の譲渡に際し、電脳雑伎集団がゼネラル産業に支払った金額は、三百億円にも上《のぼ》ります」

目に警戒感を滲ませ、伊佐山がこちらを凝視している。言葉はない。三百億円という金額をきいた途端、会議室には訝《いぶか》るような気配と疑問が漂いはじめた。

「どういうことだ」

テーブルの中心にいる中野渡から言葉が発せられた。「評価額との差額があり過ぎるんじゃないのか」

「おっしゃる通りです。それについてこれから説明します」

半沢はいい、続けた。「電脳雑伎集団は、この二年間、ゼネラル産業から総額百五十億円を超える受注残高があります。ちなみに、それ以前に、同社との取引実績はありません。一方のゼネラル産業は二年前のこの子会社の取引で赤字を回避し、準主力銀行である白水銀行での資金調達に成功しております」

半沢の説明に、会議室は粘土の底に押し込められたかのような息苦しさに満たされていった。

「一昨年の電脳雑伎集団の利益は二十五億円。昨年度は七十億円でした。近年の過当競争で収益力が低下する中、なんとか利益確保した二年間です。しかし、本当にそうなんでしょうか。本当に、電脳は苦境の中で、これだけの利益を確保できたのでしょうか。いかがですか、伊佐山部長」

問われた伊佐山は、極度に警戒した眼差しを半沢に向けてきていた。

「あ、当たり前じゃないか」

「なるほど」

半沢は静かにいった。「たしかに、証券営業部の稟議書は、この利益を鵜呑《うの》みにしています。ですが、結論を申し上げると、それは間違っています。評価額と売買価格の差額である百八十億円は、売上という形で電脳雑伎集団へ資金還流したに過ぎません」

「そんなはずはない！」

そのとき伊佐山が叫んだ。「そんな話は、まったくきいたことがない。だいたい、この資料の出所《でどころ》はどこだ。君はどこからこんなものを入手した？　同社から不正に入手したのなら問題だぞ」

「その資料は、二年前、電脳雑伎集団から新会社設立に関する説明資料として申し受けたものです」

森山が保管していた資料である。

「宛名は東京中央銀行になってるじゃないですか」

指摘したのは三笠だった。「ウチの資料をどうして君が手に入れたのか、きちんと説明してくれないか」

「電脳の担当者が、銀行に提出したものを私の部下にコピーして渡したからです。つまり、これと同じものは御行にも提出されているということになります」

伊佐山の顔から血の気が引いていくのがわかった。

「当初、電脳雑伎集団の平山社長は、買収のアドバイザーを弊社に依頼してきました。その後、それはそこにいる諸田君の情報リークにより御行に横取りされることになるわけですが、なぜ電脳がそれまで大した取引のなかったウチに、最初に話を持ってきたか、その理由がこの資料にあります」

会議室の並み居る役員を見回して、半沢はひと呼吸おいた。

「東京中央銀行は、ゼネラル産業グループのメーンバンクです。つまり、この資料を持つ銀行が精査すれば、自分たちに都合の悪い事実が明るみに出てしまう。では、その都合の悪い事実とは果たしてなんなのか？」

半沢は、伊佐山と諸田、そして最後に三笠を順繰りに見た。「粉飾です」

2

伊佐山だけではない、その瞬間、取締役会は瞬間冷凍されたように静止し、全員がレリーフに浮き彫りにされた人のように動きを止めた。

「その資金はゼネラル産業に株式売却資金として還流し、電脳雑伎集団の同社に対する架空売上の原資になっています」

半沢が明かす真実はさながら、取締役会の静謐《せいひつ》に打ち込まれる杭のようであった。

「前期電脳雑伎集団の利益は二十五億円。計上しているゼネラル産業の架空売上の七十億円は仕入れもなければ外注もない真水の売上ですから、そのまま利益を嵩上《かさあ》げすることができる。つまり、電脳の前期決算は、実質五十億円近い赤字なのです」

半沢の資料の最終ページには、ご丁寧にもゼネラル産業とゼネラル電設、電脳電設と電脳雑伎集団を巡る資金の動きを解明した図が添付されていた。支援を支持してきた取締役たちは、放心したような顔を上げたり、考え込むように腕組みをしたりしたまま言葉もない。

「電脳雑伎集団は、近年の過当競争に敗れ、赤字決算を余儀なくされるほど追い詰められています。平山社長は、ゼネラル産業に対して将来的な子会社買収を確約する代わりに、子会社の営業譲渡という形で資金を還流させ、売上として計上することで利益が出ているかのように見せかける粉飾を計画し実行に移しました。しかし、業績はいまもまだ改善しているとは言い難く、同社が東京スパイラル買収に固執するのは、そうした窮状を知られることなく、また粉飾の事実を闇に葬るための隠れ蓑《みの》として必要だからです。業績の順調な東京スパイラルと一緒になることで、本業の赤字も有価証券報告書の虚偽記載もうやむやにして乗り切る——それが同社の、平山社長の、いや平山夫妻の真の目的です」

いま、全員の視線が集中する中、伊佐山は茫然自失の様子でかけていた。

「いま君が説明したことは、どこまで裏が取れてるんだ」

突如としてざわめきはじめた議場に、中野渡の声が響いた。

「電脳雑伎集団の元財務部長、玉置克夫氏に事実関係を確認しました。間違いありません」

玉置に確認したのは、森山とともにこのカラクリに気付いた翌日のことである。最初渋っていた玉置だったが、商法違反まで秘匿する必要があるかという半沢の指摘に、ついに真相を語ったのだった。

「なにか質問は」

議場に向かって中野渡は問うたが、挙手する者はいない。

「この不正に気付かなかったのは証券営業部の完全な失態だな」

頭取の視線を受けた伊佐山の顔面は真っ青で、反論の言葉はない。

副頭取の三笠が力尽きたように頭を垂れた瞬間、それまで飛び交っていた様々な思惑も根回しもコンセンサスも無に帰し、目に見えない残骸のようになって分厚いカーペットの上に放り出された。

「電脳雑伎集団への追加支援は、見送りにする。それでよろしいか」

中野渡は、会議テーブルを囲む取締役たちに向かってきいた。反論はない。「証券営業部は、粉飾の事実について確認の上、速やかに既存支援の回収を図れ。それと半沢君──」

中野渡は、立ったまま成り行きを見守っている半沢に向かっていった。「ご苦労だった」

黙礼で応えた半沢は、くるりと踵《きびす》を返すと、入ってきたのと同じドアから会議室を出ていく。その姿が見えなくなるまで見送った中野渡は、配付された議案を一瞥《いちべつ》して続けた。

「当該議案には、東京セントラル証券に出向中の一行員に対する人事案も含まれているんだが。さて兵藤君、どうしたものか」

人事部長の兵藤は、大きく息を吸い込んでしばし考えた。

「それにつきましては、一旦持ち帰らせていただきたく存じます」

「わかった。今日の議案から削除してくれ。他になにかあるかな」

取締役たちに問いかけた中野渡は、発言を求める挙手がないことを確認して嘆息した。

「では、取締役会はこれで閉会だ。私も長くやってきたが、ここまで見事に逆転された経験ははじめてだよ。喜ぶべきか、悲しむべきか」

苦笑いを浮かべて立ち上がった中野渡は、一瞬、半沢が消えていったほうに視線をやると、せっかちな性格そのまま、足早にその場を後にした。

3

会議の後に残ったのは、敗北感だった。閉会を宣言した中野渡の背中を見送った三笠は、目で伊佐山を促し、先に自室に戻っていく。

思いがけない会議の成り行きと結果に打ちひしがれていた伊佐山は、背後の諸田を振り返り、「おい」というひと言をかけ重い腰を上げた。

入念な根回しを終えて決裁確実と信じて疑わなかった案件は、思いも寄らない形で否決され、もはや跡形もない。

証券部門にとって痛恨の一敗といってよかった。

副頭取の執務室に入ると、すでに三笠は肘掛け椅子に収まって、沈黙したまま右手の指で額のあたりを押さえていた。その様子からただならぬ気配を感じ取った伊佐山は、

諸田と並んでソファにかけて言葉を待つ。

「どういうことですか、伊佐山部長」

丁寧な言葉とは裏腹に、三笠の瞳の中で青い怒りの炎が燃えさかっているのを見て、伊佐山は思わず息を呑んだ。

「申し訳ございませんでした」

自らの体を切り刻まれるほどの屈辱を、伊佐山は堪えなければならなかった。

「企業分析などという、最も基本的なもので負けたんですよ、あの半沢氏に。これ以上の恥がありますか。なんで気付かなかったんです」

東京セントラル証券ではなく、半沢——そう三笠はいった。悔しさの表れだ。

「証券部門の肩を持った私の立場もない」

三笠の言葉は抑えられない怒りのために震えていた。「早急に本件について、顚末をまとめたレポートを上げてほしい」

三笠はいった。「なぜ分析が及ばなかったのか、なぜ東京セントラル証券の指摘を許すことになったのか、君たちの不手際がどこにあったのか、きちんと原因を分析してください。君のところで、きちんと後始末をしてもらいたい」

伊佐山の背筋を冷たいものが流れた。

それはつまり、全ての責任を証券営業部で——ひいては伊佐山が被れといわれているに等しいからだ。

唇を嚙んだ伊佐山に、三笠は続けた。「本件は完全に君たちの過失です。しかも、すでに千五百億円もの資金が電脳側に流れている。君たちを信用した私が愚かでした」

最後にそう告げた三笠は、どこか虚ろな横顔を向けると、話の終わりを告げる代わりに、肘掛け椅子を立って執務用デスクへと移っていく。

立ち上がりながら副頭取のいつにない表情を観察した伊佐山は、そこに漂うただならぬ敗北感に、ひそかに息を呑んだ。

頭取を目指した男の野望が、まさにいま終焉《しゅうえん》を迎えようとしている。

証券部門出身の三笠がこの案件を全面支援した背景には、東京スパイラル買収という大きなビジネスを成し遂げ、それを手柄にポスト中野渡を狙う野心があったはずだ。

だが、その思惑は、考えられる限り最悪の形で収束したといっていい。

先程の取締役会で、賛成の意見を述べた取締役たちがいままさに味わっている不快感と焦燥感は、ひとつ翻《ひるがえ》れば三笠や伊佐山に対する不信に転ずるだろう。

一礼した伊佐山は、指先で額を押さえている三笠を最後に見届けて扉を閉めた。

「終わったな」、と伊佐山は胸の中でつぶやいた。

三笠だけじゃない。伊佐山もそうだ。ほんの一時間前には、眩《まぶ》しいほどに輝いていた将来への道筋は消え失せ、いまの気分は、凍《い》て付く大地で迷い立ち尽くす旅人のようである。

諸田とともにエレベーターホールに向かって歩き出した伊佐山は、少し先の応接室から出てきた人影を見て、ぱたりと足を止めた。

向こうも気付いてこちらを見る。

半沢と、どうやら東京セントラル証券の人間らしい若い男、それに営業第二部長の内藤がそこに立っていた。

「やあ、お疲れさま」

まるで季節の挨拶でも交わすかのような穏やかな声で、内藤がいった。

それに唇を歪めて応えた伊佐山らは、黙って三人の前を通り過ぎようとする。そのとき——。

「諸田」

半沢が伊佐山の背後に声をかけた。「なにか、オレたちにいうことがあるんじゃないか」

諸田がはっと足を止めた。思わず振り返った伊佐山が目の当たりにしたのは、部下の凍り付いたような横顔だ。

「仲間を裏切っておきながら、謝罪もなければ反省もない。それでいて、電脳の真相に迫ることもできず、中途半端な仕事ぶりで迷惑をかける。君にとって、仕事ってなんだ」

諸田の顔面から血の気が引いていった。ひび割れた表情が咄嗟《とっさ》に半沢へ向けられたものの、反論は出てこない。一旦半沢に向けられたその視線が力なく役員フロアのカーペットに落ちる前に、半沢は歩き出した。最初から、諸田の答えなど期待していないとばかりに。

そもそもオレはどこで間違ったのだろう——歩き出しながら伊佐山は考えた。

諸田から明かされた電脳雑伎集団の買収計画に飛び付いたときか。

時間外取引での大量株取得のスキームに酔いしれたときか。

そのスキームが破綻して狼狽し、電脳の本質を見るべききっかけを逸したときか。

だが、いまとなっては全てが――遅過ぎる。

「おい、諸田」

伊佐山はがっくり肩を落としたままの部下に声をかけ、重たい吐息をついた。「これから電脳に行くぞ。アポを入れろ」

4

東京中央銀行からの連絡は、午前十一時を過ぎてなお、なかった。

「買い付け価格の引き上げ、先に発表しちゃおうか」

痺れを切らした美幸がいったとき、まるでその声がきこえたかのように平山のケータイが鳴り出した。

「諸田からだ」

出る前に美幸に告げ、平山は通話ボタンを押す。通話はものの数十秒で終わった。

「これから伊佐山氏と来るそうだ」

携帯電話を折りたたみながらいった平山の表情が強張《こわば》っている。

「どうしたの」

きいた美幸に、平山は、「決裁されたとは、いわなかった」、とつぶやくようにいう。

重たい沈黙が、ふたりで待つ社長室を支配した。

「どういうこと」

尖った声で、美幸が尋ねるが返事はない。口を噤《つぐ》んだ平山は、じっと壁の一点を見つめたまま肘掛け椅子の中で考え込んでいる。

「きけばよかったじゃないの」

美幸は非難するようにいった。「なんできかなかったのよ。きかないでそんなことうなんて。いま電話してきいたら」

だが、平山は動かない。「じゃあなんていったのよ、諸田は」

やはり、平山は黙ったままこたえなかった。

「ねえ、ちょっと——」

気の強い女である。美幸がなにかいおうとしたとき、

「うるさいっ！」

平山は怒鳴った。

「なによ、イライラしちゃって」

苛立ったもののそれ以上の文句を呑み込み、美幸はソファで不機嫌になる。こういうとき、平山に楯突《たてつ》いたところで、いいことはなにもない。

平山は不安なのだ。

そして、自分では認めたくなかったが、美幸もまた——不安だった。

平山の考えていることはわかっている。

東京スパイラル買収というこの戦略には、まさに電脳雑伎集団の存亡がかかっているといっていい。どんなことがあっても、成し遂げなければならない買収案件なのだ。白水銀行からのオファー話も、全ては東京中央銀行を動かすための方便に過ぎなかった。東京中央銀行の支援以外に、電脳雑伎集団が彷徨《さまよ》い込んだ迷路から抜け出す術はない。

平山が押し黙ってしまうと、社長室は俄に静けさに満たされていき、美幸は意思とは無関係に胃のあたりが捻り上げられるような緊張を感じた。

諸田らが到着するまでの時間は、とてつもなく長く感じられた。

もはやこの窮地を、銀行の支援なしには脱することができない——その事実が、重くのしかかってくる。

「たかが、銀行じゃない」

美幸はそうつぶやいてみた。平山にではなく、自分に向けた言葉だ。ＩＴの雄として華々しく成長を遂げていた頃、銀行など足元にひれ伏す下僕程度にしか考えてこなかった。資金調達の主戦場は証券市場であり、上場によって平山夫婦は巨額の創業者利益を得ていた。

だが、その後の競争激化で本業の収益は次第に悪化していき、新たな収益の柱を求めて設立した様々な会社に個人資産まで投入していった。いま、その多くは未回収のままだ。次々に持ち込まれる儲け話に乗って投資したものの、いまから考えるとその行為は、底が抜けたバケツに水を入れるのと同じぐらい馬鹿げたものに思える。

美幸にも、そしておそらく平山にも、目には見えない薄衣《うすぎぬ》のような疲労がまとわり付いている。

その疲労は、長年経営に携わってきたいわば蓄積疲労のようなものだ。得意な分野、そして抜きん出たノウハウを引っさげて電脳雑伎集団という企業を華々しく成長させたのは事実だが、いまやそれは過去の栄光だ。その後の電脳雑伎集団の経営は、正直、敗戦続きで見るべきところがない。否定し、目を背けても、直面している現実の厳しさが変わるわけではなかった。

たかが、銀行じゃない。

美幸はもう一度心の中で、つぶやいてみた。

なにがなんでも、東京スパイラルを買収する。そのために必要な資金を支援させる。たかが銀行になんか、文句はいわせない。文句をいうんなら、取引を切ってさっさと他へ乗り換えてやる。

イエス——それ以外の返事は、絶対許さない。

そのとき、ドアがノックされ、秘書が銀行員たちの到着を告げた。

先に入室してきたのは、部長の伊佐山だった。諸田がその後に続き、まるで儀式かなにかのようにふたり揃って一礼すると、神妙な顔でソファにかける。

「お忙しいところ、お時間をいただき申し訳ありません。先ほど、取締役会が終了いたしまして」

おもむろに口を開いたのは、伊佐山だった。平山と、そして美幸を交互に見つめるその目に、いつもの生気は欠片《かけら》もない。「結論から申し上げます。五百億円の支援、通りませんでした。申し訳ありません」

そういうなり、ふたりは深々と頭を下げてみせる。

伊佐山の銀髪と諸田の薄くなった頭頂部を見つめる平山は、まるでいまの話が耳に入っていないかのように無表情だ。

「どういうことよ！」

心を占めはじめた絶望的な気分を振り払い、怒りの声を上げたのは美幸だ。「ふざけないでくれますか。アドバイザーになりたいっていったのは、あなた方なんですからね。契約違反よ、これは」

美幸は、強気の視線をふたりの銀行員に向けて抗議した。伊佐山も諸田も、見る影もなく打ちひしがれ、表情を消している。だが、平謝りに謝るのかと思ったふたりから、期待した言葉は出てこない。代わりに伊佐山が向けてきたのは、平板で鉛のような目である。

「実は、反対意見を述べる者から、こういう資料が出てきました」

伊佐山が、カバンから一通の資料を取り出して、ローテーブルを滑らせて寄越す。

「どうぞ、ご覧ください」

だが、平山も、そして美幸も、その書類に手を伸ばしはしなかった。

広げられたページには、ゼネラル産業から電脳への資金還流を示す図が、はっきりと描かれていたからである。

美幸の中でなんとか灯っていた希望の炎が揺れて消え、唐突な闇が眼前に出現した。未来を照らしていた微かな光、その最後のひと筋が途絶えた後にできる闇だ。

ふと気付くと、椅子にかけたままの自分の体がいつの間にか震え出していた。暖房はついているはずなのに、冬の凍て付く北風に長時間さらされたかのように頭は朦朧《もうろう》としている。

「事実なんでしょうか」

伊佐山の問いに、

「知りません」

そうこたえた自分の声は風に舞う枯れ葉のように乾き切り、誰かの発した無責任な戯《ざれ》言《ごと》のようにその場に舞い落ちた。

「知らないでは済みませんよ、副社長」

背筋を伸ばし、有無をいわせぬ硬い声で伊佐山はいった。

美幸は肘掛け椅子の背にもたれて頬を膨らませ、ふて腐れた横顔を見せている。蓮《はす》っ葉《ぱ》な女子高生のような美幸の態度は、どうこたえようか考えているというより、ひたすらこの事態に腹を立てているように見える。

「事実なんですか？——社長」

伊佐山は質問の矛先《ほこさき》を変えた。問われた平山は、髪を七三に分け、銀縁メガネをかけたサラリーマン然とした顔の筋肉を微動だにさせず、むっつりと黙り込んだ。

「資産評価は会計士に任せているんで、すぐにはわからない」

やがて出てきた平山の返答に、伊佐山が納得したそぶりはない。

「それでしたら、会計士からの報告書を見せていただけませんか」

「それは無理だな。ここにはない」

「ならばいま手配していただけませんか」

伊佐山が畳みかけるように尋ねると、平山は、ふっと肩を揺すり、苛立ちまぎれの笑いを洩らした。

「君たちはもう支援する気がないんだろ。なんでそんな銀行に情報を提供しなきゃいけないんだ」

「本件については、すでに千五百億円の支援をしています」

伊佐山は、重々しくいった。「その他に運転資金もある。財務内容を知りたいのは当然ですし、御社はそれにこたえる義務があるんですよ、社長。これは、取引の根幹に関わる問題です」

「そういわれてもね。すぐには出せないよ、ここにないから」

平山は冷め切った態度で、椅子の背にもたれた。

「ならば、昨年度のゼネラル産業からの受注明細と納品書はどうです」

伊佐山は引き下がらない。「それなら、いま見せていただくことができるんじゃないですか。これから御社の経理担当を訪ねますから、一本電話を入れていただければ」

「そんなに信用できないのなら、アドバイザーから降りてもらうよ、君」

平山は、相手を睨み付け、言い放った。しかし、予想に反して伊佐山も、そして諸田も、顔色ひとつ変えなかった。

「実は、それを申し上げるために参りました」

伊佐山は告げた。「このような不明瞭な取引がある以上、今後本件を含めて支援することはできません。もし、不正はないと証明していただけないのなら、運転資金も含めて全額、返済をお願いしたい。コンプライアンス上、そのような違法行為を見逃すわけにはいきませんので」

「随分ご立派なことで」

平山の唇から投げやりな言葉がこぼれた。「お宅の子会社に投げた案件を、ぜひにとゴリ押ししてきた挙げ句にそれですか。都合が悪くなったら手のひらを返す。お宅はウチの業績について納得していたからアドバイザーになったんでしょう。それがアドバイザーとしての正しい態度とは思えませんね。そんなことでは、今後誰も東京中央銀行にアドバイスを求めなくなるでしょう。最初から荷が重かったんじゃないんですか」

「そうかも知れませんな」

平然と、伊佐山は受け流した。プライドをかなぐり捨てた男が、ここにいる目的はもはやひとつだけだった。「それで、いつご返済いただけますでしょうか?」

5

「今度ばかりは、万事休すかと思ったぜ」

渡真利は焼酎《しょうちゅう》お湯割りのグラスを口に運び、ぐいっとひと口飲んだ。半沢は黙ってグラスを傾けている。

神宮前の、いつものヤキトリ屋であった。木曜日とあって午後九時過ぎに来たときには満杯だったが、いまは少し落ち着いてきている。

「この一件で三笠副頭取の行内評価は地に墜《お》ちた。あれだけ根回ししていた電脳支援を、根底から引っくり返されたんだからな。どうやっても、言い訳できないミスだ。あわや、とんでもない信用事故を起こすところだったぜ」

電脳雑伎集団が東京スパイラル買収断念を発表したのは、一昨日のことであった。新聞各紙は、アドバイザリー業務で東京中央銀行が子会社の東京セントラル証券に敗北を喫したことも併せて報道し、様々な対比構造を挙げてこの買収事案について書き立てていた。

電脳平山と東京スパイラル瀬名の新旧ＩＴ経営者としての対比。サラリーマン然とした平山と型破りな瀬名とは、見た目も言動も両極端で、支持する年齢層も違う。多角化を推進してきた平山に対し、事業の裾野をむやみに広げるのではなく本業に特化してきた瀬名という対比。〝既得権益世代〟対〝ロスジェネ世代〟の対決構造にも、かなりの注目が集まった。

「与信は回収できそうか」

半沢がきくと、「まあ、なんとか」、というため息混じりの返事がある。

「お前のおかげで東京スパイラルの株価が高騰していたからな。徐々に市場に放出していって、その都度、返済を入れてもらっている状況だ。株価の値上がりで買収に失敗したが、おかげで回収してなおかつ売買益まで出るんだから、皮肉なもんだ」

東京スパイラル株式は、電脳が所有株を市場で売却するという報道があった直後に一旦は売られたものの、その後は株価を持ち直している。

「問題は、粉飾のほうだ」

渡真利は声を潜め、真剣な顔になった。「いずれ、捜査当局のメスが入る」

「だろうな。問題は、そのとき電脳がどうなるかだが――」

半沢はグラスを回し、氷の音をききながら渡真利を見た。「整理ポストかな」

「可能性は高いな」

渋い顔をして渡真利も認めた。「そうなりゃ当行は損失を抱えることになる」

買収資金こそ全額回収しても、それまでに支援していた運転資金の残高が数百億円規模で残っているからだ。全額が不良債権になれば、銀行の業績にも影響が出る。

「中野渡さんもついてないな」

「他人事《ひとごと》だな、半沢」

渡真利はいって、ふと押し黙った。その横顔を一瞥した半沢は、「なにかあるのか」、と察しよく尋ねる。

「小耳に挟んだ程度だ」

そういって、いま皿に載せられたハツの串にかじりついた。情報通の渡真利には、銀行中の秘密が集まっている。どうやら、今回もまた、その類《たぐい》らしい。

「お前を電脳に送り込んではどうかという意見が出てる」

「オレを?」半沢は、飲みかけたグラスを置いた。

「電脳について誰よりも研究しているわけだから、今後、銀行管理で再建するにせよ、債権回収するにせよ、お前が最適任者ではないかという理屈だ」

半沢はさすがに呆れて、渡真利にきいた。「誰がそんなこといってるんだ」

「三笠さんだ。お前に、電脳の買収話を潰されたのが余程頭にきたと見える。逆恨みもいいところだけどな。だが、いくら逆恨みでも、副頭取が自ら人事部に働きかけているとなれば、兵藤さんも無視はできない。オレがいいたいこと、わかるよな」

「どこまでいっても根性の腐った連中だな」

呆れてみせた半沢は、「それで、オレはそっちに行くのか」ととぼけた調子できいた。

「冗談も休み休みいえ。お前、それでいいのか」

渡真利は、怖い顔になる。

「しかし、辞令は拒否できない。それが銀行員だ」

「その辞令がいつも正しいとは限らないだろうが」

渡真利もまた長年の銀行員生活を彷彿《ほうふつ》とさせるひと言を発した。

「今回の案件についてお前がしたことは正しかったと思う。だが、お前のおかげで、出世の階段を踏み外し、将来に暗雲が垂れ込めた連中が大勢いる。特に証券部門の連中は、全員がアンチ半沢だ。そいつらにとって大事なのは、もはやなにが正しいかということじゃない。どうけじめを付けるかだ。三笠副頭取にしても同じで、これはもはやプライドの問題なんだよ」

「あきらめの悪いことで」

「その通り！」

渡真利は拳を握りしめていった。「あきらめの悪い人種なんだよ、銀行員ってのはさ。ついでにいうと、実力もないのにプライドだけ高い奴ってのが一番手に負えないんだ。しかも、そういう奴は掃いて捨てるほどいる」

肩を揺すって笑うだけでこたえない半沢に、渡真利は向き直った。「銀行としても早く手を打ちたい事情がある。来週中にも人事が発令されるぞ」

「電脳と役員受け入れで話が付いたのか」

半沢の質問に、渡真利は大きくうなずいた。

「すでに外堀は埋まってる。一難去ってまた一難だな。ご愁傷《しゅうしょう》様」

6

「おめでとう。買収阻止成功だ」

乾杯した森山の胸を満たしているのは、いままで経験したこともない充実感だ。

「ありがとな。マサのおかげだ」

瀬名はいい、しみじみとした表情でため息を洩らした。

電脳雑伎集団による突然の買収宣言から、息つく暇もないほどめまぐるしく立ち働いた二カ月だった。

「正義は我にあり、さ」

森山は少しおどけた調子でこたえると、改めて瀬名に向き直る。「それよりオレからも礼をいうよ。最高の仕事、させてもらった。感謝してる」

「それはよかった」

瀬名は、真面目くさった顔で森山を見て、「世の中、こうじゃなきゃな」といった。「いつもフェアなわけじゃないかも知れない。そこにフェアを求めるのは間違ってるかも知れない。だけど、たまには努力が報われる。だから、あきらめちゃいけないんだ」

その言葉は、森山の心の奥底へと沈んでいく。

「ところで、きいてもらいたいことがある」

と瀬名はおもむろに話を変えた。「実は昨日、清田と加納のふたりが訪ねてきた」

名前をきいても、それが瀬名の元を去った元財務担当役員と元戦略担当役員だと思い出すまで、少し時間がかかった。

「東京スパイラル株を売却した連中か。それがまたなんで」

「また元の役職に復帰したいそうだ」瀬名はこたえた。

「真面目にいってるのか」

驚いて森山はきいた。まったく、呆れた話である。瀬名と袂《たもと》を分かったまではいい。しかし、その後ライバル企業に大量の株式を売却して裏切った挙げ句、復職を願い出るなどまったく馬鹿げた申し出ではないか。

「ウチの株を売った資金で通信ビジネスをはじめようとしたらしい。株式売却資金を、そのままインフラにつぎ込んだのはいいが見通しが狂ったそうだ。資金さえあれば必ず成功するから、ウチで事業を引き取ってもらえないかといってきた」

「随分虫のいい話だな」

森山は言葉に侮蔑を込めた。「それでどうするんだ」

「断る」

瀬名はきっぱりといった。「オレとしては、財務担当役員として、招きたい人間が他にいるんでな」

「玉置さんか」

図星だろうと思ったが、瀬名は首を横に振った。「いや、玉置さんは、フォックスの財務担当にすでに内定している。オレが考えてるのは――、お前だ、マサ。ウチに来ないか」

森山は一瞬、言葉を失った。とりとめもない思念の塊に翻弄されて言葉が出てこない。後頭部に予期せぬ一撃を食らった気分だ。

「オレはやっぱり信頼できる奴と仕事がしたいんだ」

瀬名は熱い口調でいった。「マサは証券会社での経験も知識も十分だし、是非、財務担当役員としてウチに来てもらいたい。一緒にやろう」

「ちょっと待ってくれ。いきなりそれはないだろう」

当惑した森山に、

「少し前から考えてたんだ。今回の件が一段落したら、誘おうと思ってさ」

と瀬名は真顔になる。「もしお前が前向きに検討してくれるんなら、条件面を話し合いたい。なんなりと希望をいってくれないか」

「いきなりそんなことといわれても、どう返事をしていいかわからないよ」

「別にいま返事しなくていい」

瀬名はいった。「大事なことだし、ゆっくり考えてくれ。待ってるから」

そういうと瀬名は一気にジョッキを飲み干し、個室のインターホンを押すとおかわりをふたつ注文した。

7

「おい、祝いの席だっていうのに相変わらずの仏頂面か」

尾西が、さっきから会場の片隅で口数も少なくなっている森山に気付いて声をかけた。

「まあ、いろいろあって」

「そりゃあ、疲れたんだろうよ」

尾西は勝手に決め付けた。「ここんところ、ほとんど終電だったもんなあ」

営業企画部を挙げての祝勝会だ。社長の岡自らが企画したパーティである。会社近くにある小さなバーを借り切った会場、その中央付近にあるテーブルでは、いま半沢が何人かの部員たちに囲まれて歓談しているのが見えた。

いつもは厳しい岡も、この夜ばかりは上機嫌でさっきから取り巻きの役員相手に熱弁を振るい続けている。乾杯のスピーチでは、手のひらを返したかのように半沢を誉めちぎり、部員たちを呆然とさせた。「銀行に負けるな」と言い続けてきた男が、世間の注目が集まる案件で、銀行を撃破したのだから、これほど痛快なことはないのだろう。

「そういえば、昨日東京中央銀行の人事部にいる友達と久しぶりに飲んだんだけどさ。ちょっと気になることをきいたんだよな」

尾西は、ちらりと半沢のほうを一瞥して声を潜めた。「半沢部長、もしかしたら、銀行に戻るらしいぜ」

えっ、といったきり、森山は口を噤《つぐ》んだ。

「まさか。だって、ついこの前、ウチに来たばっかりじゃないですか」

「いや、戻るといっても、一旦人事部付になるだけで、すぐにまた出向になるらしい。行き先はどこだと思う?」

見当も付かない。

「どこですか」

返ってきたのは、「それが、電脳らしいんだ」、という戸惑い混じりの答えだった。

「まさか」

俄には信じ難い話である。「電脳と敵対していたのに、そこに出向させるなんて。無茶苦茶じゃないですか」

「部長は銀行内に敵が多いんだとさ」尾西は訳知り顔でいう。

「それ、部長は知ってるんですか」

理不尽な怒りを感じながら森山はきいたが、さあな、と尾西は首を横に振った。

「人事のことなんだから、知らないんじゃないか。まったく銀行ってところはえげつない真似をするよなあ。いくら負けたからって、そんなふうに仕返しすることはないじゃないか」

あまりのことに森山は押し黙った。

　酷過ぎる。

　とても祝勝する気分ではなくなった森山にとって、そこから先、その会に参加し続けるのはまさに苦痛以外の何物でもなかった。加えて、瀬名からの申し出のことも頭の半分を占め続け、仲間たちの話の輪に加わるどころではない。

半沢は尊敬に値する上司だった。

顧客を優先し、自らの地位さえ顧《かえり》みない肝のすわった仕事ぶり。知恵と努力で相手を上回り、僅かな糸口から事態を逆転に導く手腕。半沢と仕事ができたのは、森山の財産だ。

その半沢が、成功故《ゆえ》の反感を買い、サラリーマン人生の窮地に立たされようとしているのだ。

悔しさに、森山の胸は張り裂けそうであった。

「なんだ森山、行かないのか」

半沢に声をかけられたのは、カラオケ好きの岡が大勢の部員たちを引き連れ、近くのカラオケボックスへ向かうのを見送っていたときである。「お前も行かないか」と尾西には誘われたが、もうこれ以上馬鹿騒ぎに付き合う気にはなれなかった。

「部長はどうなんです」

当然、岡に誘われたものと思ったが、半沢から返ってきたのは、「どうも歌なんぞ歌ってる気分じゃないんでな」

という言だ。

部長は、知っている。

そう直感した森山に、「そのへんで飲んでくか」、と誘ってくれたのは半沢のほうであった。

近くの居酒屋へ入り、カウンターで軽く乾杯する。

「さっき、尾西さんから気になる噂をききました。部長の人事のことで」

「気にすることはない」

半沢は笑ってこたえた。少し、淋しげなところのある笑いだ。

「しかしですね、もし本当なら酷いと思うんですよ。部長のところにはもう打診があったんですか」

「正式には、ないな」

泰然と酒を飲みながら、半沢はいった。「だが、誰が行くにしても、いまあの会社は予断を許さない状況だ、早いほうがいい」

「部長が行く必要はまったくないと思うんですよ。これ、今回の件で負けた腹いせじゃないですか」

「気に入らないか」

半沢は片眉を上げてきいた。

「気に入りませんよ、そりゃ」

森山は悔しげにいった。

世の中はいつもフェアなわけじゃないと、瀬名はいった。そうかも知れない。だからといって、それでいいわけじゃない。

「だったら、お前が変えろ」

半沢の言葉に、森山ははっと顔を上げた。

「どういうことですか」

「嘆くのは簡単だ」

半沢はいった。「世の中を儚《はかな》み、文句をいったり腐《くさ》してみたりする——。でもそんなことは誰にだってできる。お前は知らないかも知れないが、いつの世にも、世の中に文句ばっかりいってる奴は大勢いるんだ。だけど、果たしてそれになんの意味がある。たとえばお前たちが虐《しいた》げられた世代なら、どうすればそういう世代が二度と出てこないようになるのか、その答えを探すべきなんじゃないか」

半沢は続ける。「あと十年もすれば、お前たちは社会の真の担い手になる。そのとき、世の中の在り方に疑問を抱いてきたお前たちだからこそ、できる改革があると思う。そのときこそ、お前たちロスジェネ世代が、社会や組織に自分たちの真の存在意義を認めさせるときだと思うね。オレたちバブル世代は既存の仕組みに乗っかる形で社会に出た。好景気だったが故《ゆえ》に、世の中に対する疑問や不信感というものがまるでなかった。つまり、上の世代が作り上げた仕組みになんの抵抗も感じず、素直に取り込まれたわけだ。だがそれは間違っていた。そして間違っていたと気付いたときには、もうどうすることもできない状況に置かれ、追い詰められていた」

半沢は、少し遠い目をして、嘆息した。「だが、お前たちは違う。お前たちには、社会に対する疑問や反感という、我々の世代にはないフィルターがあり根強い問題意識があるはずだ。世の中を変えていけるとすれば、お前たちの世代なんだよ。失われた十年に世の中に出た者だけが、あるいは、さらにその下の世代が、これからの十年で世の中を変える資格が得られるのかも知れない。ロスジェネの逆襲がこれからはじまるとオレは期待している。だが、世の中に受け入れられるためには批判だけじゃだめだ。誰もが納得する答えが要る」

「誰もが納得する答え……」

森山は、それを口の中で幾度も繰り返した。

「批判はもう十分だ。お前たちのビジョンを示してほしい。なぜ、団塊の世代が間違ったのか、なぜバブル世代がダメなのか。果たしてどんな世の中にすれば、みんなが納得して幸せになれるのか？　会社の組織も含め、お前たちはそういう枠組みが作れるはずだ」

「部長にはあるんですか」

森山はきいた。「こうすればいいという枠組みを、部長はお持ちなんですか」

「枠組みといえるほどのものはない。あるのは信念だけだ」

半沢はいった。「だが、それはあくまでバブル世代の、いやもっといえばオレ個人の発想に過ぎない。しかし、オレはそれが正しいと信じてるし、そのためにいままで戦ってきた」

「もしよかったら教えてもらえませんか」

森山は問うた。「それはどんな信念なんでしょうか」

「簡単なことさ。正しいことを正しいといえること。世の中の常識と組織の常識を一致させること。ただ、それだけのことだ。ひたむきで誠実に働いた者がきちんと評価される。そんな当たり前のことさえ、いまの組織はできていない。だからダメなんだ」

「原因はなんだとお考えですか」

森山はさらにきいた。

「自分のために仕事をしているからだ」

半沢の答えは明確だった。「仕事は客のためにするもんだ。ひいては世の中のためにする。その大原則を忘れたとき、人は自分のためだけに仕事をするようになる。自分のためにした仕事は内向きで、卑屈で、身勝手な都合で醜く歪んでいく。そういう連中が増えれば、当然組織も腐っていく。組織が腐れば、世の中も腐る。わかるか？」

真顔でうなずいた森山の肩を、半沢は微かに笑ってぽんとひとつ叩いた。「結果的に就職氷河期を招いた馬鹿げたバブルは、自分たちのためだけに仕事をした連中が作り上げたものなんだよ。顧客不在のマネーゲームが、世の中を腐らせた。お前らがまずやるべきことは、ひたすら原則に立ち返り、それを忘れないようにすることだと思う。とは・いえ、これはあくまでバブル世代であるオレの仮説であって、きっとお前はもっと的確な答えを見つけるはずだ。いつの日か、それをオレに話してくれるのを楽しみにしている」

森山が慌てて半沢の表情を読もうとしたのは、その言い方が、どこか別れを予感させるものだったからだ。

「戦え、森山」

半沢はいった。「そしてオレも戦う。誰かが、そうやって戦っている以上、世の中は捨てたもんじゃない。そう信じることが大切なんじゃないだろうか」

8

人事部長の兵藤が、中野渡の専用車に乗って銀行を出たのは午後六時四十五分だった。少し相談したいことがあるから食事でもしながら、という頭取からの誘いは、そう珍しいことではない。兵藤相手に話をしたいというのだから人事絡みの話に違いないが、食事をしながらというところに、中野渡の迷いが透けて見える気がした。

今回の一件で、東京中央銀行の証券部門は、飛躍する大きなチャンスを逃した。さらに、電脳雑伎集団のコンプライアンス問題が浮上し、不良債権発生の可能性も否定できないままだ。

それ以上に問題なのは、こうした危機的状況を打開するための人材が不足していることだ。証券部門の擁護者であり代弁者でもある三笠副頭取の信用失墜は著しく、そのリーダーシップにはもはや期待できない。電脳の粉飾を見逃してしまった伊佐山への行内の目線も冷ややかで、伊佐山ではこの難局を乗り切れないだろうというのが一致した見方だ。

今後を見据えた人事をどうするか、兵藤の意見をききながら考えを固めていきたいというのが、いま隣で瞑目している中野渡の真意だろう。

中野渡と兵藤を乗せたクルマは平河町に向かい、やがて予約してある中華の店が入っているビルの前で停車した。

そのままエレベーターで上階の店へ向かい、個室に案内される。

中野渡に続いて部屋に入った兵藤だが、そこに先客がいるのを知って表情を強張らせた。三笠と伊佐山のふたりだ。

「待たせたか」

「我々もいましがた着いたところです」

いつもの柔らかい物腰で三笠はいい、中野渡を最奥の席へ通した。どうもキナ臭くなってきた。三笠からは、先日、とある提案をされたばかりだ。

電脳雑伎集団に役員として半沢を出向させてはどうか——。

検討するとはいったものの、それとなくはぐらかしておいた。しかし、いまこのふたりが同席した目的は、それを頭取に直談判《じかだんぱん》することではないか。だとすれば、面倒なことになるかも知れない。

「お声をかけていただきまして、ありがとうございます」

中野渡頭取が着席すると、三笠は朗《ほが》らかにいって運び込まれたビールで乾杯した。

頭取から声をかけた？

心に広がる疑念を面《おもて》には出さないよう気を配りながら、兵藤は、果たしてこの会食がいかなる理由で取り持たれたのだろうかと疑問を抱いた。今後の証券部門の強化策を腹を割って話し合うのにこのふたりを招くということは、中野渡の今後の戦力構想に両人が組み込まれていることを意味する。

それはないだろう、と兵藤は秘かに思った。経緯をいちいち振り返るまでもなく、目下の難局をこのふたりで乗り切るのは難しい。

だが、その兵藤が抱いた疑問は、中野渡の次の言葉であえなく解けた。

「声をかけたのは、君たちにも言い分があるのかも知れないと思ってね」

三笠の頰がひくつき、伊佐山は銀縁メガネの底の瞳から感情を消した。

「ありがとうございます」

なんとか平静を装って低く頭を下げた三笠は、隣にいる伊佐山に目で発言を促す。

「結果的に、みっともないことになってしまいまして、申し訳ございません」

伊佐山は詫び、「ただ、今回の件、反省はしてみましたが、やはり我々の立場で見破るのは不可能だったのではないかと判断せざるを得ません」

「ほう。それはどうして」中野渡は、さして関心を抱いたふうもなくきいた。

「ゼネラル産業グループは営業本部の管轄です。半沢はたまたま前職が営業第二部の次長で、ゼネラル産業グループの情報を知悉《ちしつ》していました。我々証券本部としてはなかなかそこまでの情報に接する機会がありません。結論からいうとやむを得ない事態であったかと……」

苦し紛《まぎ》れの言い訳である。伊佐山は、ポケットから取り出したハンカチで額を拭いた。暑くもない部屋なのに、広い額は汗で光っている。

「なるほど」

中野渡はちらりと伊佐山を見、飲み干したコップをとんとテーブルに置いた。「それについては副頭取も同じ意見か」

「証券部門は優秀な人材が揃っております」

部下に対する厚い信頼を口にした三笠には、証券部門出身のプライドが滲んでいた。

「同じ条件でしたら、当行が証券に先を越されるなどということは考えられません。人材の厚みが違いますから。やはり、半沢君の前職が分析結果を左右することになったかと考えております」

「頭でっかちの集団だからな、証券本部は」

果たして中野渡の口から出てきたのは皮肉めいたひと言であった。「きっと君たちは、机に向かって問題と答案用紙を配られたら、誰にも負けないいい点数を取るんだろう。だが今回の試験は、まず解くべき問題を探してくるというところからはじまっていたようなものだ。君たちは、その肝心な勝負に負けた。その結果、君たちは、間違った問題を解き、間違った答えを出した。だが、東京セントラル証券のほうは、たしかに通常の手続きとは違ったかも知れないが、正しい問題を把握し、導くべき結論を導き出した。違うかね、伊佐山君」

「おっしゃる通りです」

反省と後悔で唇を噛みしめながら、伊佐山は敗北を認めた。「力及ばず、申し訳ございませんでした」

「私も、本件については監督が至りませんでした」

反省を口にした三笠は、「そこで頭取にご相談がございます」、とふいに話題を切り替える。

「電脳との話し合いで、今後の対応を見据えて当行から人材受け入れの話が決まっており、いまこの兵藤君のところで人選を進めているところでございます」

ちらりと兵藤を見て、三笠は話を続ける。「彼には事前に申し入れをしたところですが、私どもからひとつ提案がございまして。電脳を再建させ、債権回収の万全を図るために、同社の内容を最も詳しく知る人材を起用するのが肝要かと。そのために、証券に出向中の半沢君を同社に差し向けるのが最善の人事であると考えているところです」

中野渡は、じっと耳を傾けている。三笠は続けた。「本件については、兵藤君にも提案し、検討してもらっているところです。頭取のご意向を頂戴して、可及的速やかに人事を固めたいと存じます」

「電脳の受け入れポストはなんだ」

中野渡が兵藤にきいた。

「取締役財務部長ということで調整しているところです」

「君は賛成なのか」

中野渡はいきなり、兵藤に問うてきた。

「私は——正直、半沢を差し向けるのは反対です。まだ証券に出向させて間もないですし、今回のことは彼の功績でもあります」

「功績というのは、違うと思いますね」

三笠がやんわりと釘を刺してきた。「彼がまともなバンカーなら、あんな形ではなくもっと早い段階で銀行に情報提供すべきだったんですから」

「内藤君からきいた話ですが、取締役会の前日に半沢はこの件で伊佐山部長に面談を申し入れたそうですね」

兵藤は、伊佐山にきいた。「しかし、あなたは聞く耳を持たなかったと」

伊佐山は慌て、ますますハンカチを額に当てはじめた。

三笠に報告していなかったのだろう。副頭取の表情が険しくなり、怒りの視線が伊佐山に向けられる。

「申し訳ありません。別件での陳情だと勘違いいたしまして。半沢も内容についてはなにもいわないものですから」

「電話で話すようなことではないでしょう」

なんでも半沢のせいにしようとする伊佐山の言い草に、兵藤は呆れていった。

そのとき、

「しかし、兵藤君。半沢が功績を上げたから電脳への出向には反対するというのは、適材適所を重んじる人事制度から逸脱してると思いますよ」

三笠が粘り腰で反論してきた。「いま当行にとってどんな選択がベストなのか。それを考えるのが人事部の仕事ではないでしょうか。行員の事情を優先させていたら人事はできない。人事とはあくまで組織の事情を優先させるべきものです。電脳の再建には、半沢君以外の適任はいない。頭取、いかがでしょうか」

このふたりがやろうとしているのは半沢の追い落とし以外の何物でもない。質《たち》が悪いのは、なまじ中途半端な組織の論理を楯にして、ノーといいにくい巧妙さがあることだ。

三笠と伊佐山、ふたりのバンカーの期待のこもった視線を浴びながら、中野渡は、静かに考えている。

「もし、半沢君がいなかったら、どうなっていただろうか」

やがて中野渡はいった。「当行は電脳の粉飾に手を貸し、追加融資を合わせて二千億円もの不適切な投資資金を支援するところだった。もし、あの資金を決裁した後、粉飾の事実が明るみに出ていたら、頭取である私も、投資資金支援を主張していた君たちも、引責を免れなかっただろう。いま我々が、頭取だの副頭取だの、証券営業部長などと偉そうな肩書をぶら下げていられるのは誰のおかげか。そのあたりのことをもう少し考えたほうがいいんじゃないのか」

中野渡の正論の前に三笠の弄した詭弁は色を失い、いまやふたりはバツの悪そうな顔を並べて押し黙るしかなかった。

「電脳への人選は早急に進めたい。さっき三笠君がいったように、証券部門には優秀な人材が揃っているそうだ。もはや問題と答案用紙は配られた。ここから先を誰に任せるべきか。私の考えでは――」

ビールをひと口飲んで喉を湿らせ、頭取は続けた。「この伊佐山君が適任だと思う」

さっと伊佐山の顔が上がり、手に取れるような狼狽を見せた。

「いや、頭取。私はその――」

反論の言葉を見付けようとするが、混乱した男からは論理的な思考そのものが吹き飛んでしまっているかのようになにも出てこない。

「名誉挽回のチャンスじゃないか」

中野渡は涼しい顔をしていった。「半沢君が説明してくれたから電脳の内情はわかったはずだ。しっかり再建して、君の優秀なところを見せてもらいたいものだな」

思い詰めたような伊佐山の顔が磁器のように青ざめていく。

「さらに、今後の展開を読むと、平山社長の退任は既定路線で、銀行主導の再建は不可欠になるだろう。そのときは三笠君、君に社長含みで頼みたい」

思いがけない話に、兵藤は慌てて中野渡を振り向いた。

「頭取、電脳雑伎集団は、わざわざ私が出向くほどの規模でしょうか」

きっとした三笠が反論を口にしたのはそのときだ。苛立ち混じりなのは、副頭取の次のポストとして、電脳クラスへの会社に下ることが異例だからである。

「規模は問題ではない」

中野渡は三笠を見据えると、威厳を込めていった。「全責任を取るからスキームも含めて一任してほしいといったのは君だろう、三笠君。ならば、電脳再建を成し遂げることが君たちに残された仕事であり、真っ当なバンカーとしての責務のはずだ。違うかね」

三笠の表情から、血の気が失せていく。唇を真一文字に結び、膝の拳を握りしめて中野渡を窺《うかが》うその目は凄まじかった。

そしていま、中野渡は続ける。「どんな場所であっても、また大銀行の看板を失っても輝く人材こそ本物だ。真に優秀な人材とはそういうものなんじゃないか」

兵藤は、そっと頭取の厳《いか》つい横顔を観察した。

その言葉はふたりのバンカーの胸に突き刺さったろうが、同時に兵藤は気付いていた。

中野渡の言葉は、いまそこにはいないひとりの男に贈られた最大の賛辞に違いないと。

9

「すまん、ヨースケ。いろいろ考えたんだが、オレはいまの会社で頑張ってみるよ」

期待に輝いていた瀬名の表情が急速に萎《しぼ》んでいくのを見て、森山は申し訳ない気持ちで一杯になった。

「ウチなんか東京セントラル証券に比べたら、ちっぽけなものだしな」

椅子の背もたれに体を投げた瀬名は、拗《す》ねるようにいった。

「そんな問題じゃないんだ」

森山はいった。「正直、いまの会社で、オレはいつも不満を抱えてた。こんなはずじゃないという思いを抱えながら、ずっと働いてきたんだ。だけど、今回の買収案件に携わって、オレはオレなりに働くことの意味がわかったような気がする。会社の大小とか看板とか、そんなことはどうでもいい。東京スパイラルに行きたいという気持ちはもちろん強い。だけど、それ以前に、せっかく気付いたいまの仕事のおもしろさをもっと味わっていたいんだ。だから、いまは転職しない。その代わり、ヨースケ。オレに、東京スパイラルを担当させてくれないか」

森山はそういって頭を下げた。「社員にはならなくても、証券会社の一社員として力にならせてほしい。頼む、この通り」

取り出したタバコに点火した瀬名は、もわっと口から煙を吐き出してから、「わかったよ」、そういって右手を差し出した。「これからも頼むわ」

それは、瀬名流のざっくばらんな歓迎だ。「早速だけど、コペルニクスの事業展開を手伝ってもらいたい。ウチとの提携内容も詰めた上で、日米の市場から資金調達できるよう育てていきたいんだ。やってくれるか」

「もちろん」

こたえた森山に、瀬名はデスクから分厚い書類を持ってきた。

「これは、オレの意見を基にして作成した事業計画書なんだが、ファイナンスの部分の実現可能性について検討してほしい」

「いつまでに」

「できるだけ早く」

瀬名はいった。「いまこうしている間にも、同じようなアイデアを持っている人間が世の中に十人はいると思ったほうがいい。一旦方向性が決まったら、そこから先は早い者勝ちだ」

「了解、すぐにはじめたい。持ち帰って精査させてもらう」

事業計画書をカバンに入れ、立ち上がりかけた森山に、「半沢部長にも、見てもらいたいんだよな。あの人、独特の嗅覚があるから」、と瀬名はいった。

森山は、ふと表情を曇らせた。

「部長、異動するかも知れない」

「マジで？」

瀬名が表情を歪めた。その驚き方から、半沢に対する信頼の大きさを窺うことができる。

「明後日、辞令が発令になるらしい」

半沢が銀行の人事部に呼ばれたらしいという話は、この日の午前中、社内の噂になっていた。大方役員の誰かが口を滑らせたに違いないが、行き先は電脳雑伎集団ではないかという情報だけがひとり歩きし、社内は戦々恐々たる状態だ。もっとも、当の半沢本人はそんなことはおくびにも出さず、いつもと変わらない仕事ぶりを見せている。

「異動って、どこに？」

瀬名に問われ、森山も言葉を濁した。「それはわからない。人事のことだから」

電脳雑伎集団かも知れない、とはいえない。

単なる社内の噂を口にすることへの躊躇《ためら》いもある。だが、それ以上に、そんな事実を認めたくはないという思いのほうが強かった。

東京スパイラルを守るために、半沢は、自らのサラリーマン人生を賭《と》した。

その結果、どんな事態が降りかかろうとも、半沢は決して後悔などしないだろう。

その信念と、潔さこそ、半沢直樹という男の真骨頂だと思う。

いま最大限の敬意と憧憬を込め、改めて森山はそれを確信したのであった。

10

「ついに、明日かよ」

発令前夜だった。この日、渡真利の誘い文句は、「最後の晩餐だ、半沢」、だった。

「最後の晩餐ってことは、オレは近々再出向か」

半沢がきいた。最初の生ビールから、一杯目の焼酎に酒が切り替わったところだ。

「それがわからないんだ。今回は兵藤部長が直接やっていて、事前の情報がまるで入ってこないんでな」

情報通としてはそれがいかにも悔しいらしく、渡真利は頭のうしろを掻いた。「人事部もかなり神経質になってるらしい。逆にお前のほうはなにかいわれてないのか」

「なにも」

半沢はこたえた。「ただ、十時に来てくれといわれただけだ。なるようにしかならんさ」

半沢はいうと、カウンター越しに出されたタコを口に放り込む。銀座のいつもの寿司屋であった。隣り合わせになっているライブハウスからは、客が出入りするたびに歌声が洩れきこえてくる。

「まあ、どんな人事であれ、お前の実力は誰もが認めるところだ。営業第二部での半沢人気は相変わらずらしいしな。今度の件でも、お前の活躍に営業部内は拍手喝采だったとさ」

「それはうれしいね」

半沢はかつての部下たちの顔をなつかしく思い出しながら、少し淋しげに笑った。

「まあ、とりあえず明日、辞令をもらってくるさ」

半沢はいった。「どこに行かされるかは知らないが、行ったところでベストを尽くす。新人だろうがベテランだろうが、やることはいつも同じだな」

「いい人事だといいな」

渡真利が掲げた焼酎のロックグラスに自分のグラスをぶつけた半沢は、明日の辞令のことを考えようとして止めた。

考えても仕方がない。この数カ月、半沢は東京スパイラルのために最善を尽くした。それがどれだけ理不尽なものであろうと、発令された人事には従わなければならない。バンカーである以上、人事は絶対だ。むろん半沢もまた、その例外ではない。


その日、指定された時間に人事部に出向いた半沢が連れていかれたのは、意外にも頭取の執務室であった。

「発令式じゃないんですか」

前を歩く兵藤に尋ねると、「定例じゃないんでな」、という短い返事がある。これから出る辞令についての話は一切ない。まったくのぶっつけ人事である。

「行き先について、事前に打診していただけるのかと思いましたが」

役員フロアで止まったエレベーターから降りながら半沢がいうと、

「文句をいうな」

という返事があった。「こっちもいろいろあってな。いちいちお前の要望なんぞきいてる暇がなかったんだ」

「お忙しくてなによりです」

半沢がニヤリと笑うと、「口の減らん奴だ」、といったきり兵藤は最奥にある頭取室まで歩いていき、秘書に無言でうなずきかける。

異例ずくめの人事だった。出向中の行員を呼び出し、頭取自らが辞令を交付するなど、前例のないことだからである。

「おお、来たか」

執務用デスクにいた中野渡は、老眼鏡をかけたまま立ってくると、兵藤が恭《うやうや》しく手渡した辞令を黙って受け取った。

半沢の前でそれを開け、「辞令」、といきなり読みはじめる。

いつものことだが、単刀直入の中野渡らしいやり方だ。

「半沢直樹、営業第二部第一グループ次長を命ず」

驚いた半沢が顔を上げ、中野渡の素っ気ない表情をまともに見た。

「出戻りだ。それと今回の件――よくやった」

「謹んでお受けいたします」

差し出された右手を握りしめた半沢がいうと、「早く営業部に顔を出してやれ」、と中野渡はいった。「君のことを、待ってる連中もいるだろうしな」

そういって辞令をさっさと折りたたむと、兵藤に返して寄越す。それから何事もなかったかのようにデスクに戻った中野渡は、いままで目を通していたらしい書類を取り上げ、中断していた仕事を再開した。

黙礼し執務室を出た半沢は、「ありがとうございました」、と兵藤に礼をいった。

「オレは知らん」

カタブツの人事部長は、まっすぐ前を向いたまま歩き出す。

その兵藤と別れ、ひとり営業第二部のフロアに降り立った半沢は、半年前まで通い慣れたドアをゆっくりと押した。

そして、第一部から第四部までが並んだフロアに足を踏み入れたところで、思わず立ち止まった。

かつての部下たちが次々と立ち上がり、半沢を出迎えたからだ。拍手が起き、それはさざ波のようにフロア全体へと広がっていく。

「お帰りなさい、次長」

営業第二部のシマの前に差し掛かると、そんな声が飛んだ。

軽く右手を挙げ、その拍手の中を突き当たりのドアに向かって歩く。部長室だ。

「随分と人気だな、半沢」

出迎えた内藤はいつもの渋い表情で、唇の端に笑いを挟んでいた。スマートな本部エリートを絵に描いたような内藤が、いつもの思索的な面差《おもざ》しに戻るのを待って、半沢はいった。

「いましがた営業第二部次長の辞令をいただき、着任いたしました。よろしくお願いします」

「栄転おめでとう」

内藤は右手を差し出した。「そして、お帰り。君が不在だったこの半年、当部にも様々なことがあった。いずれそれは君も知るところとなるだろう。着任早々悪いが、休んでいる暇はないぞ」

「承知しております。ここは銀行ですから」

「そう、銀行という名の戦場だ」

内藤は重々しくうなずいた。「日本経済が発展する限り、我々に休息はない。そして、安穏とした発展など、この世の中には存在しない。繁栄は勝ち取るものだ。銀行もまた同じ。そのために君の力が必要だ、半沢」

いわれなくてもわかっている。

なぜ自分がここにいるのか。なにを自分が期待されているのか。

それを成し遂げるために、ここに戻ってきた。

いまこの瞬間、半沢の新たな戦いがはじまろうとしていた。

解説　完全無欠のエンターテインメント

村上貴史

■前口上

読書は文庫で、というみなさま。お待たせしました。いよいよあの《半沢直樹》シリーズ第三弾『ロスジェネの逆襲』が文庫で登場です。

■待望

とまあこうした口上を述べたくなるほど、二〇一三年の半沢直樹ブームはすさまじかった。まさに〝社会現象〟だったのである。

七月七日に放送が始まり、九月二二日に第一〇話で幕を閉じたこのドラマは、民放のテレビドラマにおいて、平成に入ってから最高の視聴率——最終回は関東四二・二%、関西四五・五％――をたたき出した。それはかりではなく、決め台詞である「倍返し」がその年の流行語大賞を獲得、さらに原作も二冊合計で二〇〇万部を超す大ヒットとなるなど、二〇一三年の日本を席巻したのである。

ちなみにその原作、すなわち『オレたちバブル入行組』『オレたち花のバブル組』であるが、前者は『別冊文藝春秋』の二〇〇三年一一月号から翌年九月号にかけて連載され、その年の一二月に刊行された作品である。後者は同様に〇六年五月号から翌年一一月号に同誌に連載され、〇八年六月に刊行された。それぞれ文庫化は〇七年、一〇年である。その後じわじわと累計二〇万部を超える支持を獲得していた作品にTVドラマによって注目が集まったところ、一気に二〇〇万部を超えるベストセラーに化けたのだ。結果として、その年のベストセラーリストでは、この二作品が、あまたの新刊に混じって二位に食い込んだのである（トーハン調べ　二〇一三年　年間ベストセラー　【文庫総合】部門）。

この年間ベストセラーの【単行本・文芸】部門において三位に入ったのも池井戸潤の小説であったが、こちらもまた新刊ではない。前年六月に刊行された《半沢直樹》シリーズ第三弾『ロスジェネの逆襲』が、三位だったのだ。新刊ではなく、しかもTVドラマの直接の原作でもないのに、この成績である。いかに読者が《半沢直樹》の新作を求めていたかが判ろうというものだ。

だが、『ロスジェネの逆襲』は、なにもTVドラマを見た方々（そしてドラマをきっかけに『オレたち花のバブル入行組』『オレたち花のバブル組』を読んだ方々）だけに待望されていたわけではない。『半沢直樹』が放映される前から、この小説は強い支持を受けていたのである。

本作品は、『週刊ダイヤモンド』という経済誌に二〇一〇年八月七日号から二〇一一年一〇月一日号に連載された。同誌は経済雑誌であり、読者は経済情報をまず重視する。にもかかわらず、連載小説である『ロスジェネの逆襲』が読者満足度で一位を獲得してしまったのだ。一九一三年、つまりは大正二年に創刊されたというこの経済雑誌において、連載小説が一位を獲得したのは初めてのことだという。世の経済人達が、半沢直樹の活躍をそれだけ強力に支持していたことのあらわれといえよう。結果として『ロスジェネの逆襲』は、これも同誌百年の歴史のなかで初めてのことだが、連載小説として巻頭を飾ることになったのである。

経済誌の読者だけではなく、池井戸潤のファンからも半沢直樹の新刊は強く待ち望まれていた。『文藝春秋』のインタビューによれば、『ロスジェネの逆襲』は、「ほかの本のサイン会でも『半沢どうなってますか』という声がすごく多くて。こんなに待ってくれてるならと、予定を前倒しにして」単行本を刊行したのだという。

この時期の池井戸潤といえば、吉川英治文学新人賞を獲得した『鉄の骨』(二〇〇九年)や、直木賞を獲得した『下町ロケット』(二〇一〇年) などのノンシリーズ作品を発表した直後であり、その著作の質の高さが世の中に定着した時期である。それでもなお、半沢直樹を求める声が強かったのだ。

TVドラマの前から待望され、そしてTVドラマ放映後は、原作でもないのに極めて多数の読者に読まれた作品、それがこの『ロスジェネの逆襲』なのである。

■逆襲

東京中央銀行の子会社である東京セントラル証券。その営業企画部長が、現在の半沢直樹のポジションだ。銀行で顕著な成績を残しつつも、暗黙の掟の数々を破り、何人ものお偉方――顧客よりも銀行の理念よりも私欲と保身を重視する連中だ――に煙たがられ、出向させられたのである。

その半沢に、急成長中のＩＴ企業、電脳雑伎集団の平山社長夫妻が一つの依頼を持ち込んできた。同業の東京スパイラルを買収するためのアドバイザーになって欲しいというのだ。このビジネスを成功させれば、東京セントラル証券に巨額の手数料が入る。だが、親会社の庇護のもとに活動してきた東京セントラル証券には、この分野での実績はなかった。そこに懸念を覚える半沢だったが、部下の諸田を中心にアドバイザーチームを発足させることにした。半沢同様に銀行からの出向者である諸田は、東京セントラル証券の生え抜き社員であった電脳雑伎集団担当の森山をチームには加えず、同じく銀行からの出向者である三木を投入し、チームを編成する。買収ノウハウもないなかで、依頼主の知識よりも銀行出向者という経歴を重視したチームは、半沢への報告もおろそかにしたまま時間を浪費し、電脳雑伎集団から愛想を尽かされるという最悪の結果を迎えてしまう。社長から責任者として糾弾された半沢だったが、その後、この失態には裏があったことを知る……。

　従来の二作品にもまして、この『ロスジェネの逆襲』は刺激的な長篇ドラマに仕上がっている。

　とにかくストーリーが波乱に満ちていて素晴らしいのだ。もちろん池井戸潤の作品であり、しかも《半沢直樹》シリーズであるからして人物造形はしっかりしている。その土台の上でのストーリーの魅力なのである。

　電脳雑伎集団は何故、企業買収経験の浅い東京セントラル証券に巨額の買収劇のアドバイザーを求めてきたのか。東京セントラル証券の失態の裏では誰が糸を引いていたのか。その糸を操っていた巨大な敵に、半沢はどう立ち向かうのか。そしてその〝全面戦争〟の帰結は……。読者の関心を掻き立てるエピソードが冒頭からいくつも散りばめられ、それらのエピソードを節目として、物語は読者の予想を心地よく裏切る形で進んでいく。まずはそれだけで十分に一級のエンターテインメントなのだが、この小説に登場する〝敵〟の造形が、本書をそれ以上に魅力的な存在としている。未読の方のために詳述は避けるが、とにかく敵の設定が大胆なのだ。しかも、彼らの仕掛けが周到極まりない。しかも、自分の欲のためには他人のプライドも人生も踏みにじることを厭わない。そんな仕掛けなのである。その強大な敵の大がかりなプランに対して半沢直樹がとった作戦は、それ以上に大胆。唖然呆然とする対抗策なのである。しかしながらその策は、いかにも半沢直樹らしい。前例や社内の常識にとらわれず、顧客に対して金融機関としてなにをするのが最適か、という観点での選択であり、読み手として喝采を送りたくなる選択なのである。

池井戸潤はこうしたかたちで読者を愉しませつつも、全体としての企業買収劇という大きな枠組みはきっちりと維持している。つまり長篇小説としては、幹が全く揺らいでいないのだ。枝葉である個々のエピソードと幹とのバランスが絶妙なのである。それ故に、読み手としてはページをめくる手を止めようがない。

しかもこの『ロスジェネの逆襲』では、従来作品では薄かったギャップへの言及も施されており、物語の緊張感を高めている。

そのギャップとは、出向者と生え抜きの間のギャップであり、世代間のギャップである。

前者のギャップは、前述したように本書の冒頭のアドバイザーチーム編成の場面からくっきりと示されている。プロパーの担当者を押しのけて花形チームの一員となった出向者、そうしたチームを編成した出向者、その編成を最終的には認めた出向者（半沢だ）。こうした銀行からの出向者の横暴に対するプロパー社員の赤裸々な心が、森山の口を通じて読者に伝えられる。森山からすれば半沢も他の面々同様、銀行側の人間なのである。従来の半沢は、東京中央銀行において旧産業中央銀行と旧東京第一銀行という合併前の銀行の対立構造のなかで己の信じるものを貫いてきたのだが、森山からすればそれは所詮銀行のなかでのこと。その突き放した視点がシリーズ読者にとっては新鮮である。また、森山の認識が、その後の半沢の行動を目の当《ま》たりにし、さらに会話を重ねるなかで変化していく様も本書の読みどころの一つである。その会話を通じて、読者としても半沢の心を知ることが出来て嬉しい。

ちなみに銀行からの出向という構造は『オレたち花のバブル組』においても登場していた。半沢の同期である近藤直弼が取引先の中堅電機メーカー「タミヤ電機」に総務部長として出向した模様が描かれていたのだ。だが、それはあくまでも脇役のドラマであり、また、銀行側の視点が中心であった（とはいえさすがに池井戸潤だけに受け入れ側の視点もきちんと語っており、それはそれで一つのドラマになっている）。今回は半沢自身が出向するという構図であり、しかも諸田をはじめとする他の出向者たちと横並びにされるなかでプロパー社員と接していくのである。銀行という庇護環境を取っ払った状態での半沢直樹という男の真価が、東京セントラル証券で問われるのだ。これは前二作で描かれた五億円の債権回収や百二十億円の損失を出した老舗ホテルの再建より、よほど厳しい勝負である。その逆境のなかでの半沢直樹ならではの輝きを、是非堪能していただきたい。

後者のギャップ――世代間の――もまた本書の序盤から語られている。

一九九四年から二〇〇四年にわたる就職氷河期に世の中に出た若者たちを、ロスト・ジェネレーション、略してロスジェネ世代と呼ぶ。ただ好景気だったというだけで大量に採用され、中間管理職として幅をきかせているバブル世代に対して、彼らは反感を抱いている。個人としての能力は劣るのに、会社という枠組みのおかげで上司面《づら》できていると思っているのだ。東京セントラル証券においては、この世代間の相違が、出向組とプロパー社員に重なっている。それ故に人間関係が余計にきしむのだ。きしむが、そこは半沢のこと、それを放置するのではなく、解消して、東京セントラル証券のために役立てていく。そうしたかたちで人心を掌握できるのも、半沢の個性であり能力の表れである。また、重要登場人物の一人、東京スパイラルの瀬名社長もまたロスジェネ世代である。森山の幼なじみなのだ。その瀬名社長の心に東京セントラル証券がいかに食い込んでいくかも、半沢とロスジェネ世代（瀬名と森山）との関係という観点で興味深い。

ＩＴ産業という、変化の激しい業界への池井戸潤の目配りや、それを活かしたドラマ作りにも注目しておきたい（ちなみに『ロスジェネの逆襲』の連載が始まった二〇一〇年というのは、iPadが世の中に初登場した年である）。

電脳雑伎集団と東京スパイラル、そしてもう一社、重要な役割を担って登場するフォックス。これらはいずれも急成長を遂げたＩＴ企業である点は共通しているが、成功要因も異なれば社長の年代も性格も異なる。銀行との関係も異なる。そうした個々の企業、あるいは社長の個性を池井戸潤はきっちりと描いたうえで、それぞれの特長を活かすかたちで銀行や半沢たち東京セントラル証券を巻き込む謀略を描き、さらに終盤で明らかになるある仕掛けを施した。この大がかりな設計図が、先に述べた企業買収劇という本書の太い幹となっており、そしてその高い完成度が、本書のストーリーの魅力となっている。

登場人物の魅力に骨太なストーリーの魅力が一体となった『ロスジェネの逆襲』、そう、完全無欠のエンターテインメントなのである。

■銀翼

池井戸潤は二〇一四年八月、《半沢直樹》シリーズ第四弾『銀翼のイカロス』を発表した。その作品で半沢直樹に与えられた使命は、親方日の丸の放漫経営の果てに破綻目前となった帝国航空の再建であった。ただでさえ難題なのに、政権交代に伴って新たに国土交通省の大臣となった白井亜希子《しらいあきこ》という芸能界出身の輩《やから》が、手柄ほしさに余計な口を挟んでくる。病んだ超巨大企業と私欲に捕らわれた国家権力。これらを相手にした半沢直樹の闘いを、『銀翼のイカロス』では愉しむことができる。

痛快なドラマではあるが、銀行家としての生き方にも深くメスを入れた作品であり、その観点ではシリーズのなかで最も重厚な作品ともいえよう。今後の半沢直樹の生き方にも大きな影響を与えるであろうエピソードで、この作品は幕を閉じているのである。

それ故に、今後の半沢直樹の活躍は、痛快であると同時に深みを帯びたものになると予想する。新作が待ち遠しくて仕方がない。

（書評家）

初出　「週刊ダイヤモンド」二〇一〇年八月七日号〜二〇一一年十月一日号

単行本　二〇一二年六月　ダイヤモンド社刊

この物語はフィクションであり、実在の人物・団体・事件などと一切関係ありません。

本文デザイン　岩瀬聡

文春文庫

ロスジェネの逆襲《ぎゃくしゅう》

定価はカバーに表示してあります

2015年9月10日　第1刷

著　者　池《いけ》井《い》戸《ど》　潤《じゅん》
発行者　飯窪成幸
発行所　株式会社　文藝春秋

東京都千代田区紀尾井町 3-23　〒102-8008
TEL　03・3265・1211
文藝春秋ホームページ　http://www.bunshun.co.jp

落丁、乱丁本は、お手数ですが小社製作部宛お送り下さい。送料小社負担でお取替致します。

印刷・凸版印刷　製本・加藤製本

Printed in Japan
ISBN978-4-16-790438-8

（　）内は解説者。品切の節はご容赦下さい。

石田衣良
池袋ウエストゲートパーク
刺す少年、消える少女、潰し合うギャング団……命がけのストリートを軽やかに疾走する若者たちの現在を、クールに鮮烈に描いた人気シリーズ第一弾。表題作など全四篇収録。（池上冬樹）
い-47-1

石田衣良
シューカツ！
一人の女子大生がマスコミ志望の男女七人の仲間たちで「シューカツプロジェクト」を発動した。目標は難関、マスコミ就職！若者たちの葛藤、恋愛、苦闘を描く正統青春小説。（森　健）
い-47-15

石田衣良
夜を守る
ひとり息子を通り魔に殺された老人と出会い、アメ横の平和を守るため、四人の若者がガーディアンとして立ち上がった！IWGPファンに贈る大興奮のストリート小説。（永江　朗）
い-47-30

伊藤たかみ
指輪をはめたい
三十歳の誕生日までには結婚するのだと誓っていた僕。指輪も買った。誕生日も近い。しかし転んで頭を打った僕は、肝心のプロポーズの相手が誰なのか忘れてしまう。（大島真寿美）
い-55-3

池井戸　潤
オレたち花のバブル組
あのバブル入行組が帰ってきた。巨額損失を出した老舗ホテル再建、金融庁の嫌みな相手との闘い。絶対に負けられない闘いの結末は？　大ヒット半沢直樹シリーズ第2弾！（村上貴史）
い-64-4

池井戸　潤
かばん屋の相続
「妻の元カレ」「手形の行方」「芥のごとく」他。銀行に勤める男たちが、長いサラリーマン人生の中で出会う、さまざまな困難と悲哀。六つの短篇で綴る、文春文庫オリジナル作品。（村上貴史）
い-64-5

池井戸　潤
民王
夢かうつつか、新手のテロか？　総理と息子の非常事態が発生！　漢字の読めない政治家、酔っぱらい大臣、バカ学生らが入り乱れる痛快政治エンタメ決定版。（村上貴史）
い-64-6

（　）内は解説者。品切の節はご容赦下さい。

井上荒野
夜を着る
地方に出かけたギタリストの夫に女の影を感じた妻が、隣家の男と夫を追いかける表題作「夜を着る」など八篇を収録した、日常の皮膜が剝がれおちる「旅」がテーマの短篇集。（松山　巖）
い-67-3

井上荒野
ベッドの下のNADA
郊外の古いビルの地下で喫茶店NADAを営む夫と妻。結婚五年目を迎えたそれぞれの心の内を、子供時代の追憶を織り交ぜて浮び上がらせた、怖いまでに美しい物語。（鴻巣友季子）
い-67-4

伊坂幸太郎
死神の精度
俺が仕事をするといつも降るんだ——七日間の調査の後その人間の生死を決める死神たちは音楽を愛し大抵は死を選ぶ。クールでちょっとズレてる死神が見た六つの人生。（沼野充義）
い-70-1

五十嵐貴久
TVJ
お台場のテレビ局が何者かに占拠された。かつてない劇場型テロに警察は翻弄される。三十歳目前の経理部女子社員が人質となった恋人を救うため、一人で立ち向かう。（温水ゆかり）
い-71-1

江上　剛
非情人事
転籍人事にかちんと来た実力副社長、リストラを完遂した途端に自分の首を斬られた人事部長など、ビジネスマンの複雑な思いと行動を鮮やかな筆致で描いた文庫オリジナル短篇集。
え-11-1

大沢在昌
魔女の笑窪
闇のコンサルタントとして裏社会を生きる女・水原。男を一瞬で見抜くその能力は、誰にも言えない壮絶な経験から得た代償だった。美しいヒロインが、迫りくる過去と戦う。（青木千恵）
お-32-7

大沢在昌
魔女の盟約
自らの過去である地獄島を破壊した「全てを見通す女」水原は、家族を殺された女捜査官・白理《バイリー》とともに帰国。自らをはめた「組織」への報復を計画する。『魔女の笑窪』続篇。（富坂　聰）
お-32-8

（　）内は解説者。品切の節はご容赦下さい。

奥田英朗
イン・ザ・プール
プール依存症、陰茎強直症、妄想癖など、様々な病気で悩む患者が病院を訪れるも、精神科医・伊良部の暴走治療ぶりに呆れるばかり。こいつは名医か、ヤブ医者か？　シリーズ第一作。
お-38-1

奥田英朗
空中ブランコ
跳べなくなったサーカスの空中ブランコ乗り、尖端恐怖症で刃物が怖いやくざ……。おかしな症状に悩める人々を、トンデモ精神科医・伊良部一郎が救います！　爆笑必至の直木賞受賞作。
お-38-2

奥田英朗
無理（上下）
壊れかけた地方都市・ゆめのに暮らす訳アリの五人。それぞれの人生がひょんなことから交錯し、猛スピードで崩壊してゆく様を描いた傑作群像劇。一気読み必至の話題作！
お-38-5

荻原　浩
ちょいな人々
「カジュアル・フライデー」に翻弄される課長の悲喜劇を描く表題作ほか、少しおっちょこちょいでも愛すべき、ブームに翻弄される人々がオンパレードの抱腹絶倒の短篇集。（辛酸なめ子）
お-56-1

荻原　浩
ひまわり事件
幼稚園児と老人がタッグを組んで、闘う相手は？　隣接する老人ホーム「ひまわり苑」と「ひまわり幼稚園」の交流を大人の事情が邪魔するが。勇気あふれる熱血幼老物語！（西上心太）
お-56-2

大崎　梢
夏のくじら
大学進学で高知にやって来た篤史はよさこい祭りに誘われる。初恋の人を探すために参加するも、個性的なチームの面々や踊りの練習に戸惑うばかり。憧れの彼女はどこに!?（大森　望）
お-58-1

川端裕人
夏のロケット
元火星マニアの新聞記者が、ミサイル爆発事件を追ううち遭遇する高校天文部の仲間。秘密の町工場で彼らは何をしているのか。ライトミステリーで描かれた大人の冒険小説。（小谷真理）
か-28-1

（　）内は解説者。品切の節はご容赦下さい。

角田光代
対岸の彼女
女社長の葵と、専業主婦の小夜子。二人の出会いと友情は、些細なことから亀裂を生じていくが……。孤独から希望へ、感動の傑作長篇。直木賞受賞作。（森　絵都）
か-32-5

角田光代
ツリーハウス
じいさんが死んだ夏、孫の良嗣は自らのルーツを探るべく、祖父母が出会った満州へ旅に出る。昭和と平成の世相を背景に描く、一家三代のクロニクル。伊藤整文学賞受賞作。（野崎　歓）
か-32-9

角田光代
かなたの子
生まれなかった子に名前などつけてはいけない——人々の間に昔から伝わる残酷で不気味な物語が形を変えて現代に甦る。時空を超え女たちを描く泉鏡花賞受賞の傑作短編集。（安藤礼二）
か-32-10

加納朋子
モノレールねこ
デブねこを介して始まった「タカキ」との文通。しかし、そのネコが車に轢かれ、交流は途絶えるが……表題作「モノレールねこ」ほか、普段は気づかない大切な人との絆を描く八篇。（吉田伸子）
か-33-3

加納朋子
少年少女飛行倶楽部
中学一年生の海月が入部した「飛行クラブ」。二年生の変人部長・神《じん》ことカミサマをはじめとするワケあり部員たちは果たして空に舞い上がれるのか？　空とぶ傑作青春小説！（金原瑞人）
か-33-4

神崎京介
夜と夜中と早朝に
別れた妻への思いにとらわれ続ける「わたし」。男女の間に、永遠に好き、という感情は成立しうるのか。恋愛の機微と繊細な官能を滑らかに紡ぎ出す、神崎京介の真骨頂！（吉田伸子）
か-42-1

桂　望実
Run！Run！Run！
長距離ランナーの才能に恵まれ、努力と自負も人一倍だが協調性に欠け陸上部で敬遠される岡崎優。兄の死によりある秘密を知った彼は箱根駅伝を前に重い決断を迫られる。（北上次郎）
か-43-1

（　）内は解説者。品切の節はご容赦下さい。

桂　望実
WE LOVE ジジイ
町村合併で寂れた旧川西村。仕事に挫折して移住してきた元コピーライターの岸川を待っていたのは、頼りない役所職員と元気なジジババと共に挑む「輪投げ」での町おこし作戦だった！

か-43-2

勝谷誠彦
ディアスポラ
〝事故〟で国土が居住不能となり、世界中の難民キャンプで暮らす日本人。情報から隔絶され将来への希望も見いだせぬまま懸命に「日本人として」生きようとするが……。（百田尚樹）
か-47-2

海堂　尊
ひかりの剣
覇者は外科の世界で大成するといわれる医学部剣道部の「医鷲旗」大会。そこで、東城大・速水と、帝華大・清川による伝説の闘いがあった。「チーム・バチスタ」シリーズの原点！（國松孝次）
か-50-1

加藤実秋
風が吹けば
気がつくとそこはボンタン・ロンタイ、松田聖子にチェッカーズ、金八先生の世界だった。『インディゴの夜』の著者初の長編は、懐かしくて新しい、傑作タイムスリップ・ストーリー。

か-59-1

北　杜夫
怪盗ジバコ
一国の予算を超える盗みを働く正体不明の大怪盗、ジバコ。彼の超人的かつ少々フシギな活躍を描いた、北杜夫のユーモア小説における代表作。世界よ、ジバコに瞠目せよ！（遠藤周作）
き-1-8

桐野夏生
グロテスク（上下）
あたしは仕事ができるだけじゃない。光り輝く夜のあたしを見てくれ——。名門女子高から一流企業に就職し、娼婦になった女の魂の彷徨。泉鏡花文学賞受賞の傑作長篇。（斎藤美奈子）
き-19-9

桐野夏生
メタボラ
記憶喪失の僕と、故郷を捨てたアキンツの逃避行。すべてを奪われた僕たちに安住の地はあるのだろうか——。底辺に生きる若者たちの生態を克明に描いた傑作ロードノベル。（小山太一）
き-19-14

（　）内は解説者。品切の節はご容赦下さい。

桐野夏生
ポリティコン（上下）
東北の寒村に芸術家たちが創った理想郷「唯腕村」。村の後継者となった高浪東一は、流れ者の少女マヤを愛し、憎み、運命を交錯させる。国家崩壊の予兆を描いた渾身の長篇。（原　武史）
き-19-16

北島行徳
バケツ
マッチョだが気の弱い神島は、養護施設で知的障害のある少年「バケツ」と出会う。同居生活が始まるが、次々とトラブルが起こる。「本当のやさしさ」を大胆に描き出す。（大崎善生）
き-20-2

熊谷達也
邂逅《かいこう》の森
秋田の貧しい小作農・富治は、先祖代々受け継がれてきたマタギとなり、山と狩猟への魅力にとりつかれていく。直木賞、山本周五郎賞を史上初めてダブル受賞した感動巨篇！（田辺聖子）
く-29-1

熊谷達也
稲穂の海
昭和四十年代、宮城県。高度経済成長とそれまでの暮らしの狭間で、未来への希望と不安を抱えつつたくましく生きる人々と、暮らしの真の豊かさを描き出す短篇集。（池上冬樹）
く-29-4

黒田研二
カンニング少女
姉の死の謎をさぐるため最難関私大を目指す女子高生・玲美。超優等生の愛香、陸上選手の杜夫、機械オタクの隼人の力をかりて、カンニングで入試突破を目指す。（大矢博子）
く-31-1

宮藤官九郎
きみは白鳥の死体を踏んだことがあるか（下駄で）
冬の白鳥だけが名物の東北の町で男子高に通う「僕」。ある日、ローカル番組で「おもしろ素人さん」を募集しているのを見つけた僕は、親友たちの名前を勝手に書いて応募し……。（石田衣良）
く-34-3

久保寺健彦
オープン・セサミ
いいオトナになっても、人生は初めてのことだらけ。そしてそこには新たな可能性だってあるかもしれない。そんな〝初体験〟に右往左往する男女をキュートに描く短編集。（北上次郎）
く-35-1

（　）内は解説者。品切の節はご容赦下さい。

幸田真音
バイアウト
企業買収

ファンド業界の風雲児、相馬が仕掛ける壮絶な企業買収。外資系証券で働く美潮はこのディールに加担することで何を得、何を失うのか。小泉改革の是非を問う倉都康行氏との対談を併録。

こ-25-5

佐藤亜紀
戦争の法

一九七五年、日本海側のN県が突如独立を宣言し、街はソ連兵で溢れた。中学生の私は親友の千秋と共に山へ入り、少年ゲリラの一員となる。地方都市の混沌と狂騒を描く傑作長篇。（佐藤哲也）

さ-32-5

笹本稜平
還るべき場所

世界2位の高峰K2で恋人を亡くした山岳家は、この山にツアーガイドとして還ってきた。立ちはだかる雪山の脅威と登山家たちのエゴ。故・児玉清絶賛の傑作山岳小説。（宇田川拓也）

さ-41-3

佐々木　譲
鉄騎兵、跳んだ

モトクロスに人生の全てを賭ける貞二は、結果が出ず、また、若い天才の出現に焦りを覚える。オール讀物新人賞受賞の表題作をはじめ、著者の原点である初期短篇五篇を収録。（池上冬樹）

さ-43-2

佐々木　譲
ワシントン封印工作

昭和十六年、日米開戦とともに消えた一人の大使館員がいた。和平交渉の裏側で進展する諜報活動と各国の思惑、彼らの恋愛模様を描く第二次大戦三部作に連なる長篇小説。（青木千恵）

さ-43-3

佐藤哲也
ぬかるんでから

これは奇跡に関する物語だ——。洪水を生き延びるために愛する妻が亡者と交わした取引とは？　表題作の他「とかげまいり」「夏の軍隊」等、不思議な味わいの全十三篇。（伊坂幸太郎）

さ-45-1

坂木　司
ワーキング・ホリデー

突然現れた小学生の息子と夏休みの間、同居することになった元ヤンでホストの大和。宅配便ドライバーに転身するも、謎とトラブルの連続で!?　ぎこちない父子の交流を爽やかに描く。

さ-49-1

（　）内は解説者。品切の節はご容赦下さい。